D1085752

Lauriane Clouteau - Jacques Clouteau

Miam Miam Dodo
LeGuide

(GR 65)
Chemin de Compostelle de Cahors à
Saint-Jean-Pied-de-Port et Roncevaux

Echelle des plans : 1 cm = 375 m

 avec indication des hébergements adaptés
aux personnes à mobilité réduite

Edition 2021

Les Editions du Vieux Crayon
www.levieuxcrayon.com
info@levieuxcrayon.com

Les erreurs, modifications et nouveautés survenues depuis la
parution du livre (décembre 2020) sont répertoriées sur le site
www.chemindecompostelle.com
à la rubrique « Errata Miam Miam Dodo » ⟶

TABLE DES MATIÈRES

Détail des plans :
• Plans 44 à 101 - de Cahors à Saint-Jean-de-Port et Roncevaux
Suivi de :
• Glossaire multilingue (Français, Espagnol, Anglais, Allemand, Néerlandais, Italien)
• Index alphabétique des lieux

échelle 1/37.500
(1 cm = 375 m)

La borne indique
la distance entre
deux épinglettes
(ici 2.8 km)

La petite coquille
jaune et bleue
marque le point
d'entrée et le point
de sortie du GR 65
sur le plan

bleu = hébergement

orange = restauration

uge = autres services

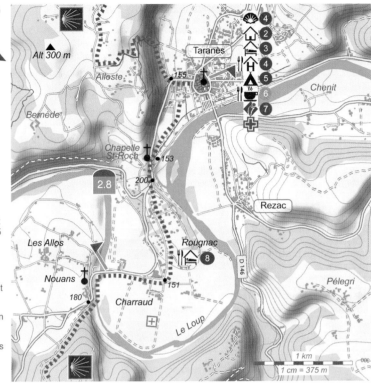

Courbe des reliefs
- Difficile
- Difficulté moyenne
- Facile

Pont — Chapelle St-Roch — alt 153 m — Taranès (alt 155 m) — Alloste (alt 280 m)

Charraud Le nom en italique, c'est un hameau ou une ferme isolée

Taranès Entouré d'un filet rouge, c'est un village

Le trait gris, c'est un chemin de terre

Le pointillé rouge, c'est le tracé du GR 65

Si le pointillé est marron, c'est une variante ou un raccourci

Si le pointillé est bleu, c'est l'itinéraire pour aller dans un
hébergement hors-chemin

⊞ Ça c'est un cimetière. Nous
les indiquons dans la plupart
des villages car ils disposent
quasiment tous d'un robinet
d'eau potable.

❽ 🏴󠁧󠁢󠁥󠁮󠁧󠁿 ▬ ▭ 📶 Chambre d'hôtes
Corinne Touyer, Rougnac, 82140 Taranès (tél 05-66-22-88-99
✉ corinne.touyer@orange.fr) 2 ch, 🧍 36 €, 👫 47 €, 🍽 17 €,
LL 3 €, ouv avr à oct (suivre le panneau "Menuiserie")

UNE ANNÉE 2020 TERRIBLE POUR LE CHEMIN

Après des années de bonheur et des millions de pèlerins marchant vers l'occident, voici que notre beau chemin de Saint Jacques s'est brusquement retrouvé vide de pèlerins à la mi-mars 2020, alors même que le printemps s'annonçait radieux.

Tous ceux qui souhaitaient partir, les godillots impatients et le sac à dos frémissant, ont dû rester confinés chez eux, à parcourir d'un air navré les cartes et les topo-guides. Certains ont repris le bâton, dès la levée du confinement de 100 km, quand d'autres ont préféré repousser d'un an leur projet. Ceux qui sont partis ont rapidement retrouvé avec leurs collègues pèlerins la magie du Chemin et des rencontres, et la fraternité des repas partagés le soir au gîte.

De même, dans les siècles passés, il est arrivé de nombreuses fois que la circulation des pèlerins soit freinée par les épidémies, les guerres ou les humeurs royales.

Et pourtant le Chemin ne s'est jamais arrêté, car il porte en lui l'espoir et le bonheur, l'amitié et le partage. Foi de jacquet, il ne s'arrêtera pas non plus aujourd'hui ! Ultreia !

LE TRAVAIL DES HÉBERGEMENTS

Dès la fin du confinement et la réouverture des chemins, les hébergements ont mis en place des protocoles pour éviter au Covid-19 de se glisser dans vos sacs à dos. Le respect des gestes-barrières, la distanciation physique, la mise à disposition de gels hydroalcooliques, la fourniture de masques, la désinfection fréquente des lits et poignées de portes, la réduction de la capacité d'accueil (nombre de pèlerins limités par chambrée), les repas servis sur plateaux, etc…

Désormais certains gîtes privilégient l'accueil des pèlerins voyageant ensemble, plutôt que l'accueil du pèlerin solitaire. D'autres laissent la chambre vide 48 heures entre deux locations.

Bien évidemment, selon la disposition des pièces dans la maison qui vous héberge, selon qu'il y a un jardin ou pas, selon que vous prenez ou pas le repas, les dispositions seront différentes d'un hébergement à l'autre. Il faudra à chacun une solide dose de tolérance et de lâcher-prise pour que le Chemin reste un bonheur partagé.

LES FINANCES

D'un point de vue financier, beaucoup d'hébergeurs ont admis le fait que l'année 2020 restera une année blanche, mais la plupart gardent les mêmes prix en 2021 malgré la réduction de la capacité d'accueil. D'autres demandent au pèlerin de participer à l'effort de crise en acceptant de payer plus cher du fait qu'il occupe seul une chambrée de trois…

Dans tous les cas, de nombreuses données vont changer, et il vous faudra, avant de partir, effectuer impérativement vos réservations et connaître les nouvelles conditions d'accueil.

LE TRAVAIL DU MIAM MIAM DODO

L'équipe du Miam Miam Dodo, durant la période de confinement, est restée en contact avec tous les hébergements afin de partager les nouvelles et les informations sur ce qu'il était possible de faire et de ne pas faire.

Une page spéciale a été mise en place pour que chaque hébergement puisse préciser les nouvelles conditions d'accueil quand les pèlerins purent de nouveau marcher.

L'équipe du Miam Miam Dodo souhaite un bon pèlerinage à tous ceux qui vont partir en 2021.

Tout savoir sur les altérations des conditions d'accueil liées à la situation sanitaire :

www.chemindecompostelle.com/covid-19-pelerinage-2021

A FEW WORDS ABOUT THE WAY

Q THE WAY OF LE PUY OR VIA PODIENSIS

Long route of 760 km, the Way of Le Puy is the oldest and is easily the most popular of the four traditional pilgrim routes in France. Refered as the GR 65, it begins at the Puy-en-Velay to bring you to Saint-Jean-Pied-de-Port, the last step in France before starting the Camino Francés in Spain and the arrival in Santiago de Compostela.

It was in the year 951 that the first non-Hispanic pilgrim walked on this route. The Puy's bishop, Godescalc, started his pilgrimage to Santiago de Compostela, accompanied by his retinue, to touch the divine mercy, imploring the protection of the apostle Saint James.

Today, the estimated number of walkers starting the Way from Puy-en-Velay is between 40 to 50,000, combining both pilgrims and hikers.

Q WHO IS SAINT JAMES?

James is one of twelve apostles of Jesus-Christ. In the 1st century, he left the Middle East with the mission of converting the West and especially the land of Spain, to Christianity. The legend says he converted 7 disciples there. A few years later, he left them with the task of continuing his mission and returned to Jerusalem to see Mary alive one last time.

Back to Judea, he would have continued to preach Christianity. The Acts of the Apostles (12: 1-3) tell that after a sermon, around the year 44, he was arrested by order of King Herod Agrippa I. Beheaded with a sword, he became one of the first Christian martyrs. His body was then shipped by his companions to be buried in the land of Spain. Their boat ran aground on a beach in Galicia, near the town of Iria Flavia, now called Padrón.

Q THE HISTORY OF ST JAMES SHELL

Ever since the 13th century, the shell has been the main emblem of the pilgrims. They used to bring scallops collected on the coasts of Galicia as proof of their journey. They were sewn to their coats or hats. It is one of the recognizable attributes of the pilgrim, as well as the staff, the scrip (a large square purse) and the low-crowned and wide-brimmed hat. The shell is still the rallying sign of the pilgrims who will not hesitate to call you and talk to you if you also display it.

Q ULTREÏA

This is a rallying cry from the Middle Ages, for pilgrims and crusaders. It means "go further, go higher" and perfectly illustrates the transcendence, both physical and spiritual which each pilgrim experiences on the Way.

Q THE CREDENCIAL

The credential is a booklet which pilgrims can have stamped at each stage of their journey.

Q THE COMPOSTELA

The Compostela is a certificate awarded to pilgrims arriving Santiago de Compostela by the Oficina del Peregrino, upon presentation of the credential. The first printed copies of the certificate were delivered in the 16th century. To get it, it is imperative to have travelled the last 100 kilometres of the Way on foot or the last 200 km by bicycle or on horseback, and to have had the credential stamped twice a day.

DER JAKOBSWEG VON LE PUY ODER DIE VIA PODIENSIS

Mit einer Länge von 760 km ist dieser Weg der älteste und bekannteste der vier Jakobswege in Frankreich. Gezeichnet als GR 65, startet er in Le Puy-en-Velay und führt bis nach Saint-Jean-Pied-de-Port als letzte Etappe vor dem Camino Francés in Spanien mit Ankunft in Compostella.

Im Jahr 951 pilgerte der erste Nicht-Spanier auf diesem Weg. Der Bischof Godescalc von Le Puy wanderte mit seinem Gefolge nach Compostella um die Barmherzigkeit Gottes zu erflehen und um den Schutz des Apostels Jakobus zu erbitten.

Heute starten schätzungsweise 40-50.000 Leute pro Jahr in Le Puy, als Pilger oder einfach als Wanderer.

WER IST DER HEILIGE JAKOBUS?

Jakobus ist einer der zwölf Apostel von Jesus. Im 1. Jahrhundert verlässt er den Nahen Osten um im Abendland und besonders in Spanien zu missionieren.

Seine Predigten haben nur wenige überzeugt, kaum 10 Spanier haben sich zum Glauben bekehrt und er kehrt einige Jahre später nach Palästina zurück und wird auf Befehl von Herodes Agrippa geköpft.

Seinen Leichnam bringen seine Freunde in einem Kahn zurück nach Spanien um ihn hier zu begraben. Sie stranden in Galizien, in der Nähe der Stadt Iria Flavia, dem heutigen Padrón.anderung, er ist gepflastert mit Entdeckungen im Herzen unseres wunderbaren Patrimoniums.

DIE GESCHICHTE DER MUSCHEL

Seit dem 13. Jahrhundert ist die Muschel das Wahrzeichen des Weges. Die Pilger sammelten als Beweis ihrer Pilgerfahrt eine Muschel am Meeresstrand in Galizien, die sie an ihren Mantel oder ihren Hut nähten. Sie wurde zum unverwechselbaren Zubehör des Jakobspilgers wie auch der Wanderstab, die Reisetasche und der breite Filzhut.

Die Muschel ist heute noch das Erkennungszeichen unter den Pilgern und erleichtert die Kontakte unterwegs.

ULTREÏA

Es ist ein Ausdruck aus dem Mittelalter und wird heute gebraucht als Gruß unter Jakobspilger. Er bedeutet: Weiter, Höher und steht für die Überwindung physischer und spiritueller Grenzen, der jeder Pilger ausgesetzt ist.

DIE CREDENTIAL

Die Credential ist ein Pilgerausweis in dem in jeder Etappe ein Stempel eingefügt werden kann.

DIE COMPOSTELA

Die Compostela ist die Bescheinigung, die dem Pilger in Compostella ausgestellt wird durch das Officina del Peregrino nach Einsicht in seine Credential. Die ersten Exemplare stammen aus dem 16. Jahrhundert. Um das Dokument zu bekommen muss man die letzten 100 km zu Fuß, die letzten 200 km geritten oder mit dem Fahrrad zurückgelegt haben , sowie zweimal pro Tag einen Stempel in die Credential eintragen lassen.

DE WEG VAN LE PUY OF VIA PODIENSIS

Een lange route van 760 km, de Weg van Le Puy is de oudste en is gemakkelijk de meest popu-laire van de vier traditionele pelgrimsroutes in Frankrijk te noemen. Deze route is de GR 65 en begint bij Le Puy-en-Velay om je naar Saint-Jean-Pied-de-Port te brengen, de laatste stap in Frankrijk voordat de Camino Francés in Spanje begint en de aankomst in Santiago de Compostela. Het was in het jaar 951 dat de eerste niet-Spaanse pelgrim op deze route liep. De bisschop van Le Puy-en-Velay, Godescalc, begon zijn pelgrimstocht naar Santiago de Compostela, vergezeld van zijn gevolg, om de goddelijke genade aan te raken en smeekte de bescherming van de apostel Sint-Jacob. Vandaag de dag ligt het geschatte aantal wandelaars dat de Weg vanuit Le Puy-en-Ve-lay start tussen de 40.000 en 50.000, zowel pelgrims als wandelaars.

WIE IS SINT JACOBUS ?

Jakobus is een van de twaalf apostelen van Jezus Christus. In de 1e eeuw verliet hij het Midden-Oosten met de missie om het Westen en vooral het land Spanje tot het christendom te bekeren. De legende zegt dat hij daar 7 discipelen bekeerde. Een paar jaar later verliet hij hen met de taak om zijn missie voort te zetten en keerde terug naar Jeruzalem om Maria nog een laatste keer in leven te zien. Terug naar Judea zou hij het christendom blijven prediken. De Handelingen van de Aposte-len (12: 1-3) vertellen dat hij na een preek rond het jaar 44 werd gearresteerd op bevel van koning Herodes Agrippa I. Onthoofd met een zwaard, werd hij een van de eerste christelijke martelaren. Zijn lichaam werd vervolgens door zijn metgezellen verscheept om te worden begraven in het land Spanje. Hun boot liep vast op een strand in Galicië, nabij de stad Iria Flavia, nu Padrón genoemd.

DE GESCHIEDENIS VAN DE SINT JAKOBUS SCHELP

Al sinds de 13e eeuw is de schelp het belangrijkste embleem van de pelgrims. Ze brachten vroeger sint-jakobsschelpen mee die waren verzameld aan de kust van Galicië als bewijs van hun reis. Ze werden aan hun jassen of hoeden genaaid. Het is een van de herkenbare attributen van de pelgrim, evenals de staf, de scrip (een grote vierkante portemonnee) en de laaggekroonde en breedgerande hoed. De schelp is nog steeds het teken voor de pelgrims die niet zullen aarzelen om je aan te spreken en met je te praten, wanneer je de schelp ook laat zien.

ULTREÏA

Dit is een stimulerende kreet uit de middeleeuwen, voor pelgrims en kruisvaarders. Het betekent "ga verder, ga hoger" en illustreert perfect de transcendentie, zowel fysiek als spiritueel, die elke pelgrim onderweg ervaart.

DE CREDENCIAL OF DE GELOOFSBRIEF

De credential of de geloofsbrief is een boekje dat pelgrims in elke fase van hun reis kunnen hebben afgestempeld.

DE COMPOSTELA

De Compostela is een certificaat dat uitgereikt wordt door het Bureau van Pelgrims aan pelgrims die in Santiago de Compostela aankomen, op vertoon van de credential of de geloofsbrief. De eer-ste gedrukte exemplaren van het certificaat werden in de 16e eeuw uitgereikt. Om het te verkrijgen, is het noodzakelijk om de laatste 100 kilometer van de route te voet of de laatste 200 kilometer per fiets of te paard te hebben afgelegd, en om de credential of geloofsbrief twee keer per dag gestem-peld te laten hebben.

LE MIAM MIAM DODO ET SON ÉQUIPE

23 ANS...

1998 : première édition du Miam Miam Dodo, en noir et blanc, avec de sommaires croquis du chemin et le répertoire des endroits où le pèlerin trouverait le manger et le dormir.

2021, 23 ans plus tard : un guide magnifique en couleurs, avec une cartographie resplendissante offrant au marcheur vers Compostelle l'essentiel des informations dont il a besoin tout au long de son voyage.

23 ans de travail, de recherches, de liens patiemment créés avec les pèlerins, les hébergeants, les associations jacquaires, les offices de tourisme, les mairies, les librairies.

UNE EQUIPE QUI CONNAIT LE CHEMIN

Au début 2 auteurs et une idée un peu folle. Aujourd'hui une équipe de 9 personnes bien rodée pourvue de tous les outils modernes pour concevoir, mettre en page, éditer, imprimer, chaque année une demi-douzaine de Miam Miam Dodo différents.

La plupart des équipiers ont fait leurs premières armes sur le chemin de Saint Jacques et savent donc parfaitement quels sont les attentes et les besoins des pèlerins.

UNE COLLECTION

En 1998 un seul Miam Miam Dodo sur la voie du Puy... Au fur et à mesure des années, rejoignant la demande des pèlerins et des associations jacquaires, sont arrivés le Miam Miam Dodo de la voie d'Arles, le Miam Miam Dodo du Camino Francés, le Miam Miam Dodo du chemin de Saint Gilles-chemin Stevenson, le Miam Miam Dodo de la voie de Vézelay et cette année 2021 le Miam Miam Dodo de la voie de Paris-Tours, la dernière des 4 voies majeures qui manquait à la collection.

D'autres Miam Miam Dodo viendront compléter la collection, mais sans hâte. Nous produisons un nouveau guide seulement si nous sommes certains d'en assurer la mise à jour et la pérennité.

UNE CARTOGRAPHIE POUR PÈLERINS

Le Miam Miam Dodo s'est doté en 2017 d'une nouvelle cartographie extrêmement claire, à l'échelle 1 cm = 375 m, soit l'échelle la plus précise de tous les topo-guides existants. Nous y avons mis les ombrés et les courbes de niveau permettant de bien cerner le relief sans assombrir le plan.

Comme sur une carte IGN, les fermes, hameaux, villages, routes, chemins, sentiers sont répertoriés. Tous les services nécessaires au pèlerin sont représentés sous forme d'icônes : gîtes d'étape, chambres d'hôtes, hôtels, campings, pharmacies, distributeurs de billets, épiceries, cafés, restaurants, boulangeries, etc... Pour étoffer l'offre de services, nous avons privilégié la notion de "fuseau", c'est-à-dire que nous référençons les hébergements dans un fuseau de 4 km de part et d'autre de l'itinéraire.

Sur la page en vis-à-vis est décrit le détail de ces mêmes services : prix, dates d'ouverture, confection des repas, lave-linge, Wifi, carte bleue, etc..., ainsi que le cheminement pour rejoindre l'hébergement si celui-ci est hors-chemin.

Afin de permettre au pèlerin de mieux préparer son étape, une courbe des reliefs indique les altitudes du chemin, la difficulté technique selon un code de couleur vert-orange-rouge ainsi que les kilométrages de point à point.

Et pour améliorer encore le service dû au marcheur, les plans détaillés des 31 principales villes et bourgades ont été rajoutés.

LE MIAM MIAM DODO ET SON ÉQUIPE

UN TABLEAU DE PRÉPARATION DES ÉTAPES

Il est difficile, pour un marcheur novice sur le chemin de Compostelle, de connaître à l'avance ses capacités physiques et le nombre de kilomètres qu'il pourra parcourir chaque jour. D'autant qu'à l'aune de sa fatigue ne se présentera pas forcément un hébergement, ou alors une auberge qui ne correspondra pas à son budget...

Voilà pourquoi nous avons mis en place deux outils essentiels :

- sur les plans, des petites épinglettes et des bornes kilométriques donnant la distance exacte entre deux points. Il est alors facile de préparer sa journée, sachant qu'on marche tous plus ou moins, y compris les arrêts-pipi, à 3.5 km/heure.

- dans l'introduction, quelques pages plus loin, un tableau qui donne, tous les kilomètres entre Cahors et Roncevaux, la position des hébergements. Puis 7 colonnes correspondant au nombre de kilomètres qu'on est capable d'avaler chaque jour. Le calcul des étapes devient alors un jeu d'enfant.

800 HÉBERGEMENTS

Sur le tracé du GR 65 entre Le Puy-en-Velay et Saint-Jean-Pied-de-Port, le Miam Miam Dodo répertorie environ 800 hébergements de tous types : monastères, accueils chrétiens, gîtes d'étape, chambres d'hôtes, hôtels, campings, etc...

Chaque année, sitôt les derniers pèlerins passés, l'équipe du Miam Miam Dodo s'active à contacter un par un l'ensemble des intervenants, hébergements et restaurateurs, afin de mettre à jour le guide.

Les nuits sont courtes et le travail ardu. Mais chaque année, depuis 24 ans, le Miam Miam Dodo trône à sa place dans les présentoirs des libraires et maisons de la Presse dès le début du mois de décembre. Les futurs pèlerins peuvent alors y quérir leurs informations et préparer leur beau voyage en toute sérénité.

LA BIBLE DU PÈLERIN

Récompense du travail de précision réalisé chaque année : le Miam Miam Dodo se trouve dans la poche de 60% des pèlerins. Il est plébiscité pour sa clarté et la justesse de ses indications. Marcher avec un Miam Miam Dodo, c'est l'assurance de ne pas se perdre et de frapper chaque soir à la porte qui correspond à l'épaisseur de sa bourse.

COUP DE CHAPEAU A LA FFR

Dans les premières années d'après-guerre, une équipe de passionnés a eu cette idée géniale et farfelue de baliser des chemins avec des marques rouges et blanches pour aider les marcheurs à ne pas se perdre. A l'époque les cartes IGN étaient à l'échelle 1/50.000° et en noir et blanc. Faire la différence entre une rivière, une courbe de niveau et un chemin relevait de la télépathie...

Ainsi est né le CNSGR, Comité National des Sentiers de Grande Randonnée, devenu en 1978 la FFR, Fédération Française de la Randonnée.

En 1972 est imprimé le premier topo-guide du tout nouveau GR 65, suite aux travaux de recherche historique de la Société Française des Amis de Saint Jacques. Et depuis ce temps partent chaque année vers la Galice des dizaines de milliers de pèlerins.

La mise à jour annuelle de cet ouvrage ne serait pas possible sans l'assistance et la bienveillance de nombreuses personnes ou structures qui travaillent depuis de longues années au renouveau du chemin de Compostelle. Les auteurs tiennent particulièrement à remercier les mairies des deux centaines de communes situées au long du chemin, les offices de tourisme, les associations jacquaires qui apportent au futur pèlerin aide et assistance à la préparation de son voyage, les communautés laïques ou religieuses qui offrent l'accueil et l'hospitalité, les hôteliers, restaurateurs, créateurs de gîtes, chambres d'hôtes et terrains de camping, commerçants, etc..., qui ont investi leurs deniers et leur sourire sur cet itinéraire, assurant ainsi sa pérennité.

A tous : il se peut que vous ayez des idées pour améliorer l'aspect, la présentation, ou bien le contenu de cet ouvrage. Toute œuvre humaine étant perfectible, les auteurs vous remercient par avance de vos remarques. Soyez gentils de nous signaler toute suggestion ou anomalie par courriel à l'adresse info@levieuxcrayon.com. Vous rendrez service aux futurs pèlerins qui mettront leurs pas dans les vôtres. Signalez-nous les endroits où l'accueil n'est pas à la hauteur, mais oubliez le grain de poussière qui traîne sur le parquet ou les épingles qui manquent sur le fil... Toutefois, si vous randonnez avec un Miam Miam Dodo qui n'est pas le millésime 2021, il est inutile de nous signaler des erreurs. Celles-ci ont sans doute été corrigées dans l'édition de cette année. Il arrive aussi que certaines personnes n'aient pu être jointes au moment du collectage des informations. Il est alors précisé « Infos 2020 ».

Nous en profitons pour remercier chaleureusement ceux qui ont eu la gentillesse, au retour de leur Chemin, de nous signaler les nouveaux hébergements, les modifications qui ne nous étaient pas parvenues, et hélas les rares endroits à éviter... La présente supplique s'adresse également aux établissements oubliés dans cet ouvrage, auxquels leur présence près du chemin de Saint-Jacques donnerait le droit de figurer dans ces pages. Une erreur est toujours possible, en dépit du fait que chaque année, nous vérifions et croisons nos informations avec les offices de tourisme et les mairies, pour essayer de n'omettre personne. Qu'ils nous pardonnent et aient l'obligeance de nous contacter pour figurer dans une prochaine édition.

Appel aux nouveaux hébergements : compte-tenu des délais de collectage, de mise en page et d'impression, TOUTES les nouvelles inscriptions pour l'édition 2022 doivent nous parvenir au plus tard le 10 septembre 2021. Passée cette date, il sera trop tard...

Nota Bene : en aucun cas, sur le Miam Miam Dodo, nous ne "recommandons" un hébergement. Simplement nous répertorions et listons ceux qui accueillent les pèlerins, qu'ils soient agréés ou non par telle ou telle association ou fédération. En raison du nombre très élevé de structures (environ 800), nous ne pouvons ni visiter ni apposer un label. Ou alors le Miam Miam Dodo coûterait 50 € et sortirait au mois de juin...

Comment préparer son chemin : l'introduction de ce Miam Miam Dodo fait une trentaine de pages. Il est naturellement impossible de traiter tous les thèmes concernant le chemin en si peu de place. Voilà pourquoi a été édité l'ouvrage « Compostelle mode d'emploi » qui développe ces mêmes questionnements en 288 pages.

Sur 1.000 questions, cet ouvrage fournit 990 réponses, et laisse le chemin vous apporter les autres. Il donne aussi sur la France, la Suisse, la Belgique, le Portugal, l'Espagne et le Québec tous les chemins de Saint Jacques existant aujourd'hui, avec les topo-guides ou sites internet y afférant, et les associations qui s'en occupent.

Les auteurs se réservent le droit de ne pas référencer les prestataires dont la qualité de l'accueil laisserait à désirer, dont les gîtes seraient des monuments de crasse ou des nichoirs à punaises de lit, ou encore dont le prix des services s'avérerait par trop différent de ceux qui ont été imprimés dans le présent ouvrage.
A la fin de l'année 2020, quelques-uns ont été rayés de nos pages compte-tenu des plaintes reçues, et d'autres réintégrés après travaux ou changement de propriétaire.

OFFICES DE TOURISME

Office de Tourisme à Cahors	05-65-53-20-65 www.tourisme-cahors.com
Office de Tourisme à Montcuq	05-65-22-94-04 www.tourisme-quercy-blanc.com
Office de Tourisme à Lauzerte	05-63-94-61-94 www.quercy-sud-ouest.com
Office de Tourisme à Moissac	05-32-09-69-36
	http://tourisme.moissac-terresdesconfluences.fr
Office de Tourisme à Auvillar	05-63-39-89-82 www.auvillar.fr
Office de Tourisme à Miradoux	05-62-28-63-08 www.miradoux.org
Office de Tourisme à Lectoure	05-62-64-00-00 http://gascogne-lomagne.com
Office de Tourisme à La Romieu	05-62-28-86-33 http://gascogne-lomagne.com
Office de Tourisme à Condom	05-62-28-00-80 www.tourisme-condom.com
Office de Tourisme à Montréal-du-Gers	05-62-29-42-85 www.tourisme-condom.com
Office de Tourisme à Eauze	05-62-09-85-62 http://www.grand-armagnac.com
Office de Tourisme à Nogaro	05-62-09-13-30 www.nogaro-tourisme.fr
Office de Tourisme à Aire-sur-l'Adour	05-58-71-64-70 www.tourisme-aire-eugenie.fr
Office de Tourisme à Arzacq-Arraziguet	05-59-04-59-24 www.tourisme-arzacq-morlanne.com
Office de Tourisme à Morlanne	05-59-81-42-66 www.tourisme-arzacq-morlanne.com
Office de Tourisme à Navarrenx	05-59-38-32-85 www.tourisme-bearn-gaves.com
Office de Tourisme à Saint-Palais	05-59-65-71-78 www.pyrenees-basques.com
Office de Tourisme à Saint-Jean-Pied-de-P.	05-59-37-03-57 www.pyrenees-basques.com

LES CHEMINS DE COMPOSTELLE AU PATRIMOINE DE L'UNESCO

Certains monuments des chemins de Saint Jacques, par leur valeur historique et patrimoniale, ont été promus Patrimoine Mondial par l'UNESCO. Liste correspondant à cette section du GR 65 :

- Cathédrale Saint-Etienne et Pont Valentré à Cahors
- Abbaye Saint-Pierre et cloitre à Moissac
- Collégiale Saint Pierre à La Romieu
- Pont d'Artigues après Laressingle
- Eglise Sainte Quitterie à Aire-sur-l'Adour
- Hôpital Saint-Blaise à Saint-Jean-le-Vieux
- Porte Saint Jacques à Saint-Jean-Pied-de-Port

Tronçons classés : 35 km de Lectoure à Condom // 22 km entre Aroue et Ostabat

Le Cloître de l'Abbaye St Pierre de Moissac

LÉGENDE DES PLANS

⛪ ‖⛪ Monastère, presbytère, accueil chrétien

Sont répertoriés dans cette rubrique les monastères, presbytères, communautés laïques ou familles chrétiennes accueillant les pèlerins. Quasiment tous pratiquent la demi-pension : repas du soir, nuitée, petit déjeuner, avec un tarif affiché ou en libre-participation.

⌂ ‖⌂ ⌒ Gîte d'étape, centre équestre

L'ouvrage donne le nombre de places, le prix de la nuitée par personne, les dates d'ouverture, la possibilité de prendre un repas ou de cuisiner.

⌂ ‖⌂ Chambre d'hôtes, chambre et table d'hôtes

Sous ce sigle sont répertoriées toutes les catégories de chambres d'hôtes. Les prix sont indiqués pour une nuit et pour 1, 2 ou 3 personnes, voire plus. Le petit déjeuner doit toujours être inclus dans le prix de la nuitée, ainsi que draps et serviettes de bains, les lits doivent être faits.

⌂ ‖⌂ Hôtel, hôtel-restaurant

L'ouvrage donne la catégorie de l'hôtel, le nombre de chambres, l'échelle du prix des chambres et des menus, ainsi que les jours de fermeture habituels. Il donne aussi le prix de la halte demi-pension pour 1 personne (dîner, nuitée, petit-déjeuner). **Attention :** les prix indiqués sont une fourchette. Ils varient selon la saison, le nombre de personnes et le confort de la chambre.

⛺ ‖⛺ ⛺🚐 Camping - location de caravanes ou mobil-homes

L'ouvrage donne le prix moyen pour 2 adultes et 1 tente, plus quelques précisions (restaurant sur place, repas, ravitaillement, piscine, etc...). Il arrive de plus en plus souvent que les campings proposent en location pour une nuit des caravanes, bungalows ou mobil-homes.

🍽 Restaurant, brasserie, pizzeria, ferme-auberge

Tous les lieux où l'on peut remplir son ventre sont notés ainsi. On y trouve l'échelle des prix des menus, ainsi que les jours de fermeture.

☕ ‖☕ Café, Café proposant le casse-croûte ou le petit déjeuner

Seuls les bistrots isolés ou ceux des villages se retrouvent sous cette signalisation. L'ouvrage précise si le café propose de la restauration rapide, les jours et périodes de fermeture, ainsi que les autres activités (dépôt de pain, etc...). La plupart d'entre eux acceptent que vous étaliez votre pique-nique sur une table, à la condition évidente de consommer quelque boisson.

🛒 Epicerie, supérette

C'est ici que vous pourrez quérir les bonnes choses nécessaires à la vie du randonneur. Les jours de fermeture sont précisés. A noter que la plupart des commerces d'alimentation sont ouverts le dimanche matin.

🥖 Boulangerie

Le temple sans lequel un randonneur, surtout français, ne saurait vivre. Pour éviter les suicides devant les boulangeries closes, l'ouvrage indique les jours de fermeture. Notez que dans la plupart des villages, le jour où la boulangerie fait carême, il existe un autre commerce qui propose le dépôt de pain (le café, l'épicerie, la boucherie...). A noter que de plus en plus de boulangeries proposent désormais des sandwiches tout préparés, voire des petits déjeuners aux aurores.

🍖 Boucherie, charcuterie

Sans commentaire. La fine fleur de la cochonnaille se retrouve en ces lieux bénis des dieux. Beaucoup offrent des plats préparés, chauds ou froids, permettant de pique-niquer ou de dîner sans avoir à patienter de longues heures de mijotage.

La Poste

Tout titulaire d'un CCP peut y retirer de l'argent 6 jours sur 7. Elle permet également aux étrangers à l'Union Européenne d'échanger leurs devises contre de bons euros sonnants et trébuchants.

Gare SNCF - Bus

Vous en trouverez peu croisant le chemin de Compostelle. Seules les grandes villes possèdent encore une gare et des trains. Et encore, ils ne crachent même plus de fumée, ce qui est une bien grande désolation, ma bonne dame... Quelquefois même, déchéance ultime de nos vieilles locomotives empanachées, les autobus ont remplacé les wagons... Un seul numéro national pour obtenir des renseignements : tél 36-35 ou www.sncf.fr ou encore www.voyages-sncf.com

Pharmacie

L'ouvrage indique seulement la présence d'une pharmacie. Nous vous faisons confiance pour la retrouver, car cette officine est toujours décorée de croix vertes qui clignotent abondamment.

Office de tourisme

C'est le lieu où se trouve presque toujours la réponse à son problème, à la condition de prendre garde aux horaires d'ouverture.

Banque

L'ouvrage précise seulement s'il existe (ou pas) des agences bancaires et/ou un distributeur de billets. Les horaires sont à peu près identiques dans toute la France : 9h à 12h et 14h à 17h. Certaines banques étant ouvertes le lundi et d'autres le samedi, prenez vos précautions si vous ne voulez pas terminer votre randonnée en broutant de l'herbe. La présence d'une banque est donnée seulement dans les villes et villages, puisque les grandes cités en possèdent tout un troupeau.

Taxis - Transport de bagages et pèlerins

Un des soucis du pèlerin est de revenir au point de départ, à l'issue du voyage, afin d'y récupérer son véhicule. Or il est de plus en plus difficile de trouver trains ou bus sur des itinéraires de traverse. Quelques sociétés de taxis et de transport proposent leurs services au long du trajet afin de rapatrier bagages et équipages, en partageant les frais à plusieurs pèlerins. D'autres offrent également de transporter votre véhicule à votre point d'arrivée.

Point d'accueil des pèlerins

Quelques associations jacquaires proposent des endroits pour accueillir le pèlerin, lui offrir une boisson et le diriger vers un hébergement. Ces points sont signalés par la coquille traditionnelle.

Lieu intéressant, visite à faire

Ce sigle indique la présence de quelques lieux intéressants à visiter près du chemin.

Vélo

Ce sigle est peu utilisé sur la partie française du chemin de Compostelle, car rares sont les pèlerins à bicyclette. Il décrit certains services offerts, telles la location ou la réparation de vélos.

Magasins d'articles pour marcheurs

Une dizaine de boutiques, spécialisées dans les équipements pour pèlerins de Compostelle, ont ouvert leurs portes ces dernières années. Le marcheur y trouvera le poncho tout neuf ou la paire de bâtons qu'il a perdue. Tous vendent bien évidemment des Miam Miam Dodo...

Sigles complexes

Vous trouverez quelquefois dans les pages des sigles complexes, quand les hébergements offrent une palette de services. Le sigle ci-dessus signifie que vous trouverez au même endroit un hôtel, un gîte d'étape, un endroit pour camper, et le repas du soir assuré.

Simple abri

Assez rare sur le trajet du GR 65, ce sigle indique un abri sommaire, un refuge, souvent une simple cabane, où le pèlerin pourra trouver asile en cas de météorologie dangereuse.

Fontaine, robinet, abri, toilettes, abri avec toilettes

Petit renseignement pour éviter les mourissures de soif... Si vous rencontrez de nouveaux endroits où l'eau potable et/ou les toilettes sont mises à disposition des pèlerins, merci de nous en faire part pour les prochaines éditions des Miam Miam Dodo.

Bibliothèque mobile

Nouveau service depuis 2012 mis à disposition des pèlerins par certains hébergeants : une bibliothèque de livres légers (en différentes langues) que le marcheur peut emprunter, lire, puis déposer dans un gîte prochain dès qu'il a fini de lire. Le tout gratuitement.

Laverie

Cette icône nouvelle sur le Miam Miam Dodo est encore peu utilisée. Elle est employée là où la laverie se double d'une aide au pèlerin, travaux de couture par exemple.

Massages

Cette icône nouvelle sur le Miam Miam Dodo indique les lieux de bien-être où le pèlerin courbaturé pourra trouver du soulagement.

SIGLES UTILISÉS DANS LE DESCRIPTIF DES HÉBERGEMENTS

Sigle Handicapés - personnes à mobilité réduite

Ce sigle signifie que l'hébergement propose une ou plusieurs chambres ou locaux adaptés aux personnes à mobilité réduite. Il est prudent de téléphoner à l'avance pour s'assurer de leur disponibilité lors de votre passage.

Fer à cheval

Ce sigle, mis auprès d'un hébergement, indique que ânes et/ou chevaux sont acceptés et qu'il existe une place pour eux : prairie, écurie, box ou auvent. Quelquefois, l'endroit n'est pas clôturé. Il vous faudra alors attacher l'animal durant la nuit. Certains pratiquent l'accueil gratuit, mais d'autres demandent une petite participation. En outre, certains établissements dont c'est la raison de vivre, tels les centres équestres, demandent une somme incluant la nourriture. Attention : il n'est pas sûr que tous les hébergements disposent de grain ou de foin. Veillez donc à vous en assurer en téléphonant auparavant.

Accès des chiens

Certains hébergements acceptent le chien du pèlerin, d'autres le refusent. Nous mentionnons seulement si les hébergements refusent les chiens.

@ Point Internet

L'hébergeur propose aux pèlerins d'accéder à leur messagerie soit sur un ordinateur à disposition permanente, soit sur son ordinateur personnel.

LÉGENDE DES PLANS

📶 Borne Wifi

Une borne Wi-fi permet de connecter son ordinateur portable, pour les rares pèlerins qui transportent le leur, ou encore un téléphone aux possibilités étendues (type Smartphone).

💳 Sigle Carte Bancaire

Signifie que l'hébergement accepte le règlement par carte bancaire.

🎫 Sigle Chèques-vacances

Signifie que l'hébergement accepte le paiement par chèques-vacances.

🏊 Sigle Piscine

Signifie que l'hébergement vous offrira un bassin pour faire des Plouf et des Bulles.

Langues parlées

Les petits drapeaux vous montreront les qualités polyglottes de vos hôtes. A vous de deviner à quel pays correspond le drapeau...

Q ABRÉVIATIONS UTILISÉES DANS LE DESCRIPTIF

Voici maintenant quelques abréviations utilisées à l'intérieur des pavés de texte décrivant les hébergements :

HS = haute-saison	ch = chambre
BS = basse-saison	pl = place (s)
DP = demi-pension	ouv = ouvert
LL = lave-linge	ferm = fermé
SL = sèche-linge	

Attention : dans une chambre d'hôte ou un gîte d'étape, il faut toujours réserver son repas du soir ou son panier pique-nique du lendemain, par téléphone ou par courriel. Sinon vous courez le risque d'une réponse négative car votre hôte n'aura pas acheté les produits nécessaires.

jan fév mars avr mai jun jul aou sep oct nov déc = mois de l'année

lun mar mer jeu ven sam dim = jours de la semaine

⁖ = prix spécial pour les pèlerins par rapport aux prix pratiqués vis-à-vis des touristes ordinaires. De plus en plus, ce prix pèlerin sera appliqué à ceux qui présenteront leur crédencial.

🍳 = possibilité de cuisiner ☕ = petit déjeuner 🍽 = repas 🧺 = panier pique-nique.

🐎 = précisions sur l'accueil des ânes et chevaux (présence d'un abri, nourriture, etc...).

🚐 = l'hébergeant accepte d'aller chercher les pèlerins avec sa voiture à tel ou tel endroit de rendez-vous, et les ramène le lendemain matin. Ce service est proposé par les hébergeants qui sont à quelque distance du chemin. Attention : ce service est offert selon la disponibilité de l'hébergeant, ce n'est jamais une obligation.

🧍 25 €, 🧍🧍 45 €, 🧍 supp 20 € = 1 personne 25 €, 2 personnes 45 €, personne supplémentaire 20 €

🕐 15h = Petite montre donnant l'heure à partir de laquelle le pèlerin peut se présenter à l'hébergement. Auparavant les lieux sont en cours de nettoyage ou les propriétaires en train de se reposer.

▲ = Diverses précisions sur l'autorisation de planter sa tente.

AIDE AU CALCUL DES ÉTAPES

CONSTAT

Il est difficile pour le futur pèlerin de prévoir ses étapes, surtout si le voyage dépasse une semaine.

Beaucoup d'impondérables peuvent chambouler le meilleur planning : entorse au pied, orage violent, choix de marcher avec des amis de rencontre, etc...

Mais si vous souhaitez réserver vos nuitées, il faut bien prendre une décision...

Ce tableau vous aidera à planifier quelque peu vos haltes, d'une part en fonction de votre forme physique, d'autre part en fonction des hébergements disponibles.

MODE D'EMPLOI

Dans ce tableau il y a 1 km entre chaque ligne.

Si vous dormez à Cahors et vous ne souhaitez pas marcher plus de 12 km par jour, reportez-vous à la colonne "12 km". Le rond rouge indique les 12 km. Il se trouve en pleine campagne...

Le premier soir il vous faudra dormir soit à Labastide-Marnhac, à 11 km, soit à Trigodina, à 13 km.

Reportez-vous alors au Plan du Miam Miam Dodo indiqué en colonne P. Vous trouverez peut-être des hébergements légèrement hors-chemin qui vous conviendront mieux.

Le second jour vous pourrez faire halte à Lascabanes et ses environs. Le troisième jour à Montlauzun, etc...

Conclusion : Comme vous constatez, ce tableau de suggestion ne crée pas de gîte là où vous serez fatigué. C'est à vous d'adapter votre marche et vos étapes en fonction des hébergements existants.

	P	12 km	15 km	18 km	21 km	24 km	27 km	30 km
Cahors	44	O	O	O	O	O	O	O
Chez Carlos	45							
Les Mathieux	45							
Labastide-Marnhac	46							
		O						
Trigodina	46							
Lhospitalet	46							
			O					
				O				
					O			
Durand	47							
Lascabanes	47							
		O				O		
Escayrac	48						O	
			O					O
Janès	48							
Montcuq	48							
			O	O				
Montlauzun	50							
Lagarde-Haute	50							
					O			
Tuc de St Paul	51	O						
Lauzerte	51							
		O				O		
Lavande-en-Qu.	51							

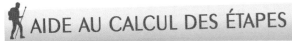

	P	12 km	15 km	18 km	21 km	24 km	27 km	30 km
Parry	52							
				O			O	
Aube Nouvelle	53							
Durfort-Lacapelette	53							
Saint-Martin	53	O	O					O
					O			
Gîte Colibri	54							
			O		O	O		
Pignols	55		O					
Moissac	56							
L'Espagnette	56							
							O	
			O		O			
Pugnal	57							
Malause	57							
				O	O			O
Le Braguel	57							
Pommevic								
			O			O		
Espalais	58							
Auvillar	58							

	P	12 km	15 km	18 km	21 km	24 km	27 km	30 km
			O		O			
Saint-Antoine	59							
Villeneuve	59	O		O			O	
Flamarens	60							
Biran	60							
Miradoux	60							
Castet-Arrouy	61	O	O			O		O
Au Galis	61							
Boué	62							
Tarissan	62			O	O			
Lectoure	62	O						
				O			O	
Espazot	62							
Marides	63							
Marsolan	63							
Mieucas	63							
			O		O	O		
Gratuzous	64				O			
Moncade	64							

	P	12 km	15 km	18 km	21 km	24 km	27 km	30 km
La Romieu	64		O					O
Mourelot	64							
Castelnau-sur-l'A.	64							
			O					
Le Haou	65			O		O		
Condom	65							
Laillon	65		O					
			O		O	O		
Laressingle	66							
Tollet	66							
Lasserre-de-Haut	66							
Montréal-du-Gers	67							
Le Couloumé	67	O	O	O				O
Arquisan	67							
Lamothe	68			O		O		
Pardeillan	68							
Le Coupé	68	O				O		
			O					
Ferme équestre	69							
Éauze	69							
				O				

	P	12 km	15 km	18 km	21 km	24 km	27 km	30 km
La Hargue	70	O						
Peyret	70							
Manciet	71							
			O		O			O
Le Haget	72							
Monneton	72							
				O		O	O	
Nogaro	72							
				O				
Lanne-Soubiran	73							
			O					
					O			
Dubarry	74							
Lelin-Lapujolle	74							
				O				
Solanilla	74							
			O	O			O	
Barcelonne-du-G.	75						O	
Aire-sur-l'Adour	75							

AIDE AU CALCUL DES ÉTAPES

	P	12 km	15 km	18 km	21 km	24 km	27 km	30 km
			O		O	O		
				O				
Peyre	78							
La Prade	78							
Miramont-Sensacq	79							
			O			O		
Maison Marsan	79							
				O	O		O	O
Nordland	79							
Pimbo	79							
					O			
			O					
Arzacq-Arraziguet	80							
Labalette	81							
				O				
			O	O	O			
Fichous-Riumayou	82							
Larreule	82							
						O		
Uzan	82							
							O	
Géus d'Arzacq	82							

	P	12 km	15 km	18 km	21 km	24 km	27 km	30 km
Pomps	83	O	O					O
Morlanne	83							
				O				
Arthez-de-Béarn	84							
			O			O		
				O	O			
Arrêt-et-Aller	85							
Argagnon	85							
Cambarrat	85							
Maslacq	86							
L'Estanquet	86							
				O	O		O	
Abbaye de Sauvel.	87							
Beigbeder	87							
				O				O
				O		O	O	
Navarrenx	89							
				O				
Castetnau-Cambl.	89							
			O					
				O				

AIDE AU CALCUL DES ÉTAPES

	P	12 km	15 km	18 km	21 km	24 km	27 km	30 km
Lacorne	90					O		
Lichos	90							
				O				
Bouhaben	90							
Bellevue-Torttua								
Bohoteguia	91	O	O	O		O		O
Aroue	91							
Landakoa	91							
		O						
			O					
Stèle de Gibraltar				O	O	O		
Harambeltz	93							
Ostabat	94	O			O			
Gaineko Etxea	94							
Larceveau	94							
Mendiondoua	95							
			O					O
Mongelos	95							
Larraldeborda	96	O		O				
				O				

	P	12 km	15 km	18 km	21 km	24 km	27 km	30 km
Bussunarits	96							
Saint-Jean-Le-V.	96							
La Magdeleine	97		O				O	
Saint-Jean-PdP	97							
		O				O		
Hounto	98							
					O			
			O	O		O		O
Roncevaux	101							

Q FRANCHISSEMENT DES PYRÉNÉES

S'il fait grand beau temps, le franchissement des Pyrénées par la montagne (par le GR 65 ou par le Bide Zaharra) sera un des plus beaux moments du voyage. Mais s'il fait mauvais (pluie dans la vallée signifie neige et brouillard sur les crêtes), il faut prendre par la route de Valcarlos.

La section par la montagne est interdite de novembre à mars. Sur la N-135 par Valcarlos, même s'il reste beaucoup de macadam, certaines sections sont détournées par des chemins et des petites routes adjacentes. La distance est équivalente dans les deux options.

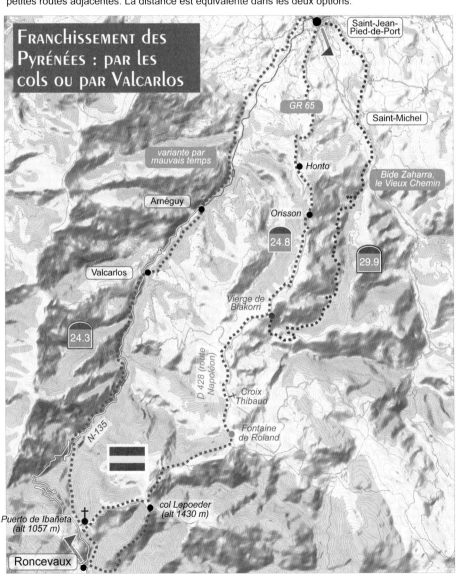

FRANCHISSEMENT des PYRÉNÉES : par les cols ou par Valcarlos

Saint-Jean-Pied-de-Port

GR 65

Saint-Michel

variante par mauvais temps

Honto

Bide Zaharra, le Vieux Chemin

Arnéguy

Orisson

24.8

29.9

Valcarlos

Vierge de Biakorri

24.3

D 428 (route Napoléon)

Croix Thibaud

Fontaine de Roland

N-135

col Lepoeder (alt 1430 m)

Puerto de Ibañeta (alt 1057 m)

Roncevaux

KILOMÉTRAGE DU GR 65

Aucun topo-guide ne donne la même distance entre Le Puy-en-Velay et les Pyrénées. Il est vrai que la tâche n'est pas aisée car le chemin connaît chaque année des modifications de son tracé qui ont une incidence sur la distance totale. Les chiffres que nous vous donnons ci-dessous sont parfaitement exacts selon la cartographie IGN et le tracé actuel du GR 65. De toute façon, le Sage a dit dans sa lucidité : « Le chemin ne se mesure pas en kilomètres, mais en jours de bonheur ».

- 779 km entre Le Puy-en-Velay et Roncevaux
- 350 km entre Le Puy-en-Velay et Cahors
- 429 km entre Cahors et Roncevaux
- 127 km entre Le Puy-en-Velay et Nasbinals
- 223 km entre Nasbinals et Cahors
- 81 km entre Cahors et Moissac
- 165 km entre Moissac et Aire-sur-l'Adour
- 183 km entre Aire-sur-l'Adour et Roncevaux

Soit au total, selon sa forme physique et la longueur de ses étapes, de 30 à 35 jours du Puy-en-Velay à Saint-Jean-Pied-de-Port + une journée jusqu'à Roncevaux. Ou encore de 14 à 17 jours du Puy-en-Velay à Cahors. Ou bien encore de 17 à 21 jours de Cahors à Saint-Jean-Pied-de-Port.

ASSOCIATIONS JACQUAIRES

Avant d'entreprendre son voyage vers Compostelle, il est bon de s'adresser à une association d'anciens pèlerins. Vous y trouverez aide et conseils. Mais les associations se multiplient, se scindent, les présidents, secrétaires et trésoriers changent, et forcément les données imprimées sur un livre ne sont jamais à jour. Pour éviter ce souci, et trouver la bonne adresse correspondant à votre région, allez visiter le site www.chemindecompostelle.com, qui est mis à jour à chaque modification, à la rubrique *"Associations"*.

LA PROPRETÉ

On ne le répétera jamais assez, la propreté est un acte de civisme. Les abords du chemin de Saint-Jacques commencent à se dégrader, essentiellement à cause des mouchoirs en papier jetés à terre sans vergogne, et du papier-toilette laissé bien en apparence quand on a fait ses besoins en pleine campagne. Il ne coûte rien de cacher ses étrons avec quelques pierres ou une plaque de mousse, et c'est faire preuve de respect envers ceux qui vous suivent...

Souvenez-vous également qu'il faut un siècle pour que la nature détruise un sac de plastique. Mettez vos détritus, y compris les omniprésentes canettes de bière et boites de Machin-cola dans une poche, et jetez celle-ci dans le premier container du prochain village. Vos enfants vous en remercieront.

L'EAU POTABLE, FONTAINES, ROBINETS, TOILETTES

N'oubliez pas de faire le plein lorsque vous rencontrez un endroit pourvu d'un robinet, car il existe certaines sections du chemin où vous ferez presque dix kilomètres sans avoir aucune possibilité de vous désaltérer... Il existe tout au long du GR 65 de nombreux points d'eau à la disposition du marcheur qui sont signalés sur les Plans du Miam Miam Dodo.

Mais ceux-ci sont souvent subrepticement camouflés à l'ombre d'un mur. Quelquefois même un simple rosier suffit à faire mourir de soif le malheureux pèlerin qui n'a pas aperçu le robinet habilement caché derrière le massif !

Merci de nous signaler par courriel tous les robinets, sources d'eau vive, toilettes, abris, etc... que vous trouverez. Nous essaierons de les reporter sur les plans du Miam Miam Dodo pour la prochaine édition. Décrivez l'emplacement d'une manière aussi précise que possible.

LONGUEUR DES ETAPES

La plupart des pèlerins, une fois oubliées les misères des premières journées, avalent gaillardement leurs 25 ou 30 kilomètres journaliers. Par sécurité, composez vos propres étapes, en OUBLIANT celles décrites dans certains topo-guides. Ces étapes ont été préconisées à l'époque (plus de 25 ans...) où les gîtes étaient rares. Or le Miam Miam Dodo référence aujourd'hui suffisamment d'hébergements, quasiment un tous les 8 km, pour naviguer à sa vitesse propre.

Il faut naturellement éviter de galoper 30 kilomètres les premiers jours de son voyage si on n'a pas quitté son fauteuil de tout l'hiver. 15 kilomètres suffiront le premier jour, et 20 kilomètres les jours suivants. Sinon, on court droit à l'ampoule méchante ou la tendinite violente, voire au malaise plus grave qui entraînerait l'arrêt du voyage. Sur un tel périple, il faut toujours privilégier le long terme, et sacrifier en conséquence sa velléité d'avancer plus loin si on sent qu'on va dépasser certaines limites. Que sont 5 kilomètres qu'on ne marchera pas aujourd'hui face à la longueur du trajet ?...

QUEL JOUR PARTIR ?

Petite astuce qui nous est suggérée par les hébergeants : partez plutôt en milieu de semaine que le week-end. Vous éviterez ainsi les pics de fréquentation, qui se suivent d'étape en étape à partir des principaux lieux de départ (Le Puy, Conques, Figeac, Cahors, Moissac, Aire-sur-l'Adour, Saint-Jean-Pied-de-Port).

PRENDRE LA ROUTE OU PRENDRE LE CHEMIN ?

Entre les villages du chemin de Compostelle, il arrive souvent qu'on voie des pèlerins suant sang et eau sur le bas-côté de la route, les pieds sur le goudron brûlant, alors qu'il existe indubitablement un joli chemin forestier signalé sur le topo-guide.

En effet, certains pensent raccourcir leur étape en empruntant les routes plutôt que les chemins. Les sentiers balisés sont quelquefois plus longs que la route voisine, mais c'est souvent l'inverse... En vérité la distance compte peu, c'est la perception qu'on en a qui est importante. On peut faire des kilomètres à l'ombre d'une forêt sans s'en apercevoir, mais on souffre beaucoup sur le goudron en s'avançant lentement vers le clocher qui paraît si lointain. Sans oublier le risque d'accident sur des chaussées étroites et pleines de virages, à certaines heures ou sous certaines conditions météorologiques qui réduisent fortement la visibilité d'un conducteur.

Q BUDGET

Le budget nécessaire pour aller à Compostelle n'est pas élevé. Marchant à pied ou roulant à bicyclette, vous n'avez ni électricité, ni gaz, ni chauffage à payer. Restent deux choses essentielles : la nourriture et l'hébergement. Si vous fréquentez les gîtes et popotez vous-mêmes, sachez qu'une dizaine d'euros seront largement suffisants pour assurer la nourriture de la journée. Il est même probable qu'il vous restera un peu d'argent pour aller de temps à autre grignoter dans un petit restaurant. Le prix d'un gîte se situant entre 13 et 20 euros, il vous faut ajouter cette somme pour profiter d'une douche chaude et dormir à l'abri d'un toit. L'un dans l'autre, dites-vous qu'en France avec une trentaine d'euros chaque jour, vous arriverez sans mourir aux Pyrénées. N'oubliez pas également de compter le billet de retour en train, autobus ou avion.

Attention : la plupart des hébergeants, et notamment les chambres d'hôtes, n'acceptent pas les cartes de crédit. Pensez à vous munir de votre carnet de chèques (en France) ou d'argent liquide en quantité suffisante, car il existe de longues sections sans distributeur de billets.

Q LE CARNET DE PÈLERIN OU CRÉDENCIALE OU CRÉANCIALE

Il est de tradition de ramener de son voyage à Compostelle une sorte de triptyque où l'on a fait apposer un cachet à chaque halte par le gîte d'étape, le curé, la Poste, etc..., le dernier cachet étant bien évidemment celui de la cathédrale de Santiago, qui délivre alors le certificat appelé "Compostela". Le carnet du pèlerin est fourni par les associations jacquaires. Les étourdis pourront la demander à la cathédrale de Cahors (voir Plan 44).

Bonus : Sur chaque plan du Miam Miam Dodo figure désormais une zone "Crédenciale" dans laquelle vous pourrez faire apposer les tampons en sus de la crédenciale elle-même. Cette collection de cachets sur votre topo-guide préféré sera un beau souvenir de voyage !

Q PRIX SPÉCIAL POUR PÈLERINS

Certains endroits proposent un "prix pèlerin", réservé bien sûr à ceux qui marchent vers Compostelle. Il s'agit essentiellement des réductions que consentent certains hébergeants, hôtels, restaurants, chambres d'hôtes. On vous demandera quelquefois en France un justificatif de votre qualité de pèlerin, et vous devrez présenter votre "carnet du pèlerin" (crédenciale), afin de couper court à toutes questions.

La plupart du temps, ce prix-pèlerin concerne le dîner, la nuit et le petit déjeuner. L'existence d'un prix spécial ou d'un service est signalée par le petit symbole ⁂, mis en couleur rouge dans les pavés de texte.

INFORMATIONS GÉNÉRALES

Q LA SAISON

On peut partir vers Compostelle à toute époque. Il n'existe aucune date officielle de "pèlerinage". Les pèlerins qui, partant du Puy-en-Velay, veulent effectuer l'intégralité du chemin privilégient le printemps, afin d'arriver aux Pyrénées fin mai et de traverser la Castille en juin, quand la température est encore à peu près supportable. Ceux qui recherchent la tranquillité préfèrent traverser la France à l'automne, mais ils font rarement la partie espagnole à suivre, car l'hiver congèle alors la Meseta. L'été est acceptable dans la partie française, mais difficile à vivre dans la section espagnole, compte-tenu de la canicule. Choisissez vos périodes en conséquence.

Nota bene : en France, contrairement aux idées reçues, c'est en avril-mai-septembre que les hébergements sont le plus remplis, et en juin-juillet-août-octobre qu'il y a le plus de disponibilités. A méditer pour ceux qui marchent un petit morceau du chemin chaque année. Et il y a rarement de vraie canicule, même en été, entre Le Puy-en-Velay et Conques. Faire le chemin en France de juillet à octobre est donc une excellente idée.

Q LE BÉNÉVOLAT DES HOSPITALIERS

Vous rencontrerez assez souvent, dans les gîtes d'une certaine importance (essentiellement à caractère associatif), ou dans les accueils religieux, des Hospitaliers qui vous prendront en charge. Ce sont en général d'anciens pèlerins, qui souhaitent redonner aux autres ce que le Chemin leur a apporté. Ils viennent passer quelques jours ou quelques semaines, bénévolement, pour effectuer l'accueil, préparer les repas, aider au nettoyage, etc...

Sans leur présence bénévole, le prix de ces hébergements serait bien plus élevé, et les pèlerins aux moyens modestes ne pourraient y trouver asile. Et quand il y a afflux de pèlerins, la qualité d'accueil ne serait probablement pas la même. Bien au-delà des problèmes d'argent, ces Hospitaliers participent à leur manière à la grande aventure du Chemin de Compostelle.

Certains, qui ne voient dans le chemin de Saint-Jacques qu'une affaire financière, les ont accusés de prendre la place de salariés, voire d'effectuer du travail au noir. C'est comme si on accusait la Croix-Rouge de concurrencer les cliniques privées... Dans la mesure où ils ne perçoivent aucune rémunération, que leur volontariat est établi, et que cette tradition se perpétue depuis plus de mille ans, ces accusations ne tiennent pas la route ni moralement ni judiciairement et ne grandissent pas ceux qui les portent.

Q WEBCOMPOSTELA : INFORMATIONS RELIGIEUSES ✠

Le site www.webcompostella.com donne des conseils pratiques et un éclairage spirituel sur les chemins de Saint Jacques. Il est le principal site compostellan qui aborde le pèlerinage sous le thème chrétien. On y trouve l'histoire des Chemins, les lieux de vie spirituelle, la préparation avant le départ, la liste des saints du Chemin. Un guide des haltes chrétiennes est proposé gratuitement. On y parle aussi de l'après-pèlerinage, la possibilité de devenir Hospitalier ou d'aller faire un temps de retraite dans des monastères-relais.

Webcompostella offre l'ensemble de ses informations religieuses aux pèlerins porteurs d'un Miam Miam Dodo : les lieux d'accueil chrétien, les temps de prière, les horaires des bénédictions et offices. Attention, le Miam Miam Dodo étant imprimé avant la mise à jour de leur guide, les informations peuvent subir quelques altérations.

LES PUNAISES DE LIT

Disparues depuis la dernière guerre, ces petites (6 mm) bêtes or. refait leur apparition dans certains gîtes du Chemin de Compos. telle. Elles sont apportées par les pèlerins eux-mêmes, qui les véhi culent avec leurs sacs à dos, eux-mêmes contaminés car posés un jour sur un lit déjà infecté ou sur le bord d'une plinthe innocente...

La durée d'incubation des œufs étant d'une vingtaine de jours, il es impossible de savoir si un lit est contaminé ou pas tant qu'on n'a pas vu les petites bêtes courir... Elles piquent comme des puces ou des moustiques, pendant le sommeil, et ça gratte... Leur particulari té est de piquer en plusieurs endroits sur une ligne droite. En outre ça laisse généralement des petites taches de sang sur les draps.

Il ne sert à rien de stigmatiser tel ou tel hébergement, car le plus minutieux des propriétaires de gîtes ou chambres d'hôtes peut re trouver un jour une de ses chambres infectées par un seul sac à dos posé dans la pièce 20 jours avant...

Pour se débarrasser définitivement de ces bêtes, il faut agir sur deux plans :

• Chez les hébergeurs : la désinfection d'une pièce se pratique en pulvérisant régulièrement un in secticide sur les lattes de lit, les matelas, les dessus de lit, les rideaux, dans les fentes du bois, le long des montants de portes et fenêtres, à la jonction entre murs et plafond, le long des plinthes dans les placards, etc..., voire en traitant tous les 15 jours l'ensemble des chambrées avec un net toyeur à vapeur sèche.

• Chez les pèlerins : on trouve sur le chemin, dans certains offices de tourisme, chez certains hé bergeants ou encore par correspondance, des sprays à pulvériser sur l'intérieur et l'extérieur de l'ensemble du bagage et du contenu : sac à dos, duvet, drap, bonnet, vêtements, etc...

Important : suivez attentivement les consignes d'hygiène données par les hébergeants, et ne pre nez pas certaines demandes comme des brimades vexatoires, par exemple l'interdiction d'emporte les sacs à dos dans les chambrées.

Conseil : Si vous constatez des piqûres inhabituelles sur la peau, et si vous n'avez pas de spray anti-punaises sous la main, procédez à un grand nettoyage de votre sac à dos, et lavez toutes vos affaires, y compris le sac de couchage, dans un lave-linge à 60°. Encouragez vos compagnons de route à en faire autant. Une autre alternative consiste à mettre toutes ses affaires dans un congéla teur pendant 2 à 5 jours, et à attendre tout nu à côté...

LES TIQUES

Puisqu'on en est aux petites bêtes, voici les tiques : ce sont des bestioles qui passent le plus clai de leur misérable vie à attendre le passage d'un pèlerin, accrochées sur un brin d'herbe ou une branche. Quand survient enfin le marcheur, les tiques femelles se laissent tomber sur lui, cherchen un coin de peau sympathique et font un trou discret à l'aide d'un rostre pour y sucer du sang jusqu'à s'en faire péter la rate.

Quand elles ne sont plus qu'une grosse boule de sang, pouvant atteindre plusieurs millimètres elles lâchent prise et s'en vont se reproduire. Comme elles injectent un anesthésique en même temps que leur piqûre, on ne ressent rien. Leurs coins de sieste préférés sur le pèlerin sont les cheveux, les plis sous les bras, derrière les genoux, les bourrelets autour de la taille.

Lorsqu'on prend sa douche, le soir, il faut faire une inspection de son corps pour les éliminer. Mai si on les retire verticalement, simplement entre les ongles, elles risquent de laisser leur rostre à l'intérieur de la peau et de provoquer une infection. On peut alors utiliser un tire-tiques (disponible en pharmacie). A défaut une pince à épiler fera l'affaire. Une fois la bestiole éradiquée, bien désinfecter l'endroit de la piqûre.

Attention : les tiques véhiculent une maladie dangereuse appelée la maladie de Lyme, qui peut avoir de très graves conséquences neurologiques. On s'en aperçoit si les alentours de la piqûre présentent dans les jours suivants une large auréole de couleur rougeâtre. Il faut alors consulter rapidement un médecin qui prescrira le traitement nécessaire.

Q MONASTÈRE, PRESBYTÈRE, ACCUEIL CHRÉTIEN

Mise en garde : certains s'imaginent encore qu'ils ont le droit de demander aux prêtres des paroisses le gîte et le couvert, et que ceux-ci sont tenus de les leur donner. D'une part ces prêtres ont souvent déjà fort à faire à gérer leur dizaine de paroisses, et d'autre part ils ne sont ni hôteliers ni restaurateurs. C'est à vous d'organiser vos étapes en fonction de vos possibilités physiques et des hébergements disponibles, de façon à ne pas vous trouver sans logement le soir venu.

Les moines ou moniales qui prient depuis leurs abbayes en pleine nature pratiquent très souvent l'hospitalité. En cas de difficulté, vous y trouverez assistance, mais leur accueil est d'abord tourné vers ceux qui viennent ici passer quelques jours de retraite spirituelle. Souvenez-vous également que la règle du silence y est la plupart du temps exigée. Alors si vous mourez d'envie de raconter à tous au milieu du repas vespéral la couleur des écailles du goujon, abstenez-vous de tirer la cloche du portail du couvent...

Toutefois, certains monastères, presbytères ou communautés laïques, voire de simples familles, consacrent l'essentiel de leur temps à l'accueil des pèlerins, tels le couvent de Malet à Saint-Côme-d'Olt, l'Hospitalité Saint Jacques à Estaing, l'abbaye de Conques, le couvent de Vaylats ou le monastère d'Escayrac. Ils vous proposent, mais ne vous obligent pas, de participer à leurs prières et cérémonies. La plupart de ceux qui vont en de tels lieux sont avant tout en recherche spirituelle. Respectez leur quête, même si vous ne partagez pas leur croyance.

Q ACCUEIL BÉNÉVOLE EN LIBRE PARTICIPATION

Vous verrez dans les pavés descriptifs de certains hébergement, qu'il soient à vocation religieuse ou non, la mention "libre participation aux frais". Cela signifie qu'aucun tarif n'est établi. Cette libre participation est un choix de la part des hébergeants, qui souhaitent accueillir tous les pèlerins qui se présentent sans aucun blocage tarifaire. C'est pour beaucoup une façon de vivre leur Foi en étant sur le Chemin et en pratiquant l'accueil. Mais ces hébergements ont, comme tout le monde, une kyrielle de frais fixes.

C'est à vous de déposer, selon vos moyens financiers et selon la perception que vous avez de l'accueil, une somme adéquate, toujours dans un tronc et d'une manière anonyme. Nous suggérons de déposer une trentaine d'euros pour la demi-pension. En procédant ainsi, vos offrez à vos hôtes une juste rémunération, et vous leur permettez de "donner" plus tard l'hospitalité à un jeune pèlerin désargenté.

Certains ont accusé ces hébergeants-là de pratiquer une concurrence déloyale et de faire du commerce sans en assurer les charges. Une fois pour toutes, il faut savoir que la jurisprudence française est très claire sur ce point : d'abord personne ne peut interdire à personne dans notre pays d'accueillir des gens dans sa maison. Cela fait partie des libertés fondamentales. Ensuite pour qu'il y ait notion d'acte commercial, il faut que trois conditions soient réunies : une prestation effective, une publicité incontestable, et un prix affiché. Si d'autre part l'accueil est limité dans le temps (moins de 24 heures), si le nombre de personnes accueillies est inférieur à 11, s'il n'y a pas de contrepartie financière, il ne peut y avoir concurrence déloyale.

Il est vrai qu'un hébergement commercial paie des charges sociales, mais il est aussi vrai qu'il peut déduire de ses recettes tous les frais engagés, ce qui n'est pas le cas d'un hébergement familial. En conclusion, il y a de la place pour tout le monde sur ce chemin, et chacun y a sa place.

Q GÎTE D'ÉTAPE OU GÎTE ÉQUESTRE

C'est l'hébergement idéal du randonneur. Relativement bon marché (13 à 20 euros par nuitée), il comporte tout ce dont le voyageur a besoin après une journée de marche ou de pédalage : douche, lit, coin-cuisine. Beaucoup de gîtes fournissant des couvertures, un sac à viande dans vos bagages pourra suffire pour dormir au propre et au chaud. Certains gîtes louent aussi des draps pour les acharnés du porter-léger. Et d'autres encore louent les serviettes de toilette...

Ces gîtes sont des équipements collectifs, construits, entretenus par des particuliers, des municipalités ou associations, et mis à la disposition des randonneurs. La plupart du temps, les lits sont groupés en petites chambrées, et vous n'y aurez pas, surtout pendant les mois d'été, la tranquillité et l'intimité que vous souhaitez peut-être.

Dans le Miam Miam Dodo, nous avons répertorié l'appellation "gîte", qui contient plutôt la notion de chambrée ou de dortoir, par rapport à la chambre d'hôtes, qui suppose un certain confort. On trouvera également le mot "gîte" pour décrire un studio ou un appartement où les pèlerins géreront eux-mêmes leur hébergement pour la nuit.

Attention : il n'y a pas toujours un gardien à demeure dans le gîte. Si le gardien n'habite pas au même endroit, ou si le gîte est géré par la Mairie, il est impératif d'avoir prévenu de son arrivée pour être certain d'avoir une place et pour savoir où aller chercher la clé et régler sa nuitée.

La grande majorité des gîtes d'étape disposent d'une cuisine où le randonneur peut préparer son repas. Toutefois certains gîtes privés préparent le repas et en conséquence n'offrent pas de cuisine à disposition. Ne restent alors que deux solutions : accepter le repas de la maison et en payer le prix, ou bien grignoter un fond de sac sur la pelouse. D'autres proposent uniquement la demi pension, c'est-à-dire le dîner, la nuitée et le petit déjeuner. Ne frappez pas à leur porte si vous souhaitez seulement un matelas. Par contre, il arrive que certains gîtes qui ne font pas le repas du soir proposent le petit-déjeuner.

Confusion : ne confondez pas "Gîte d'étape" avec "Rando-étape", qui est un label de qualité décerné à certains hébergements sur des chemins de randonnée du Lot ou "Rando-Accueil, qui est un label national (chambre d'hôtes, hôtels ou gîtes). Ainsi un petit hôtel de campagne pourra afficher une pancarte "Rando-Accueil", mais ses tarifs resteront ceux d'un hôtel.

De la même façon, ne confondez pas "Gîte d'étape" et "Gîte rural"... Un gîte rural est loué aux vacanciers à la semaine, et n'est pas destiné aux randonneurs, même si certains hébergeants les proposent aux pèlerins hors-saison. Petite précision pour nos amis québécois : un "Gîte d'étape" n'est pas un "Gîte du Passant" (ce dernier terme correspond à une chambre d'hôtes dans la Belle Province)

Rappels : un gîte d'étape n'est ni une auberge ni un café. Il est seulement là pour vous fournir un lit et une douche. S'écrouler sur une chaise et commander une bière vous fera passer pour un Martien mal dégrossi. De même, ce n'est pas parce que le gîte d'étape est divisé en 3 chambres de 4 lits que vous pouvez vous croire dans une chambre privative si vous étiez seul dans la chambre à l'arrivée. En réglant votre nuitée, vous avez payé une place, pas une chambre ! C'est toujours le gérant du gîte qui attribue les lits suivant son choix.

Détail financier : quand un gîte est municipal, il se peut que les tarifs soient légèrement différents de ceux qui sont imprimés, car les budgets d'une commune sont votés en début d'année, soit deux mois après la sortie du Miam Miam Dodo.

Draps et serviettes : chaque gîte a ses propres habitudes. Certains proposent les lits tout faits, d'autres demandent un supplément pour les draps ou les serviettes de toilette. Ces précisions sont données dans l'Application mobile mais pas dans le Miam Miam Dodo papier, pour cause de place. Si vous voulez éviter toute surprise, partez avec un drap léger (tous les gites ont des couvertures) et une serviette fine.

🛏 CHAMBRE D'HÔTES

Beaucoup sont affiliées à des fédérations comme "Gîtes de France", "Accueil Paysan", "Clévacances", "Rando-étape", "B&B France", certaines n'ont aucun label. Le Miam Miam Dodo répertorie leurs caractéristiques (nombre de chambres, prix, services offerts, piscine, etc...).

Certains endroits proposent la table d'hôtes, c'est-à-dire le repas du soir, quelques-uns offrent même un emplacement pour faire sa propre popote. Lorsque vos hôtes proposent la demi-pension (dîner + nuit + petit déjeuner), le prix donné comprend souvent le vin mais il arrive qu'il soit en supplément.

Dans le pavé descriptif, une petite montre ⊕ vous indiquera quelquefois l'heure à laquelle vous pouvez arriver. Il est rare que la chambre soit disponible avant le milieu de l'après-midi.

Cet hébergement est quelquefois fourni par des agriculteurs, qui y trouvent un complément de revenus. Il privilégie l'ambiance familiale, le rapport humain et la découverte du milieu rural. Les chambres d'hôtes agréées par l'association des Gîtes de France sont classées selon leur confort de 1 à 4 épis, celles agréées par Clévacances comportent de 1 à 4 clés.

Le présent guide donne le prix d'une chambre pour une, deux ou trois personnes, selon le cas, ainsi que le prix de la demi-pension. Si vous êtes quatre ou cinq randonneurs, n'hésitez pas à poser la question, car il est bien rare que le propriétaire ne trouve pas une solution de dépannage.

Attention : le petit déjeuner, les draps et les serviettes de toilette sont obligatoirement inclus dans le prix d'une chambre d'hôtes, et celle-ci doit être déclarée en mairie.

Attention : De nombreuses communes prélèvent sur chaque nuitée une « taxe de séjour » qui sert à financer les équipements touristiques. Elle varie de 0,50 à 1 €. Elle est très rarement comprise dans les tarifs affichés dans ce guide.

INFORMATIONS GÉNÉRALES

Q HÔTEL

Il y en a pour tous les goûts, de l'auberge de campagne au quatre-étoiles. A vous de choisir selo le degré de confort que vous souhaitez et l'épaisseur de votre bourse. Avantage de l'hôtel : il y e souvent associé un restaurant, où le randonneur peut se ressourcer devant une bonne table préparer ainsi ses muscles à l'étape du lendemain. En général les hôtels sont ouverts 7/7 durant haute saison. En basse saison, ils ont souvent un jour de fermeture durant lequel le service d cuisine n'est pas assuré.

On trouve encore des chambres à des prix modestes, quelquefois moins de 50 euros pour deu personnes. En outre, certains hôteliers, souhaitant jouer la carte du tourisme de randonnée, prop sent quelquefois des chambres au confort plus spartiate, ou des chambres partagées contenan plus de lits, voire une partie aménagée en gîte d'étape, à des prix intéressants. Demandez à béné ficier de cette possibilité si votre bourse n'est pas trop gonflée.

Pour satisfaire tous les pèlerins, dont certains ont la bourse bien garnie et le goût du confort, nou donnons toutes les catégories d'hôtels, y compris ceux qui affichent une galaxie d'étoiles.

Q CAMPING

Il existe dans de nombreux villages des campings privés, municipaux ou encore campings à ferme, à des tarifs très raisonnables : compter 6 à 10 euros par personne et par nuit.

Pour simplifier la lecture, les prix indiqués correspondent à deux adultes occupant un emplaceme avec leur toile de tente. Comme le chemin de Compostelle est loin des grandes zones touristique vous trouverez rarement de piscines olympiques avec toboggan incorporé, mais l'accueil y se souvent chaleureux. Certes une tente, même les derniers modèles ultra-légers, est toujours tro lourde à traîner, que ce soit sur le porte-bagage d'un vélo ou sur un sac à dos, mais c'est un gag d'indépendance et de liberté. A vous de choisir...

A noter que la plupart des campings louent des caravanes, des bungalows ou même des yourte pour une nuit. Beaucoup offrent une épicerie-dépannage. Certains proposent des repas ou de petits-déjeuners aux randonneurs. Attention : ces services sont surtout disponibles en juillet-août.

Q BIVOUAC

Appelé également camping sauvage, quoique ce vocable rappelle trop l'interdit fréquent qui frapp le fait de planter sa tente en-dehors des terrains autorisés. Nous définirons donc le bivouac comm l'action de planter sa guitoune le soir entre chien et loup pour la démonter le lendemain matin, l'aurore naissante, ou bien d'étaler simplement son sac de couchage sur la rosée humide dans but affirmé de grelotter le plus possible...

Par mesure de politesse, demandez aux riverains l'autorisation de planter votre tente. Celle-ci vou sera rarement refusée. Cependant, si vous goûtez le bivouac en pleine nature, souvenez-vous qu celui-ci sera toléré aussi longtemps que la nature ne sera pas souillée. Il existe des poubelles chaque village, et une poche de détritus ne pèse pas lourd...

Q LES ACCOMPAGNANTS DU CHEMIN

Depuis quelques années s'est mise en place une nouvelle activité sur le chemin de Compostelle : s'agit des « accompagnants ». Ces personnes, toutes anciens pèlerins et pèlerines, proposent au gens, anxieux de partir seuls sur un chemin inconnu, de les accompagner sur une durée de que ques jours à une semaine. Moyennant une honnête rémunération, l'accompagnant va s'occuper d

us les détails matériels, des réservations, de la préparation du voyage. Ensuite il marchera avec
ous, vous donnant lentement les clés du Voyage. Après ce sera à vous de jouer...

es Premiers Pas - accompagnement pour Oser Vos Premiers Pas (randonnées 6-11 jours)
Juliette Carpentier, 6 rue Basse, 11800 Laure-Minervois (www.lespremierspas.org 07-86-00-93-73
04-68-25-98-93 ✉ juliettecarpentier@lespremierspas.org) accompagnement de randonnées du
uy à Conques.

**es Yeux de mon guide (accompagnements pour déficients visuels, personnes atteintes de
a maladie d'Alzheimer ou en situation de burn-out)**
hilippe Pinon, guide accompagnateur et Magali De Sevin-Pinon (✉ lymg@hotmail.fr 06-12-46-54-
9 www.lymg.fr), randonnée sur le chemin en France, en Espagne et au Portugal, séjour de 3 à 15
urs ou plus, à partir de 4 personnes. Autres prestations sur demande.

ompostelle pourquoi pas vous (accompagnement 1 semaine sur la voie de Vézelay)
atrick Puech, 6 rue de Sillery, 51500 Taissy (✉ compostellepourquoipasvous@sfr.fr 06-18-28-02-
6 www.compostellepourquoipasvous.simplesite.com) Accompagnement de mai à octobre.

PORTER SON BAGAGE AUTREMENT

lors qu'on pensait depuis des siècles que le sac à dos ne pouvait se porter que sur le dos, voici
ue des randonneurs ingénieux ont décidé d'abattre le dogme et de révolutionner la façon de trans-
orter avec soi son bagage sur un chemin de randonnée. Ces matériels se comportent étonnam-
ent bien en terrain scabreux, chemin caillouteux ou rocheux, dénivelés, montée et descente de
ottoir, etc... Ils sont faits pour tous les gens qui pensaient ne plus jamais pouvoir porter : maux de
os, prothèses de hanche, vertèbres soudées, etc... Voilà une solution pour faire le chemin de
ompostelle, si on a mal au dos, sans pour autant recourir aux transporteurs de bagages.

s portent pour nom Wheelie, Trollix, Mottez. Vous trouverez la description de ces matériels dans
ouvrage « Compostelle Mode d'Emploi » et sur le site www.chemindecompostelle.com à la
ubrique *"Porter son bagage autrement"*.

PARTIR AVEC UN ÂNE

Un âne est un petit compagnon doux et affectueux. Il ne mord pas,
ne botte pas, et ne s'affole pas au premier papillon qui passe. Il
n'existe pas de meilleur moyen pour se lier avec les gens que cette
grosse peluche aux longues oreilles, dont le regard humble sait
attendrir les enfants comme les anciens.

Contrairement à une légende tenace, l'âne n'est pas têtu (il réflé-
chit longtemps), et marche à bonne vitesse. Un âne porte le
bagage de deux, voire trois randonneurs, sans fatigue, y compris le
matériel de camping et de popoting. Un âne est un véhicule extrêmement économe, puisqu'il se nourrit seulement de l'herbe du
chemin. Sa gourmandise sera une haie pleine de ronce, d'aubé-
ine et de chardon. Véhicule rustique aussi, puisqu'il couche dehors par tous les temps.

faut cependant apporter une réserve à cette auto-satisfaction béate : le voyage de retour sera
lus compliqué, car il faut obligatoirement qu'un véhicule adapté, camionnette ou van, vienne à
arrivée chercher les randonneurs et l'animal, d'où dépense supplémentaire.

Quelques loueurs d'ânes de randonnée proposent des animaux de bât sur le trajet du GR 65 pour
ne ou plusieurs semaines :

P'tit âne, 43160 Berbezit, tél 04-71-00-09-22

Les Ânes des Sucs, 43200 Yssingeaux, tél 06-07-26-09-12

- Les Ânes en Margeride, 48120 Saint-Alban-sur-Limagnole, tél 06-22-92-66-72
- Les Anes de Monédiès, 12300 Almont-les-Junies (Conques), tél 06-89-91-30-16 & 06-33-30-44-78
- Les Randos du Bonheur, 12500 Espalion, tél 06-07-46-13-57
- Adodanes, 82110 Lauzerte, tél 06-74-36-99-40
- Entr'ânes, 46140 Luzech, tél 06-81-28-77-12
- Les Anes de la Vallée du Lot, 47260 Granges-sur-Lot, tél 06-50-01-69-11
- Bib'âne, 64410 Méracq, tél 05-59-04-55-49 (loue également sur la partie espagnole)

Comptez environ 250 euros par semaine (âne, bât, sacoches) Le tarif est bien sûr dégressif si vo partez plus d'une semaine. Rajoutez le coût du rapatriement, assuré par l'ânier qui viendra vo chercher avec un véhicule approprié. Si vous voulez en savoir plus sur les possibilités de l'âne randonnée, allez faire une visite au site www.bourricot.com. Vous y trouverez toutes les donné sur les âniers sus-cités en cliquant sur la vignette *Le Chemin de Compostelle*. Visitez aussi le s www.chemindecompostelle.com à la rubrique *Le chemin de Compostelle avec un âne*.

Q PARTIR A VÉLO

Le chemin de Compostelle est pratiqué en France par une infime minorité de cyclistes, contrai ment à l'Espagne. Les gens qui prennent le chemin à bicyclette pensent qu'ainsi ils iront plus vi tout en voyant la même chose que les marcheurs. C'est une idée totalement fausse et bon nomb de cyclistes reprennent un jour le Camino avec leurs deux pieds, conscients qu'ils étaient passés côté de belles choses à vouloir à tout prix conduire leurs machines ferrées.

En effet, il faut savoir qu'il est très difficile de parcourir l'ensemble du GR 65 à vélo, même avec VTT. Certaines sections sont très cabossées, extrêmement pentues, en montée comme descente, et y aller avec un engin à roues bardé de lourdes sacoches peut être dangereux... Da ces sections, qui sont souvent les plus belles, vous n'aurez d'autre choix que de prendre la pet route voisine. Vous allez aussi rencontrer la concurrence des marcheurs en arrivant dans les gît car ils y ont naturellement la priorité absolue.

Un site plein de bons conseils (mais plus très à jour) : http://vtt.compostelle.pagesperso-orange.fr

Q LES PERSONNES À MOBILITÉ RÉDUITE

Le Miam Miam Dodo signale par un sigle si un hébergement peut accueillir une personne à mobil réduite dans ses murs. Cette facilité permettra, espérons-le, à ces randonneurs courageux de pa à leur tour, avec leurs moyens, sur ce grand chemin de liberté.

De nombreux véhicules ont été employés par ces personnes pour "marcher" vers Santiag Joëlette, fauteuil électrique, et maintenant Escargoline... Cette petite machine révolutionnaire a é testée en 2015 (jusqu'à Santiago et Fatima...). Petite charrette à trois roues, elle peut être tract par un âne. Elle peut aussi être hâlée par un homme avec un harnais dorsal, comme une Joëlet ou bien encore par deux hommes. Elle permet à une ou deux personnes à mobilité réduite parcourir de nombreuses sections du chemin de Compostelle, du moment qu'on respecte s gabarit de 96 cm. Voir le site www.randoline.com et les vidéos à la rubrique Escargoline

Rôle du premier accompagnateur : il tient l'âne à la longe et veille à emprunter les parties l plus faciles du chemin. Ou alors il tracte la machine avec son harnais.

Rôle du second accompagnateur : il se tient à l'arrière de la machine, au poste de conduite maintient l'équilibre de la machine dans les passages difficiles (dévers, ornières, pierres, racine

etc...). Il actionne les freins dans les pentes et déclenche le dispositif de sécurité en cas d'urgence.

Simplicité : il n'est nul besoin d'avoir des notions d'attelage : le harnachement, fait d'une seule pièce, se pose en une minute sur le dos de l'animal. L'Escargoline s'accroche ensuite au harnachement par le simple clippage d'un mousqueton. Si on dispose un petit âne pour tracter, on trouvera un animal courageux et attentionné qui prendra plaisir à son travail. Si on tracte au harnais dorsal, la mise en route est encore plus simple.

Confort : aux dires des personnes qui l'ont utilisée, l'Escargoline est aussi confortable qu'une 2 CV. Elle est dotée de deux amortisseurs à câbles, et les roues sont à rayons.

Sécurité : en cas d'urgence, le pilote marchant à l'arrière actionne simplement une manette. L'Escargoline et l'animal sont alors désaccouplés instantanément. Le freinage est assuré par de rustiques et fiables freins à tambour.

Fiabilité : l'Escargoline est construite en solides tubes d'acier Ø 33 mm et sa structure est quasiment indestructible. Les autres éléments sont des pièces de cyclerie qu'on peut se procurer en cas de problème chez n'importe quel commerçant spécialisé.

Générosité : vous qui avez la chance de pouvoir faire le chemin de Saint Jacques avec vos pieds, peut-être souhaiterez-vous, à votre retour, donner cette chance à ceux qui ne le peuvent pas car un accident de la vie les a cloués dans un fauteuil. Une association va être créée spécialement pour collecter des dons et mettre des Escargolines à disposition des pèlerins handicapés sur le chemin de Compostelle. Vous pourrez y laisser le montant de votre choix. Si chaque pèlerin de retour de Santiago donnait simplement 1 euro, c'est 10 nouvelles machines qui pourraient parcourir le camino et donner du bonheur. Pour avoir plus de détails et participer, voir le site www.escargolinecompostelle.com

Vous trouverez d'ores et déjà une Escargoline à disposition des pèlerins à mobilité réduite au départ du Puy-en-Velay dans les structures P'tit âne (43160 Berbezit, tél 04-71-00-09-22), Les Randos du Bonheur (12500 Espalion, tél 06-07-46-13-57) Adodâne (82110 Lauzerte, tél 06-74-36-99-40). Une Escargoline est également disponible dans le Lot pour ces voies du Célé et de Rocamadour : association de tourisme équestre du Lot tél 06-64-79-12-93 ✉ atelot46@gmail.com

⚡ RETROUVER SON APPAREIL-PHOTO OU SON TÉLÉPHONE

Voici une astuce qui vous permettra de retrouver rapidement votre objet le plus précieux si vous l'avez oublié dans un gîte ou sur un banc, astuce qui nous a été donnée par des pèlerins prévoyants : écrivez sur une feuille de papier votre nom, votre adresse, vos numéros de téléphone fixe et mobile, et prenez une photo (avec le montant de la récompense en cas de perte...).

Si un pèlerin honnête trouve l'appareil et fouille à l'intérieur, il tombera forcément sur la photo...

⚡ REVUE INTERNET GRATUITE « LES ZOREILLES DU CHEMIN »

Une bonne idée pour rester en contact avec le chemin, ou pour s'informer avant de partir : abonnez-vous (gratuitement) à la revue internet Les Zoreilles du chemin, envoyée par courriel chaque mois. Voir le site www.chemindecompostelle.com à la rubrique *Les Zoreilles*. On y trouve aussi les anciens numéros.

Chaque futur ou ancien pèlerin peut apporter sa pierre à la revue et envoyer ses questions, son témoignage ou ses plus belles photos. Ou bien lancer un message "Perdu de vue" pour retrouver des personnes rencontrées sur le chemin. Ou encore rechercher un compagnon ou une compagne de route si on craint la solitude.

🥾 L'APPLICATION MOBILE

Q L'APPLICATION MOBILE

En 2018 a été lancée l'Application mobile Miam Miam Dodo. Elle es désormais disponible en français et en anglais sur le GR 65 et su les voies du Célé et de Rocamadour.

Cette application fonctionne sur téléphone ou sur tablette, su modèle iPhone ou appareil avec système Androïd. Elle est télé chargeable sur AppStore ou PlayStore.

Comme le Miam Miam Dodo papier, elle donne la trace GPX d Chemin, ainsi que la localisation géographique précise de chaqu hébergement ou service. Elle donne aussi la petite et la grande his toire des terroirs traversés. Grosse différence par rapport au papier : il n'y a plus de Plans par page, mai une seule et même page longue comme le chemin, sur laquelle on navigue en balayant avec les doigts.

L'application affiche les distances et les temps entre points notables. Le temps de marche est paramé trable et modifie en conséquence le temps affiché entre deux points. La couleur du tracé (vert, orange rouge) donne immédiatement la difficulté du sentier. La position GPS du pèlerin apparait sous form d'un petit point bleu, en sorte qu'on sait à tout moment où on est perdu…

Le zoom permet de visualiser l'ensemble de l'itinéraire, ou bien de descendre jusqu'à l'échelle cadas trale. On peut naviguer en mode Carte ou en mode Vue aérienne.

Quand on a sélectionné un hébergement apparaît sa fiche, les photos et le détail de ses prestations D'un seul clic on peut alors téléphoner, envoyer un courriel, consulter le site internet de l'hébergeant o encore obtenir le tracé et le temps pour s'y rendre s'il est situé hors-chemin. Quand on recherche u hébergement, il est possible de « filtrer » en sélectionnant les dates d'ouverture, le ou les types d'héber gement (gîte, chambre d'hôtes, etc…), la possibilité de diner, l'accueil des animaux, etc…

Cerise sur le gâteau : l'application est téléchargeable dans la mémoire du téléphone, elle fonctionn donc même s'il n'y a pas de réseau.

Elle recèle encore mille autres petites astuces pour faciliter la vie du pèlerin branché. Presque tous le détails à l'adresse www.chemindecompostelle.com/application.pdf

Attention : l'achat du Miam Miam Dodo papier n'entraîne pas le droit à obtenir l'Application mobil gratuitement ! Ce sont deux supports entièrement différents engendrant chacun leur propre coût d développement.

Bonus : pour vous permettre de tester l'Application sur votre téléphone ou votre tablette, just après le téléchargement (qui est gratuit), vous avez accès à une petite section de chemin gratuit.

Q LE SITE WWW.CHEMINDECOMPOSTELLE.COM

Le site www.chemindecompostelle.com a été créé en 2003 à la demande des hébergements du Chemin afin d'obtenir une visibilité sur internet à un tarif raisonnable. Le fait de regrouper sur un seul site de nombreux héberge- ments et services affichant tous les mêmes mots-clés (compostelle, gîte d'étape, chambre d'hôtes, etc…) donne au site un référencement naturel exceptionnel sur les moteurs de recherche.

Le site apparait toujours dans les premiers dès qu'on parle de Compostelle. La chose est naturellement impossible quand on fait son propre site dans son coin.

Regroupant aujourd'hui environ 380 cotisants qui proposent leurs presta- tions, le site offre nombre de conseils, d'adresses et de tuyaux pour ceux qui se sont laissés piéger par le Chemin.

SAVOIR-VIVRE ET SAVOIR VIVRE

Voici quelques années, certains « pèlerins » avaient mis au point une technique très intéressante pour être certains qu'un hébergement se trouverait pile-poil à l'emplacement de leur fatigue vespérale : ils téléphonaient à plusieurs gîtes et réservaient à 15-20-25 km de leur point de départ. Puis, le soir venu, ils s'arrêtaient devant celui qui était le plus proche de leur lassitude. En oubliant bien évidemment de prévenir les autres hébergements, qui avaient bloqué un lit et préparé un repas...

Cette coutume semble avoir quasiment disparu, soit parce que ces pèlerins-là (...) ne viennent plus sur le Chemin, soit parce qu'ils ont appris certaines leçons.

Aujourd'hui, les hébergements nous demandent de fustiger une nouvelle tradition : celle-ci consiste à réserver le matin pour le soir-même, sans avoir rien préparé de ses étapes, puis à annuler sur le coup de 15h si on est en forme et qu'on décide de marcher plus loin. Comme il s'agit d'une réservation téléphonique de dernière minute, l'hébergeant ne peut demander d'arrhes et doit faire confiance.

Ces étranges « pèlerins » semblent contents d'eux-mêmes, puisqu'ils ont la politesse d'annuler... Le problème, c'est que depuis le matin l'hébergeur a refusé le lit à d'autres marcheurs. Et à l'heure de l'annulation, il a sorti tous les ingrédients et commencé la préparation du souper.

Alors à ces gougnafiers de l'immédiateté, il faut bien répéter, radoter, ânonner : une réservation est une réservation : vous vous engagez à venir le soir dans l'hébergement que vous avez appelé. Et en contrepartie, l'hébergement s'engage à bloquer pour vous un lit et un repas. Respecter cet engagement mutuel porte un nom : c'est le savoir-vivre, la politesse, l'éducation.

On imagine la réaction de ces « pèlerins » si l'hébergement leur téléphonait à 14h pour leur annoncer la bouche en cœur : « Finalement j'ai accepté un groupe et j'annule votre réservation... ».

Pour lutter contre ce fléau, certains hébergements, possédant l'agrément Carte Bleue, demandent lors de la réservation votre numéro de carte et prélèvent le montant convenu, même si vous ne venez pas. C'est ainsi que pratiquent les grandes chaînes d'hôtels. Tant pis pour vous...

Aux marcheurs qui pensent être dans leur bon droit en jouant avec le planning et la disponibilité des autres, nous conseillons de retrouver le plaisir du « savoir vivre ». Arriver à 16h dans un hébergement, alors qu'on aurait pu marcher deux heures de plus, c'est aussi le bonheur de prendre son temps, se reposer, soigner ses pieds, échanger avec les autres pèlerins. C'est ça aussi le chemin : savoir prendre le temps de vivre, savoir vivre...

Cette belle histoire commence en l'an de grâce 1428. En ce temps-là, une jeune bergère, qui répondait au doux nom de Lauriane, paissait ses moutons dans une prairie sur les collines au-dessus de la cité de Conques. De nombreux pèlerins, en route vers le tombeau de Messire Saint-Jacques, passaient sur le sentier, qui la hélaient souvent et lui faisaient compliment sur sa beauté. Mais elle était encore fille, et très pieuse, et ne voulait point se laisser séduire par un coureur de chemins, sans bien ni foi ni loi.

Un jour que la lumière était douce, à l'automne finissant, Lauriane filait sa quenouille et chantonnait. Soudain, une voix l'appela : « Lauriane, si tu aimes Dieu, veux-tu m'entendre ? »

Surprise et apeurée, elle leva les yeux au Ciel et vit un ange, tout de blanc vêtu, qui se tenait immobile à quelques mètres d'elle. L'ange lui dit : « Lauriane si tu aimes Dieu, tu dois écrire un livre pour les courageux pèlerins de Compostelle, car nombreux sont les pauvres hères qui ne savent à quelle porte frapper quand tombe la nuit et que rôdent les loups »

« Mais comment cela se pourrait-il, Messire Ange, je ne sais point lire ni écrire »

Minister amat Dominum

« En revenant vers ta bergerie, ce soir, tu rencontreras un pèlerin et son bourri Prends soin de lui, et aussi de son âne car il t'aidera dans ce labeur. C'est le Ciel qui te l'envoie »

« Mais dis-moi, Sire Ange, comment ce livre devra-t-il être appelé ? »

« Regarde quand tu passeras devant le portail de l'église abbatiale, et la réponse te sera donnée »

Alors, le soir venu, Lauriane s'en revint avec ses moutons, et passa devant le beau portail de l'église abbatiale. Elle leva les yeux, et vit que le dernier soleil illuminait le Seigneur Christ en Majesté.

Et sur la place se tenait le vieux pèlerin avec son bourri, qui la regarda, puis regarda le portail, et lui dit : « Vois là haut, fille, là se trouve le nom de ton ouvrage, et ce nom sera connu pour les

siècles des siècles. Il s'appellera "**Miam Miam Dodo**" »

« Mais que veut dire ce nom étrange, voyageur ? »

« Cette langue est du latin, fille, et ce vocable signifie :

"**Mi**nister **A**mat **Do**minum" - "Le serviteur aime son Maître"

Le Maître, ici, bien sûr c'est notre Seigneur Dieu. C'est une invocation que psalmodiaient les moines dans les temps anciens, avant que la règle de Saint Benoit ne bouscule les vieux usages »

« Et pourquoi les lettres que je vois, même si je n'entends point l'alphabet, sont-elles gravées deux fois dans la pierre, voyageur ? »

« C'est là une bien vieille histoire, jeune bergère. Sais-tu que Jehan de Nimègue, le compagnon qui sculpta ce portail, était le meilleur tailleur de pierre de son siècle. Toutefois il était affligé d'un bégaiement effroyable qui en faisait la risée du mauvais peuple. J'ai lu autrefois, quand j'étais jeune clerc, un vieux manuscrit qui disait "Jehan estoit fort bègue et répétoit moultes fois tant que c'estoit grande pitié et qu'il lui falloit souventes fois ayder afin qu'il terminoit ses phrases avant que le soleil ne se couchoit". On dit qu'il avait eu 14 enfants, 7 fois des jumeaux, tant il bégayait même en sa couche. Lorsque les gueux se moquaient de lui, à son atelier, il pouvait aussi bégayer ses sculptures. C'est peut-être pourquoi il a répété deux fois "miam" et deux fois "do". Et c'est aussi pourquoi ce nom demeurera dans l'éternité, comme le symbole du travail bien fait, en dépit des critiques, des fâcheux, des pisse-froid et des importuns »

Couverture de l'unique manuscrit survivant du Miam Miam Dodo médiéval. On y voit saint Jacques remettant à un pèlerin un exemplaire du Miam Miam Dodo

C'est ainsi que naquit le Miam Miam Dodo, en l'an de grâce 1428, sous le règne de notre bon roi Charles VII. Le vieux pèlerin et la jeune bergère s'en furent sur le Chemin de Monsieur Saint Jacques, et collationnèrent les monastères, prieurés et couvents, et toutes les auberges, les bouges comme les plus beaux palais, et aussi les gargottes. Des années durant, dans leurs scriptoriums, les bons moines copièrent et recopièrent des milliers de Miam Miam Dodo, jusqu'à ce que leurs yeux n'en puissent plus et que leurs mains soient bleuies par le froid de l'hiver.

Hélas quelques siècles plus tard éclata la Révolution. Les monastères furent incendiés, et les derniers exemplaires du Miam Miam Dodo jetés au brasier. La belle histoire était finie. Un seul exemplaire du Miam Miam Dodo médiéval est aujourd'hui pieusement conservé aux archives du Vatican.

Mais voici que deux siècles plus tard, des milliers de pèlerins se sont remis en route vers Saint-Jacques de Galice. Et que sur tout le chemin, dans chaque village, se sont ouvertes moultes chambres où le marcheur trouve chaque soir bonne table, bon feu et bon lit.

Et voici enfin que Maître Jacques, un autre pèlerin avec son bourri Ferdinand, roi des ânes et roi d'Aragon, et sa fille Lauriane, ont repris au siècle dernier, en mille neuf cent nonante et huit, l'antique tradition. C'est un soir d'agapes, chez le cabaretier Lefrançois, à l'auberge de la Cassagnole, près de la bonne ville de Figeac, que fut prise la décision de recréer le vénérable Miam Miam Dodo.

Cependant les temps modernes étaient arrivés : plus de plumes d'oie, plus d'encre violette, plus d'enluminure, mais un ordinateur, une souris et un téléphone. Les débuts furent bien difficiles, et les soirées moult besogneuses. Ce ne furent les premières années que de modestes pages en noir et blanc, avec des prix en Francs, avant que la couleur ne redonne enfin à ce beau Livre ses lettres de noblesse et d'enluminure.

Voici, gentes dames et beaux damoiseaux, la belle histoire du Miam Miam Dodo. Que cette journée vous soit douce comme la fourrure des oreilles d'un âne.

TRANSFERT BAGAGES OU PÈLERINS - TAXIS - BUS

Certains pèlerins âgés ou dont le dos est fatigué ont choisi de faire transporter leur bagage chaque jour, de gîte en gîte, par des entreprises spécialisées, moyennant finances (environ 8 euros par sac et par jour). Les mêmes entreprises offrent en outre la possibilité de ramener toute une tribu vers le point de départ à l'issue du voyage. Remplaçant le réseau ferré disparu ou les bus trop rares, de nouveaux services se sont ainsi ouverts entre Le Puy-en-Velay et les Pyrénées. Voici les entreprises qui effectuent du transport de bagages et de pèlerins. Le numéro rouge se rapporte au numéro de plan dans lequel est basée l'entreprise :

1 La Malle Postale : Le Puy à Moissac + Variante du Célé et de Rocamadour // Nadine et Sébastien Ollier, 11 avenue Charles Dupuy, 43000 Le Puy-en-Velay (04-71-04-21-79 & 06-67-79-38-16 ✉ contact@lamallepostale.com - www.lamallepostale.com) navettes régulières, transport bagages et pèlerins, transport vélos, convoyage véhicules, poss Saint-Jean PdP à Santiago sur résa - Nous contacter, poss, forfait groupes, point accueil au 11 av Charles Dupuy, 43000 Le Puy-en-Velay

1 Compostel'Bus : Le Puy à Conques // 5 avenue Georges Clémenceau, 43000 Le Puy-en-Velay (04-71-02-43-23 www.compostelbus.com ✉ info@compostelbus.com) transport pèlerins jusqu'à 33 pers, de mi-avril à mi-octobre

6 Taxi Millet : Stéphane Millet, Le Fraisse, 43170 Cubelles (✉ transports.millet@gmail.com 06-22-60-28-33) transport pèlerins à son point de retour, transfert bagages entre étapes, transport vélos

9 Taxi Le Montagnard : Le Puy à Conques // Stéphane Palheire, Chazeaux, 43170 Chanaleilles (04-71-74-46-99 & 06-81-04-00-39 ✉ spalheire@wanadoo.fr) transport bagages et pèlerins, poss navette ou transfert suivant le nombre de personnes, véhicule 9 places

11 Taxi Flo : Florian Prouzet, lotissement l'Esperounade, 48120 Saint-Alban-sur-Limagnole (06-70-45-02-50 & 06-86-26-84-72 ✉ allo_taxi48@yahoo.com) transport du randonneur à son point de retour, transfert bagages entre étapes, transport vélos 24/24, 7/7

13 Taxi Gervais L&D : Damien Gervais, 7 avenue de Peyre, 48130 Aumont-Aubrac (04-66-42-80-17 & 06-86-26-35-96 ✉ taxi.pierre.benoit@wanadoo.fr) transport bagages et pèlerins toutes distances, gardiennage véhicules dans garage fermé, prix groupes

16 Transport du Levant : navettes retour Conques, Nasbinals, Le Puy // Jean-François Montialoux, 48260 Nasbinals (✉ transportsmontialoux@gmail.com 04-66-32-52-80 & 06-86-67-36-31) transport bagages et pèlerins, poss parking gratuit à Nasbinals, groupe ou tout autre transport sur demande

21 Aubrac Taxi : départ Espalion, Saint-Côme-d'Olt ou Saint-Chély d'Aubrac pour toute destination // Laurent Valenq, route de l'Adrech, 12470 Saint-Chély d'Aubrac (✉ aubractaxi12@gmail.com 06-72-00-25-71) transport bagages entre Nasbinals et Estaing, transport vélos, transport randonneur à son point de départ

21 Taxi Pierre Berthou : à Espalion, trajet Conques au Puy, gare et aéroport Rodez, etc.. // (06-74-71-90-09 & 05-65-48-06-84 ✉ taxiberthou@laposte.net) transport bagages et pèlerins, toutes distances

21 Espalion Taxi : Le Puy à Conques // Michel Clotz, 1 rue Etienne Boissonnade, 12500 Espalion (05-65-48-23-15 ✉ ambulancesespalionnaises@orange.fr) transport bagages et pèlerins à la demande

22 Taxi-ambulance Barrie Pierre : d'Estaing à Conques // Pierre Barrie, 21 Lot Le Pouget, 12580 Campuac (05-65-44-64-72 ✉ pierre.barrie373@orange.fr) transport pèlerins et bagages

26 Taxis Lample : transport bagages & pèlerins // navette retour Le Puy, Nasbinals, Aumont-Aubrac, Cahors, Moissac // 12320 Conques (04-71-49-95-55 & 06-07-75-93-32 ✉ taxis-lample@orange.fr www.transports-lample-conques.fr) + rapatriement véhicules, gardiennage payant

26 Conques Transport, Puy-en-Velay à Saint-Jean-Pied-de-Port // 12320 Conques (06-45-98-17-44 ✉ contact@conques-transport.com www.conques-transport.com) véhicule de 2-8 personnes, transport pèlerin 7/7, 24/24, résa 7h à 22h. Vélos acceptés

30 JB Taxi : Jérôme Bayle, 1 rue des Violettes, 46270 Felzins (06-22-53-27-03 ✉ jbtaxi@orange.fr) Transfert bagages entre étapes, transport vélos, transport randonneur à son point de retour ou entre étapes

31 Bernard Taxi : Figeac, transport bagages et pèlerins sur réservation entre Lectoure et Aumont-Aubrac inclus variantes Célé et Rocamadour // SAS Menard, lieu-dit La Rivière, 46100 Lissac et Mouret (05-65-50-00-20 & 06-07-19-02-41 ✉ bernard-taxi@orange.fr www.bernard-taxi.fr) Forfait groupes intéressants, transfert direct hébergements depuis et vers aéroports et gares. Vélos et chiens possibles

44 Taxi Gérard Bourgouin : Limogne-en-Quercy, Varaire, Lascabanes, Moissac, etc... // 1144 côte Croix de Magne, Peyrolis, 46000 Cahors (✉ taxigerardbourgouincahors@orange.fr www.taxi-bourgouin-cahors.fr 06-80-38-25-14 & 05-65-23-98-62) transports pèlerins, 7/7, groupe jusqu'à 4 pers maximum

44 🏴 🏴 📧 Taxi du Pays : Mr Peres, Monplaisir, 32320 Montesquiou (06-19-95-46-74 & 05-62-70-97-99 ✉ taxidupays@orange.fr) trajets Moissac-Arzacq, transport bagages, pèlerins, vélo, assistance gratuite si transport de bagages

56 🏴 🏴 Transports Midi Voyage : navettes retour sur Conques, Figeac, Cahors, Moissac// Éric Brajon, 5 avenue du Stade, 82130 Lafrançaise (✉ contact@midi-voyage.com - www.midi-voyage.com 06-14-05-90-28 & 05-63-65-75-13) transport pèlerins et bagages, rapatriement véhicules

64 Taxi Occitanie : retour entre Moissac-Conques ou entre Aire-sur-l'Adour-Moissac / Séverine Dalpozo, Gailloffe, 82200 Montesquieu (✉ taxioccitanie82@gmail.com - 06-32-10-63-36 & 05-63-04-20-19) transports pèlerins (10 pers maximum)

64 📧 Taxi Jacky : tous trajets et toutes distances + voie d'Arles, variante 652 // Le Camon, 32480 Pouy-Roquelaure (06-21-62-61-24 & 07-70-68-74-02 ✉ lacoste.jacky@wanadoo.fr) transport pèlerins, rapatriement véhicules et vélos, transport bagages, tarifs groupe pèlerins et bagages sur GR 652, mini excursions locales

64 📧 Transports Claudine : Conques à Saint-Jean-Pied-de-Port + Vallée du Célé // hameau de Séviac, 32250 Montréal-du-Gers (05-62-28-67-92 & 06-74-91-90-65 ✉ transports.claudine@gmail.com) transport bagages et pèlerins, rapatriement voitures

72 Taxi Services : toutes distances // Fabien Diaz, 37 Grand Rue du Pacherenc, 32400 Viella (✉ contact@taxi-services-gers.com - www.taxi-services-gers.com - 06-26-82-31-47) 24/24, 7/7, transport pèlerins sur résa jusqu'à 8 personnes

75 🏴 🏴 ⚜️ Aire Taxi : rapatriement vers Condom-Eauze-Nogaro-Aire-Miramont-Arzacq // Claire et Patrick Colinet, 3 bis rue de Garaulet, 40800 Aire-sur-l'Adour (06-07-48-77-31 ✉ airetaxi40@gmail.com www.aire-taxi.com) transport toutes distances, rapatriement Aire vers Condom, etc ..., 3 véhicules de 7 places, chauffeur inclus + poss remorque pour bagages. Vélos et chiens acceptés. Tarifs pèlerin. Ouvert toute l'année 24/24, 7/7

75 📧 Abc Flo Taxi : Eauze à Arthez // commune de stationnement : Cazères-sur-l'Adour // Florence Iceta, 97 avenue de Bordeaux, 40800 Aire-sur-l'Adour (06-29-72-27-57 ✉ iceta.florence@orange.fr) transport pèlerins 7/7 (2 véhicules 6 passagers + 1 véhicule 4 passagers), pas de supp bagages, pers supp offert

75 ♿ Taxi des Collines : Aire-sur-l'Adour, Arzacq, Arthez-de-Béarn // Hervé Dupouy, 3 chemin Berdollou, 64230 Sauvagnon (06-49-25-45-78 ✉ taxisauvagnon@gmail.com) transport pèlerins (véhicules de 8-6-4 passagers dont 1 pour transport à mobilité réduite), ouvert tte l'année

89 ♿ 📧 SA TPO (Les Transporteurs du Piémont Oloronnais) : Sauvelade, Navarrenx, Aroue, Saint-Palais // 7 avenue du 4 septembre, 64400 Oloron-Sainte-Marie (✉ taxi@autocars-tpo.com 05-59-36-25-76 & 06-70-70-05-22) tous trajets, transport véhicules au point d'arrivée, tarif bagages 12€, ouvert tte l'année

92 Taxi Busquet Isabelle : Condom à Roncevaux // 96 chemin Patraa, 64300 Laa-Mondrans (✉ isataxi@orange.fr 06-75-49-32-87) transport pèlerins 7/7 24/24

97 🏴 🏴 🏴 Express Bourricot : 31 rue de la Citadelle, 64220 Saint-Jean-Pied-de-Port (06-61-96-04-76 ✉ contact@expressbourricot.com) transport bagages sur l'étape Saint-Jean-Pied-de-Port à Roncevaux et direct jusqu'à Santiago. Transport personnes depuis gares et aéroports, navettes à la croix Thibault et Roncevaux. Tarifs groupes. Ouvert 16 mars au 25 octobre

97 🏴 🏴 🏴 Taxi Maïtia Jean-Baptiste : Saint-Jean-Pied-de-Port - Aéroport de Biarritz - Ronceveaux-Pampelune // Jean-Baptiste Maïtia 64780 St-Martin-d'Arrosa (✉ maitiajeanbaptiste@gmail.com 06-83-94-69-32) transport pèlerins, bagages et vélos, poss transport 14 personnes

97 🏴 🏴 🏴 Napoléon Compostelle : transport bagages sur le Chemin (départ ou destination Saint-Jean-PdP) // Jean-Paul Gueracague 64220 St-Jean-PdP (06-22-57-74-86 & 06-19-35-37-75 ✉ napoleon.compostelle@gmail.com) Navette Saint-Jean-PdP - Roncevaux, transport pèlerins, retour au véhicule, bagages et vélos d'une étape à l'autre, départ gares, aéroports et gîtes, poss transport jusqu'à 8 pers

Internet : Pour plus de renseignements sur le transport de bagages et pèlerins, allez sur le site internet : www.chemindecompostelle.com à la vignette *Hébergements et services sur le GR 65*, puis cliquez sur - *Transfert bagages-pèlerins*

Attention : si vous avez réservé en hôtel ou en chambre d'hôtes, et que votre bagage doit être transporté, prévenez vos hôtes pour qu'ils prennent leurs précautions s'ils doivent s'absenter pendant la journée.

crédenciale

date

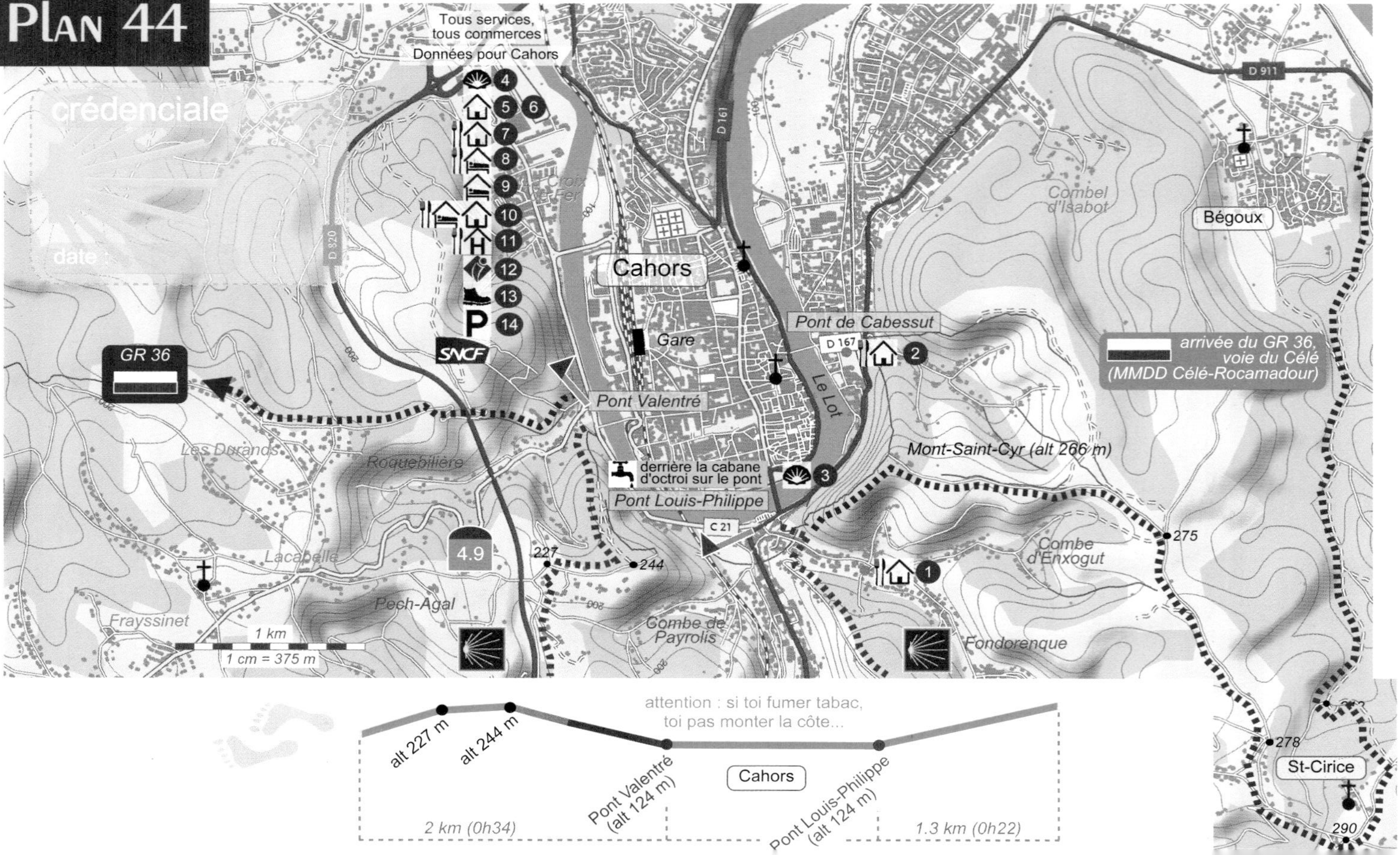

Tous services, tous commerces
Données pour Cahors

4 ●
5 ●
6 ●
7 ●
8 ●
9 ●
10 ●
11 ●
12 ●
13 ●
14 ●

SNCF

Cahors

Gare

Pont Valentré

Pont Louis-Philippe

derrière la cabane
d'octroi sur le pont

C 21

Gombe de Payrolis

Roquebilliers

Pech-Agal

Lacabelle

Les Durands

Frayssinet

GR 36

1 km
1 cm = 375 m

Bégoux

Combel d'Isabot

arrivée du GR 36,
voie du Célé
(MMDD Célé-Rocamadour)

Mont-Saint-Cyr (alt. 266 m)

Pont de Cabessut

D 16?

Le Lot

D 16?

2

3

Combe d'Enxogut

Fondorenque

275

290

278

St-Cirice

1

227

244

attention : si toi fumer tabac,
toi pas monter la côte...

Cahors

Pont Louis-Philippe
(alt. 124 m)

Pont Valentré
(alt. 124 m)

alt. 244 m

alt. 227 m

1.3 km (0h22)

2 km (0h34)

PLAN 44

1 Gîte d'étape Maison des Pèlerins, Marika et Alain Houadec, 158 rue des Cayssines, 46000 Cahors (⊠ alain.houadec@gmail.com 05-65-30-03-06) 10 pl en ch, en ch 4 pers 20€, en ch 2 pers 25€ (⌷ inclus), 15€, LL 3€, SL 3€, ouv avr à oct, 13h30, résa souhaitée, accueil bénévole pèlerins sans ressources si dispo *(en bas de la descente, prendre à droite rue du Barry sur 200 m)*

2 Gîte d'étape Le Relais des Jacobins, Jean-Clair (pèlerin), 12 rue des Jacobins, 46000 Cahors (⊠ lerelaisdesjacobins@gmail.com 06-62-65-81-66 & 05-65-21-00-84) 15 pl en 5 ch, 16€, 5€, DP 36€ (poss végétarien), en extérieur, 7€, LL 4€, SL 4€, ouv 15 mars au 15 oct, 15h

3 Accueil pèlerin, renseignements, réconfort dans la maisonette, sur le pont Louis-Philippe par l'association l'Octroi de Cahors, dans la cabane d'octroi, presque tous les jours 11h à 17h30 en semaine, parfois le sam, dim et jours fériés, de mi-avr à mi-oct, vente de créanciale (06-19-76-65-82 & 06-83-56-29-17)

4 Accueil Spirituel Association "Sur les Chemins de Compostelle", cathédrale Saint-Etienne 16h à 19h 7/7 avr à sep, messe lun à ven 18h15, dim 10h30 et 18h15, bénédiction des pèlerins (Claude Cassan 07-87-96-89-40)

5 @ Gîte Saint Laurent, Alain Timmer, 15 rue Saint-Laurent, 46000 Cahors (06-13-37-70-02 & 05-81-70-16-22 ⊠ alain.timmer@gmail.com) 5 pl, 17€ (draps inclus), 5€, LL 3€, Octroi, ouv 15 avr au 30 oct 14h30 *(à 150 m du pont Louis-Philippe au bord du Lot)*

6 Auberge de Jeunesse HI Cahors-Le Chai, 52 avenue André Breton, 46000 Cahors (⊠ cahors@hifrance.org 05-36-04-00-80) 94 pl en ch 1-2-3 pers, 20.80-23.40€ (draps inclus), LL 3€, SL 3€, ouv tte l'année, 15h à 21h

7 Gîte d'étape Le Papillon Vert, Jaquie Chalumeau, 51 rue du Tapis Vert, 46000 Cahors (⊠ papillonvert.cahors@gmail.com 05-81-70-14-09 & 06-75-80-58-42) 5 ch, 13-30€, 35-50€, 45-54€, 5€, 15€, draps 3€, LL 5€, SL 3€, ouv avr à oct, 14h30, sur résa BS *(à 80 m de la cathédrale)*

8 Chambre d'hôtes Mascheretti, Monique et Noël Mascheretti, Saint-Henri, chemin de Rode Buze, 46000 Cahors (05-65-22-56-47 & 06-81-55-55-36 ⊠ noelmascheretti@orange.fr) 5 ch, 45€, 52€, 60€, 70€, supp 8€, 23€, réchauffer, LL & SL avec part, accueil de l'Octroi pont Louis-Philippe, ouv tte l'année *(à 5 km du centre)*

9 @ Chambre d'hôtes Chez Pierre, Pierre Capredon, 62 rue Etienne Brives, 46000 Cahors (⊠ noderpac@gmail.com 06-09-96-28-32) 5 ch-11 pl, 30-35€, 50-55€, 55-70€, LL, 15h, résa souhaitée *(à 200 m du pont Louis-Philippe dans le centre historique)*

10 Gîte-Chambres d'hôtes Le Valentré**, Frédérique Gauvrit, 250 chemin de la Chartreuse, 46000 Cahors (06-12-26-78-68 ⊠ frederiquegauvrit@gmail.com) Gîte, 11 pl en 2 ch, 15€, 6€, 14€, draps 2€ // Chambres, 2 ch, 51-61€, 57-67€, DP 65-75€, 85-95€, ouv fév à oct, 16h

11 Gîte-Restaurant La Chartreuse***, 130 chemin de la Chartreuse, quartier Saint Georges, 46000 Cahors (05-65-35-17-37 ⊠ contact@hotel-la-chartreuse.com) 50 ch, DP 86€, 111€ ouv 7/7, 19.50€ *(près du pont Louis-Philippe, rive sud du Lot)*

12 @ Office de tourisme place François Mitterrand (05-65-53-20-65 ⊠ contact@tourisme-cahors.fr www.tourisme-cahors.fr)

13 Caminoloc, Mahdi du Camino (pèlerin), 17 cours Vaxis (05-65-22-12-06 & 06-25-65-37-59 www.caminoloc.com) location et vente chaussures, matériel et équipement de rando, ouv 7/7 11h à 19h *(face au pont Louis-Philippe)*

14 - Parking de l'Amphithéâtre, rue Saint-Géry (⊠ stationnement@mairie-cahors.fr 05-65-20-88-71) 24h=23.70€, 7 jours=40.40€, ouv tte l'année 24/24 *(tarifs sous réserve)*
- Parking Le Phare, place Emilien Imbert (⊠ stationnement@mairie-cahors.fr 05-65-20-88-71) 24h=23.70€, 7 jours=32.60€, ouv tte l'année 24/24 *(tarifs sous réserve)*

Comme dans toutes les cités du Quercy, vous passerez brutalement, descendant sur Cahors, du causse à la ville, et vous en ressortirez de la même façon. Comme si les villes n'étaient que de dérisoires confettis posés par l'Homme sur la Terre, prenant à peine la place qu'on met à pied pour les traverser.

Cahors (Caurs en occitan) est encerclée dans une boucle du Lot, et fut romaine sous le nom de Cadurca, capitale de la tribu gauloise des Cadurques. Elle comptait alors 40.000 habitants, contre une vingtaine de milliers aujourd'hui. C'était une cité commerçante de la première importance, grâce aux produits du terroir, notamment la laine des moutons du causse. Le Lot permettait de s'enfoncer loin dans les terres et de transporter à moindre coût jusqu'à Burdigala (Bordeaux) où des vaisseaux de haute mer effectuaient la liaison avec le port d'Ostie.

La cité de Cahors et l'aqueduc qui apportait l'eau depuis la vallée du Vers, 40 km à l'est, furent détruits en 571 par un goujat dont nous tairons le nom. Cependant Cahors se releva de ses ruines et fut même le siège d'une université durant quatre siècles.

Vous y verrez moults monuments fameux, et d'abord le pont Valentré, par lequel vous quitterez la ville, un des plus beaux ponts médiévaux de France, habilement restauré par Viollet-le-Duc dans les années 1870. Observez bien dans les hauteurs des tours un petit diable accroché à la pierre, et cherchez d'où vient cette étrange figurine perchée à 40 mètres au-dessus des flots.

Une centaine de mètres en amont, côté falaise, se trouve la source Divona, une résurgence qui donne aux habitants une eau d'une grande pureté. C'était autrefois une source sacrée des Gaulois.

Vous visiterez la cathédrale Saint-Etienne (inscrite au patrimoine de l'Unesco, comme le pont Valentré), construite au XIIe siècle, fameuse par ses deux coupoles d'un diamètre de 18 mètres et une curieuse façade qui semble fortifiée. Si l'histoire vous passionne, vous vous perdrez dans les ruelles de la cité médiévale, où se cachent de fort belles églises et les nombreuses tours de défense des anciens remparts.

Et vous n'oublierez pas de déguster au cours d'un bon repas la merveille qui fait de Cahors une cité aimée de tous les pèlerins depuis des siècles : son vin tannique aux parfums envoûtants que vous n'oublierez plus jamais. A l'apéritif, demandez à boire un Fénelon, et laissez vos papilles se reposer du long chemin.

Si vous pensez qu'il ne reste rien à découvrir, commandez une pièce de foie-gras poêlé et oubliez toutes vos références culinaires. Vous êtes là dans le haut de l'excellence. D'ailleurs si vous avez marché jusqu'à Cahors, c'est que vous aviez le secret espoir de pécher sans retenue le péché de gourmandise...

Amen, vous êtes pardonnés.

Cahors

Cathédrale

Messe en semaine lun à ven 18h15 (+ Bénédiction des pèlerins) - dim 10h30 et 18h15

Confessions sam matin

Permanence tous les jours 16h à 19h avr à sep

Eglise Saint Barthélémy

Messe sam 18h30

Sacré Coeur

Messe dim 9h30

Cahors

La cathédrale Saint Etienne a célébré en 2019 son 900ème anniversaire ! A cette occasion, de multiples manifestations ont été organisées afin de fêter ces neuf siècles d'histoires mais aussi afin de repartir sur les traces des trésors disparus de l'édifice...

En 1119, le Pape Calixte II fait étape à Cahors et découvre sa belle cathédrale, encore en construction... Bien qu'elle ne soit finie, le Saint Père décide de consacrer son somptueux autel le 27 juillet...

Des siècles plus tard, en 1580, alors que les protestants et les catholiques se déchirent, l'autel béni par le Pape devient un enjeu majeur. Les huguenots s'en emparent et le transportent par voie fluviale. Mais le poids, mal réparti, met en péril le convoi et le chargement sombre dans la rivière... La légende dit aujourd'hui que l'autel serait toujours au fond de l'eau...

La cathédrale Saint Étienne est également l'hôte d'un autre trésor, qu'elle tient celée depuis quelques années : la relique de la Sainte Coiffe. Rapportée de Terre-Sainte au XIIe siècle par l'évêque de Cahors, Géraud de Cardaillac, elle fait partie des cinq reliques du Christ au moment de sa mise au tombeau.

Trésor religieux mais également historique de par les divers usages dont elle a fait l'objet (on la déposait notamment sur la tête des personnes mourantes pour les guérir), elle repose depuis de nombreuses années dans la cathédrale de Cahors. Ce 900ème anniversaire a été l'occasion de la remettre à la vue de tous.

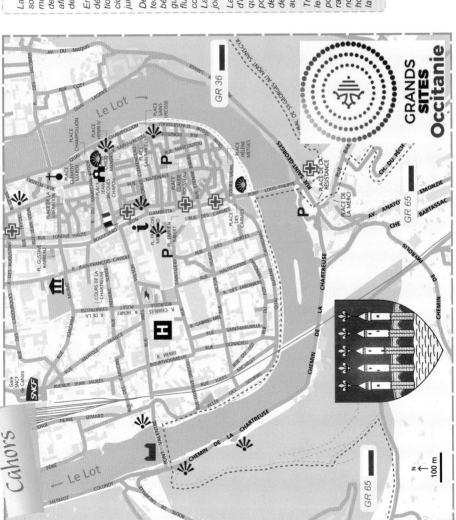

GRANDS SITES Occitanie

PLAN 45

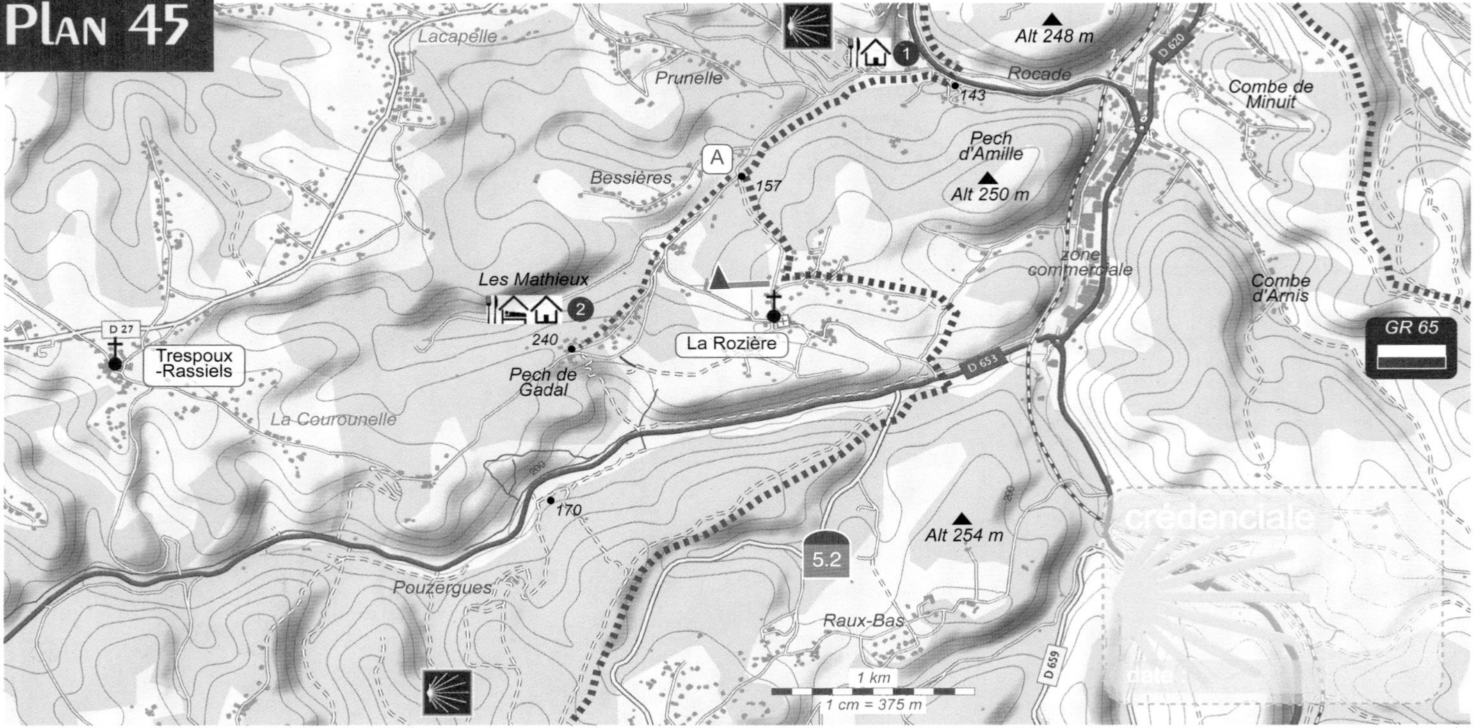

GR 65

Combe de Minuit

Combe d'Amis

crédenciale

Rocade
Alt 248 m

▲143

Pech d'Amille
Alt 250 m

zone commerciale

D 653

Alt 254 m

Raux-Bas

▲57

A

La Rozière

288

5.2

Prunelle

Bessières

Les Mathieux

240

Pech de Gadal

170

Lacapelle

La Couronnelle

Pouzergues

Trespoux-Rassiels

D 27

1 cm = 375 m
1 km

D 659

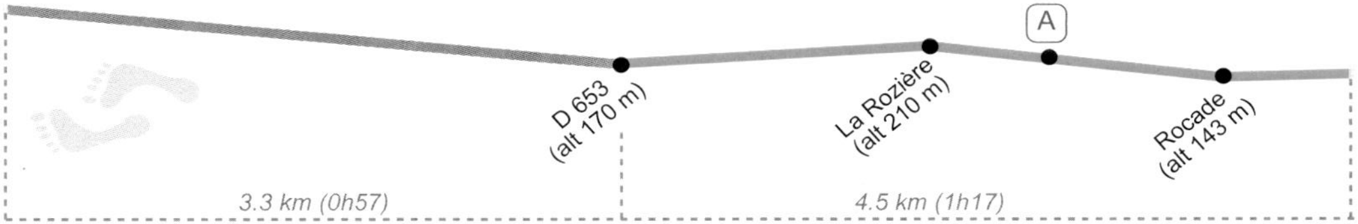

tu es ton BIEN
le plus précieux
J'Aboudi

Rocade
(alt. 143 m)

A

La Rozière
(alt. 210 m)

D 653
(alt. 170 m)

4.5 km (1h17)

3.3 km (0h57)

① 🇫🇷 (🛏️) Gîte d'étape Chez Carlos
Carlos Goni, 1082 route de Fontanet, 46000 Cahors (06-87-56-43-78 & 06-71-13-83-01) ✉️ carlos.goni50@gmail.com) 7 pl en 3 ch, 🍴 20€, 🥣 5€, DP 🛏️ 35€, 🍳, LL, 🐴 Octroi de Cahors, ouv 1er avr au 1er nov, 🕑 14h *(3 km après le Pont Valentré)*

② 🚶 (🛏️) 🏠 Gîte-Chambre d'hôtes Domaine des Mathieux
Hervé Dubois (pèlerin), 823 route de la Courounelle, 46090 Labastide-Marnhac (05-65-31-75-13 & 06-67-55-68-17 ✉️ domainedesmathieux@gmail.com) Gîte, 15 pl, en dortoir DP 🛏️ 39€, en ch DP 🛏️ 43€ // Chambres, DP 🛏️ 53€ // 🍽️ 4-8€, draps 2€, LL 4€, 🐴 église La Rozière, ouv 20 mars à fin oct, 🕑 16h // Aire de repos *(au repère continuer la petite route (balisage beu-blanc) sur 1.5 km. Le lendemain, suivre ce même balisage pour rejoindre le GR à Labastide-Marnhac)*

En quittant la bonne ville de Cahors, vous allez vivre vos dernières lieues dans un paysage de causse traditionnel tel que vous l'avez traversé les jours précédents. Puis, après une demi-journée de marche, peu avant Lhospitalet, vous allez entrer dans le Quercy Blanc, qui doit son nom à la couleur éclatante des pierres des maisons. Finies les grandes étendues boisées, désormais ce ne sont que douces collines aux allures de Toscane. Le terroir est largement cultivé mais les flancs et les sommets des reliefs, trop pierreux, ont conservé leurs arbres. Et semées dans ce paysage idyllique, des mas aux allures de castels. Un pays où il fait bon vivre et marcher.

En observant le paysage autour de vous, ainsi que la toponymie des lieux, vous remarquerez que, hors les villages, qui sont peu importants, se nichent de nombreux hameaux, tous dotés d'une chapelle et d'un cimetière. Cette implantation correspond à des facteurs économiques très anciens, et reflète aussi un trait de caractère des gens du causse qui est l'indépendance et l'attachement viscéral à son petit terroir. Les annales du XIXe siècle regorgent de bagarres mémorables entre gens de communes voisines, véritables batailles rangées que seuls les gendarmes parvenaient à maintenir à un niveau acceptable d'agressivité... La guerre de 1914-1918 a réconcilié les combattants dans un même linceul...

Quand vous arriverez dans le royaume d'Espagne, où l'habitat est regroupé en villages éloignés les uns des autres, vous regretterez ce paysage jardiné qui est à la mesure de l'Homme.

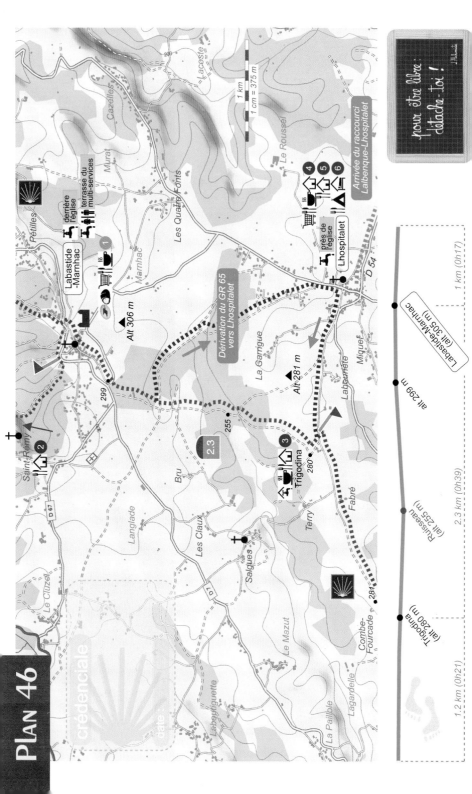

PLAN 46

pour être libre :
détache-toi !

Labastide-Marnhac

derrière
l'église
terrasse du
multi-services

Alt 306 m

Les Quatre Fonts

Pétilles

Cazelles

Lacoste

Murat

Marnhac

Le Roussel

1 cm = 375 m
1 km

Arrivée du raccourci
Lalbenque-Lhospitalet

près de
l'église

Lhospitalet

D 54

Dérivation du GR 65
vers Lhospitalet

La Garrigue

Alt 281 m

Labaunète

Miquel

Fabré

Saint-Rémy

D 67

299

255

Bru

Langlade

Les Claux

Salgues

2.3

Trigodina

280

Terry

Combe-
Fourcade

Le Mazut

Lagardelle

La Pailble

Labouriguette

Le Cluzel

284

crédenciale

date :

Labastide-Marnhac
(alt. 305 m)

alt 299 m

Ruisseau
(alt. 255 m)

Trigodina
(alt. 280 m)

1 km (0h17)

2.3 km (0h39)

1.2 km (0h21)

PLAN 40

1 🛏️ Bar-Restaurant-Multi-Services Les Halles de Labastide (05-65-20-01-94) épicerie, dépôt de pain, point Poste, restauration rapide, sandwiches, salades, 🍽️ ⚡, ouv 7/7 Pâques à Toussaint, fermé sam BS

2 🛏️ Gîte d'étape Chez Bernie
Bernadette Dechet, 547 chemin du Pech de Capy, 46090 Saint-Rémy (05-65-21-06-83 & 06-83-64-35-33 ✉️ bernadette.dechet@free.fr) 6 pl en 3 ch, 🛏️ 15€, 🚿 5€, 🍽️ 15€, pendre à Labastide, ouv mi-avr à mi-oct, ⏰ 15h30 *(avant d'entrer à Labastide, prendre la route à droite sur 300 m, puis à droite le sentier balisé en jaune jusqu'à l'église de Saint-Rémy sur 1.4 km. Là prendre la route à gauche sur 300 m. Au carrefour prendre à droite vers le gîte sur 600 m)*

3 🇬🇧 🛏️ Gîte d'étape de Trigodina
Rémy Rothan, ferme de Trigodina, 46170 Pern (05-65-21-70-97 & 06-71-06-98-72 ✉️ trigodina@orange.fr) 10 pl en ch, 🛏️ 15€, 🚿 5€, 🍽️ 14€, ⚡, draps 3€, 🛏️ Labastide-Marnhac, ouv mi-mars à mi-nov, ⏰ 15h, résa conseillée // Aire de pique-nique avec distributeur de boissons fraîches, cafetière et robinet *(à la jonction entre le GR 65 et la dérivation de Lhospitalet)*

4 🛏️ 🇬🇧 🛏️ Gîte d'étape-Bar-Restaurant-Epicerie l'Étape Conviviale
Gaëlle Alberato, Le Bourg, 46170 Lhospitalet (✉️ letapeconviviale@outlook.fr 06-50-93-99-14 & 07-84-12-71-18) 12 pl en 2 dortoirs, 🛏️ 15€, 🚿 5€, 🍽️ 15€, draps 1€, ⚡, LL 5€, ouv avr à oct ⏰ 16h

5 🛏️ 🇬🇧 Chambre d'hôtes Domaine Les Tuileries
Martine et André Carrier, 1602 les Tuileries, Chemin de Lhospitalet, 46090 Le Montat (05-65-21-04-72 & 06-07-65-76-86 ✉️ domainelestuileries@orange.fr) 3 ch, 🛏️ 72€, 🍽️ 72€ va-90€, 🛏️ 110€, 🍽️ 20€ *(sur résa)*, 🛏️ Lhospitalet, ouv tte l'année, ⏰ 16h *(Plan va-riante Lalbenque-Lhospitalet- Section 1 - suivre le balisage)*

6 🛏️ @ 🇬🇧 🛏️ Chambre d'hôtes Le Pech d'Huguet
Odette Pradines, Granéjouls, 46170 Lhospitalet (✉️ opradines@orange.fr 05-65-21-05-28 & 06-82-43-56-77) 3 ch, DP 🛏️ 40€ // poss 🍱, ⚡, ⚡, 🛏️ Labastide-Marnhac, ouv avr à sep, sur résa BS *(en arrivant à Granéjouls, prendre la route vers Lhospitalet puis le petit chemin à gauche // pour ceux qui viennent de Lhospitalet par le GR 65, faire 1 km vers Granéjouls (D 54), puis prendre le chemin à droite juste avant le hameau)*

Peu après le village de Labastide-Marnhac, vous allez avoir le choix, soit de prendre le chemin directement vers Lascabanes (Plan 47), soit de faire un petit détour vers Lhospitalet, dont la toponymie indique clairement la fonction d'accueil dans les temps anciens. Il s'y trouve encore une jolie petite église gothique.

A partir de là vous demeurerez sur une ligne de crête pendant environ deux lieues avant que de plonger vers la vallée de Lascabanes. N'oubliez pas de remplir vos gourdes à Trigodina car il n'y aura aucune source ni aucun robinet sur le chemin. Ni beaucoup de chênes pour vous empêcher de mourir évaporé s'il fait cagnard…

Vous apercevrez de temps à autre des vignes se dorant au soleil. Nous ne sommes pas là dans le terroir de Cahors, mais dans celui des vins du Quercy, même si ce sont quasiment les mêmes. Alors à défaut d'eau sur le causse, une bonne bouteille pourrait vous sauver la vie. Arriver à l'issue de l'étape totalement bourré, mais vivant !…

En passant près des champs labourés, jetez un œil au nombre de pierres et de pavasses de toutes grosseurs qui gisent là après le travail du sol. Les socs de charrue sont ici à rude épreuve… On dit dans le Quercy que le paysan fait deux récoltes : à l'automne une récolte de pierres au labour et l'été une récolte de céréales à la moisson.

Quand il y a vraiment trop de cailloux, on les entasse dans un coin du champ où elles forment un gros tas appelé "cayrou". Prononcez bien "ca-i-rou" si vous tentez quelques vocables occitans. Ces pierres ne sont pas inutiles : elles servaient jadis à monter les murets qui séparaient les parcelles. Les plus belles étaient mises de côté pour bâtir maisons ou granges.

Il est nécessaire de les enlever du terrain avant de mettre le sol en culture, car les lames des outils agricoles modernes ne résisteraient pas au choc avec les pierres lors de la récolte, pas plus que ne résistaient autrefois les faux quand on coupait blé ou herbe dans un grand mouvement circulaire.

Le problème est qu'en ôtant ces pierres des champs, on abaisse mathématiquement la surface à la hauteur du volume de pierres retirées. Ce qui explique qu'au labour prochain, on aura encore une montagne de cailloux à se coltiner… Misère…

Lhospitalet est le point d'arrivée du raccourci qui est parti de Mas-de-Vers et Lalbenque (Plan 41 du Miam Miam Dodo de la section Le Puy-Cahors) pour les pèlerins qui souhaitaient éviter le bruit de la ville. Longtemps y a existé un petit hospital dit "de Dame Hélène" en souvenir de celle qui l'avait construit au XIe siècle. On y accueillait les pèlerins de Saint Jacques. Le demi-lieue à l'est (Plan de la variante Lalbenque-Lhospitalet sur le Miam Miam Dodo de la section Le Puy-Cahors) existait encore en 1790 à Granéjouls une Commanderie des Chevaliers de Saint Jean de Jérusalem, ceux-là même qui avaient repris les biens des Templiers.

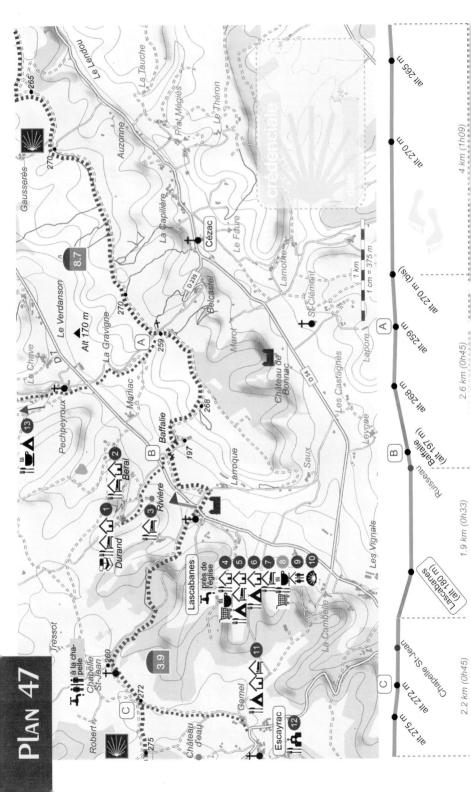

PLAN 47

Gausserès
265
270

Le Lendou
La Tauche
Auzonne
La Capilière
Pradt Mégiès
Le Théron

8.7

Cézac
Le Faure

D 239
Belcastel
St-Clément

Le Verdanson
Alt 170 m
La Gravigne
270
259
A
268
Château de Bonnac
D 54
Les Castagnés
Leygue
Lapore

La Chave
D 7
Mailliac
Baffalie
197
Larroque
Saux
Marot

Pechpeyroux
13
Beral
2
B
Rivière
1
3
Durand

Tressot
Chapelle St-Jean
à la cha-
pelle
260
272
275
Robert
Château d'eau
C
3.9

Lascabanes
près de l'église
4 5 6 7 8 9 10

Gamel
11
Escayrac
12

La Combelle
Les Vignals

1 cm = 375 m
1 km

crédenciale
date

alt 265 m
alt 270 m
4 km (1h09)
alt 270 m (bis)
alt 259 m
2.6 km (0h45)
alt 268 m
Baffalie (alt 197 m)
B
Ruisseau
1.9 km (0h33)
Lascabanes (alt 180 m)
Les Vignals
2.2 km (0h45)
Chapelle St-Jean
alt 272 m
C
alt 275 m

1 🚿🛏️♿♻️ Gîte-Chambre d'hôtes L'Etape Bleue, Marie-Claude et Jean-Michel Cayon-Glayère (pèlerins), Durand, Lascabanes, 46800 Lendou-en-Quercy (05-65-35-34-77 ✉ mc.cayon-glayere@orange.fr) Gîte, 10 pl en ch 2-4 pers, 🛏 14€, 6€ // Chambres, 2 ch, 🍴 42€, 🛏 56€ // 🍽, 14€, 🍴, draps 4€, épicerie-dépannage, LL 2€, SL 2€, massages et soin des pieds, ouv avr à oct *(au repère B prendre en face sur 800 m. Le lendemain on rejoint le GR à la chapelle Saint-Jean sur 1.8 km)*

2 🚶 🛏 🕊 🚲
Gîte-Chambre d'hôtes Au Chemin de Traverse, Hans (pèlerin), Beral, Lascabanes, 46800 Lendou-en-Quercy (06-14-08-66-46 ✉ auchemindetraverse@gmail.com) Gîte, 4 pl, DP 36€, draps 4€ // Chambres, 3 ch, 🍴 48-52€, 🛏 60-65€ // 🍽 18.50€ (poss végétarien) LL 4€, 🚲 ouv mars à oct, sur résa BS *(au repère B prendre en face et suivez les indications "Au Chemin de Traverse" sur 650 m. Le lendemain raccourci pour rejoindre le GR à la chapelle Saint-Jean en 2 km)*

3 🚶 🛏 @ 🕊 🚲 Chambre d'hôtes Les Hauts de Lascabanes
Eric Diemer, Lieu-dit Rivière, Lascabanes (05-65-20-12-49 & 06-18-40-74-00 ✉ contact@hauts-lascabanes.fr) 1 ch, 🍴 85-95€, 🍽 25€, 12€, 🚲 max 5 km, ouv tte l'année *(au repère B du Plan prendre en face sur 800 m. Le lendemain on rejoint le GR à la chapelle Saint-Jean en 2 km)*

4 🛏 🕊 🚶 🚲 Gîte d'étape Le Nid des Anges**
Cécile Maupoux, Ancien Presbytère de Lascabanes, 46800 Lendou-en-Quercy (05-65-31-86-38 ✉ chiha-maupoux@wanadoo.fr) 17 pl en ch 2-5 pers, 🛏 14.50-16.50€, DP 34-36€, 🍽 6€, 🍴 7.50-13.50€, 🔥 réchauffer, 🍴 6€, linge 4€, LL 2€, ouv tte l'année, 🕐 10h, sur résa 1er nov au 15 mars // Epicerie Bio d'appoint, cafetière, boissons fraîches

5 🛏 ♿ 🚶 @ 🕊 🚲 Gîte-Chambre d'hôtes Le Bouy, Françoise Bessières, Lascabanes, 46800 Lendou-en-Quercy (✉ francoise.bessieres0885@orange.fr 06-59-72-99-24 & 05-65-53-61-49) Gîte, 11 pl en ch 2-3-4 pers, 🛏 14€ (draps inclus), 🍽 6€ // Chambre, 1 ch, 🍴 22€, 🛏 44€ // 🔥 5€ // 🍽 14€, 🍴, 🍽 5€, épicerie-dépannage, LL 2€, SL 2€, 🚲 ouv mars à oct *(après le château, continuer tout droit sur 100 m)*

6 🛏 🚶 🚲 Gîte en Yourte, Jean-Sébastien André, Sabatier, Lascabanes, 46800 Lendou-en-Quercy (05-65-23-98-54 ✉ jslascabanes@gmail.com) Yourte ou Dome géodésique 🍴 17€, 🍽 6€, DP 🍴 36€ (poss végétarien), 🚲, 🍽 5€, LL 3€, ouv avr à oct, 🕐 14h30 *(sur le GR, 500 m après l'église)*

7 🛏 🕊 🚶 🚲 Chambre d'hôtes de Laniès, Chantal et Vincent Petit, Lascabanes, 46800 Lendou-en-Quercy (✉ lanies46800@gmail.com 05-65-35-06-47 & 06-22-56-32-61) 4 ch, 🍴 35€, 🍽 50€, 🍽 13€, LL 2€, massage, ouv tte l'année, 🕐 14h *(à l'église prendre à gauche sur 100 m, tourner à droite vers la Vierge sur 200 m, puis à gauche sur 150 m)*

8 🚶 La P'tite Pause, place du Village (06-74-51-81-94) paninis, sandwiches, pizzas, salades, assiettes complètes 10-12€, boissons, petit ravitaillement, ouv 1er avr au 31 oct 7/7 8h30 à 18h

9 Abri pèlerin, place du Village (mairie 05-65-22-94-14) salle commune, toilettes

10 Accueil Association "Sur les Chemins de Compostelle", Accueil par le Père Jean-Jacques Kerveillant. Lavement des pieds. Messe et bénédiction 18h (Jean-Jacques Kerveillant 05-65-24-96-48)

11 🛏 🕊 🍴 @ 🕊 🚲 Chambre d'hôtes-Gîte Clos de Gamel
Christelle et David Bernadou, Gamel, Lascabanes, 46800 Lendou-en-Quercy (05-81-22-51-61 & 06-26-95-09-74 ✉ david.bernadou@neuf.fr) Gîte, 6 pl en 2 ch et 1 cabane sur pilotis, en ch 🍴 20€, 🍽 6€, en cabane DP 🍴 70€, 🍴 110€, linge inclus // Chambres, 5 ch, DP 🍴 40-70€, 🍴 80-110€ // 🏕 🍴 7€ (hors jul-aou) // 🚲 2€, 🍽 17.50€ (produits du jardin et de la vigne), 🍽 7€, LL 3€, SL 3€, jacuzzi, épicerie-dépannage, 🚲 ouv avr à oct, 🕐 14h *(au repère C, 300 m après la chapelle, prendre à gauche sur 1 km. Le lendemain, raccourci par le château d'eau)*

12 🛏 Monastère Notre-Dame, Communauté Marie Mère de l'Eglise, 46800 Escayrac (05-65-22-08-99) 8 pl, nuitée, 🍽, ouv mai à sep *(au repère C, 300 m après la chapelle, prendre à gauche jusqu'à Escayrac)*

13 🛏 🚐 🛁 🚶 🚲 Camping-Snack-Bar-Rest. des Arcades***
Jonathan et Eva Marlière, Le Moulin de Saint-Martial, Saint-Pantaléon, 46800 Barguelonne-en-Quercy (06-60-98-80-39 ✉ camping.desarcades@gmail.com) 🏕 10-13€, 🚐 8€, épicerie-dépannage, 🔥, LL 4€, ouv 8 mai au 10 sept // Resto, 🍴 à partir de 10€, pizzas, salades, produits locaux, ouv avr à sep 🕐 11h, fermé lun *(au repère A prendre à droite la petite route sur 1.1 km. Passer à La Gravigne puis rejoindre la D7. Prendre en face vers Pechpeyroux sur 300 m. Continuer la route vers le nord 1.3 km jusqu'à un carrefour. Prendre à gauche sur 300 m (centre équestre à droite de la route) puis à droite vers le Moulin de Saint Martial sur 1.3 km))*

🛏 *Lascabanes : Messe 18h*

✝

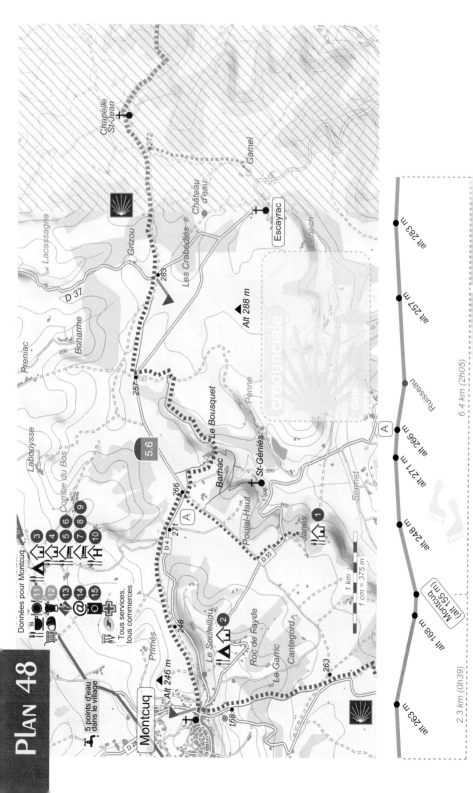

PLAN 48

Montcuq

Alt 246 m

Données pour Montcuq

- SG
- 3 ▲
- 4
- 5
- 6
- 7
- 8
- 9
- 10
- 11
- 12
- 13
- @ 14
- 15 ✚

Tous services, tous commerces

5 points d'eau dans le village

D 37
Preniac
Lacassagne
Labouysse
Bonarme
Combe du Bos
Primès
Le Souleillou
248
Roc de Fayde
Le Garric
Cantegord
263
168
Gamel
Chapelle St-Jean
272
Grizou
283
Les Crabédies
Château d'eau
257
5.6
266
271
D 4
D 55
Barnac
Le Bousquet
Poujal-Haut
St-Géniès
200
Janes
1
2
Escayrac
Alt 288 m
Penne
Crédenciale
date
Lençech
Sernet
A
A

1 km = 375 m
1 cm = 375 m

alt 263 m
alt 168 m
Montcuq (alt 155 m)
alt 248 m
alt 271 m
alt 266 m
Ruisseau
alt 257 m
alt 283 m

2.3 km (0h39)
6.4 km (2h05)

PLAN 48

❶ 🇬🇧 **Gîte Les Ecuries de Janès**, Dominique Du Bois de Gaudusson, Janès, 46800 Montcuq (06-48-43-53-61 ✉ ecuriedejanes@gmail.com) réservé aux pèlerins. 10 pl. ⚑ 22€ (🍽 inclus). |○| 8€ (bio), ⚑, LL 3€, SL 3€, Montcuq, ouv mai à oct *(au repère A prendre chemin à gauche le GR 65 jusqu'à la D 55 (dite la route de Thouron) sur 1.1 km, puis la route à gauche sur 400 m puis le chemin à droite sur 300 m)*

❷ 🇬🇧 @ **Gîte d'étape Le Souleillou**, Detlev Bahler (pèlerin), 377 rue du Souleillou, 46800 Montcuq (05-65-22-48-95 & 07-61-51-69-41 ✉ contact@le-souleillou.fr) Priorité pèlerins à pied avec sac à dos // 15 pl en ch 2-4 pers. ⚑ 20-25€ (🍽 inclus). |○| bio & végétarien 14.50€, ⚑ // △ 6.50€, ⚑ 5€ // draps 5€, LL 3€, SL 3.50€, ouv avr à oct *(descendre le routin à gauche à partir du GR sur 150 m)*

❸ 🇬🇧 @ **Gîte d'étape Le Cantourel**, Marie et Vincent David, 32 rue du Faubourg Saint-Privat, 46800 Montcuq (06-82-13-18-65 ✉ gite.cantourel@gmail.com) 15 pl en 5 ch 2-3-4 pers. ⚑ 17€, ⚑ 5€, |○| 14€ (poss végétarien), ⚑, draps 2€, LL 2€, SL 3€ // △ 6€, ⚑ si difficultés, ouv avr à oct, 14h30

❹ 🇬🇧 **Gîte d'étape Chez Annick**, David et Jeanne George (pèlerins), 51 rue Marcel Bourrières, 46800 Montcuq (07-49-37-46-56 & 05-65-22-44-19 ✉ david@snowgenie.com) 5 pl en dortoir, ⚑ 20€ (draps inclus), |○| 7€, ⚑ 13€, DP 38€, ⚑ 7€, LL 6€, SL 1€, ouv tte l'année, BS résa 48h avant, 15h30

❺ 🇬🇧 **Chambre d'hôtes Chez Jane**, Jane Greenwood, 22 rue du Pontet, 46800 Montcuq (05-65-21-15-29 & 06-63-15-16-56 ✉ janegreenwood2014@gmail.com) 1 ch, ⚑ 55€, ⚑⚑ 65€, |○| 95€, DP ⚑ 80€, ⚑⚑ 115€, ⚑⚑⚑ 170€, ouv avr à oct, 16h

❻ 🇬🇧 **Four Maison d'hôtes**, Bob et Claude Mitrani, 4 rue de Montmartre, 46800 Montcuq (06-62-36-12-44 & 06-58-34-97-57 ✉ four.maisondhote@gmail.com) 4 ch, ⚑⚑ 145-195€, hors jul-aou-sep, 17h, fermé jan-fév

❼ 🇬🇧 **Chambre d'hôtes Maison Saint-Privat**, Brigitte et Pascal Aubert, 12 rue du Faubourg-Saint-Privat, 46800 Montcuq (06-52-39-99-38 & 09-53-52-06-90 ✉ maisonsaintprivat@gmail.com) 4 ch, ⚑⚑ 89-95€, ⚑⚑⚑ 115€, ⚑⚑⚑⚑ 135€, ⚑ si difficultés, ouv tte l'année, 16h

❽ 🇬🇧 **Chambre d'hôtes Oh P'tit Rapporteur**, Sandrine Delorme-Demaucourt, 3 place de la Halle aux Grains, 46800 Montcuq (06-76-52-23-96 & 06-08-80-09-65 ✉ ohptitrapporteur@gmail.com) 1 ch, ⚑⚑⚑ 65-70€, LL 5€, SL 5€, ouv tte l'année, 15h30

❾ **Chambre d'hôtes 8 Côté Jardin**, Dominique Granger, 8 allée des Marronniers, 46800 Montcuq (06-87-93-57-46 ✉ dominiquegranger@hotmail.com) 4 ch, ⚑ 35€, poss ch partagées, ouv tte l'année, 16h

❿ 🇬🇧 @ **Hôtel-Restaurant La Barguelonne**, 2281 avenue Saint-Jean, 46800 Montcuq (✉ hotelbarguelonne@gmail.com 05-65-31-84-45) 10 ch, ⚑ 58-70€, ⚑⚑ 76€, ⚑⚑⚑ 82€, ⚑ 5.50-8.50€, |○| 14.50€ (midi semaine) + carte, DP ⚑ 72-82€, ⚑⚑ 122-132€, ⚑ 8.50€, ouv 7/7 *(après la Promenade, prendre la 1ère rue à gauche (Faubourg de Nacre), prendre tout droit jusqu'à l'hôtel)*

⓫ Restauration
- Café de France 5 place de la République (05-65-22-52-07) |○| 16€, ouv 7/7 HS, ouv 7/7 le midi et jeu soir, ven soir et sam soir BS
- Café-Restaurant du Centre 6 place de la République (05-65-31-84-64) |○| 14€ (midi en semaine) + brasserie, fermé le soir oct à avr sauf ven-sam *(infos sous réserve)*
-Pizzeria-Restauration-Rapide Titi Pizz. 14 rue de la Promenade 06-50-66-24-09) pizzas, paninis, salades, fermé mer HS, fermé lun-mer BS
- Snack-Bar Le Rocking Horse 18 rue de la Promenade (06-66-01-52-58) restauration rapide, ouv 7/7 jul-aou, fermé lun sep à jun
- Bar-Restaurant Tower Hill Café, 6 allée des platanes (06-66-01-52-58) |○| 13-20€, ouv mar à sam jun à sep, ouv ven et sam soirs uniquement BS, bar ouv dim matin tte l'année
-Restaurant-Epicerie Italienne Délia, 2 rue de la Promenade (06-38-02-22-58) |○| 9-16€, 25€ (le soir sur résa), plats à emporter midi et soir sur résa, ouv 7/7 tte l'année
- Salon de thé-Petite restauration-Librairie Livres Books & Company, rue du Pendaillou (05-65-24-35-77) |○| 9-15€ (assiettes bio/terroir), snacks, desserts, ouv 7/7 jul-aou 10h à 19h30 en semaine, 20h à 15h30 dim, fermé lun BS
-Pizzeria Les Fines Gueules, 1700 avenue de Saint-Jean (06-38-94-32-58) pizzas, salades, uniquement à emporter, jul-aou fermé lun, sam midi et dim midi, BS fermé midi, et lun soir
-Restaurant Vins et saveurs, 20 rue de la promenade (05-65-35-57-15) bar à vins, petite restauration, assiettes, charcuterie, jul-aou ouv 7/7 midi et soir, BS fermé dim soir et lun

Suite Montcuq page suivante ../..

Plan 48

⑫ Ravitaillement :
- Carrefour-Contact, fermé dim après-midi
- Vival-dépôt de pain, fermé dim
- Boulangerie Chez Mado, fermé dim après-midi
- Boucherie Delage, fermé dim après-midi et lun BS

⑬ 📶 Office de tourisme, 8 rue de la Promenade (05-65-22-94-04) contact@tourisme-cahors.fr www.tourisme-cahors.fr)

⑭ @ 📶 Médiathèque-Espace Multimédia 6 place Halle aux Grains (05-65-20-34-37) ouv BS lun 15h à 18h, mar 16h30 à 18h, mer 13h à 18h, ven 15h à 19h, ouv jul-aou lun-mar-mer-ven 15h à 18h

⑮ Laverie automatique Hippo-matic, ouv 7/7 7h à 22h avr à oct, 7h à 21h nov à mars *(sur la D 653, entre Carrefour et Gamm-Vert)*

Vous, pèlerin, qui cheminez aujourd'hui sur le GR 65, en râlant quelquefois, ayez une pensée émue pour le pauvre malheureux qui marchait là dans les années 1980 : de Cahors à Montcuq il n'y avait rigoureusement rien à bouffer...

Désormais chaque bourgade possède un commerce multiservices où le pèlerin peut trouver de quoi croque-niquer. Et cette renaissance économique est due au renouveau du chemin de Compostelle, qui a apporté une prospérité nouvelle dans certains bourgs alors totalement dépeuplés.

Voilà pourquoi il est totalement inutile d'évoquer un changement d'itinéraire du tracé du GR 65 devant un riverain. Il vous étripaillerait tout cru sans jugement, et vous finiriez misérablement picoré par les corbeaux.

Après un long cheminement sur la crête, comme il est d'usage en Quercy, Lascabanes sera votre premier village du Quercy Blanc. Le contraste sera rude entre le causse aride et la riante vallée abreuvée par sa rivière le Verdanson. Lascabanes, un village de poupée comme vous allez en traverser beaucoup d'ici les Pyrénées : quelques rues bordées de coquettes maisons de pierre fleuries, un majestueux logis à l'entrée et une très belle église dont l'ancienne cure, accolée, est utilisée comme gîte d'étape. Un témoignage du passé laissé là pour le bonheur de nos yeux.

Entrez dans cette église et regardez le monument aux morts sur la gauche. Un tableau naïf et émouvant sous lequel est écrite une poésie pleine d'émotion en mémoire des enfants du village jamais revenus : « Ils partirent joyeux, criant "vaincre ou mourir", ils dorment inconnus aux champs de la victoire, sans un pauvre linceul pour les ensevelir. Que le clocher natal abrite au moins leur gloire ».

Le Père Jean-Jacques Kerveillant qui habite Lascabanes, pratique le soir dans l'église l'émouvant cérémonial du lavement des pieds des pèlerins. Il n'est toutefois pas interdit de procéder à ses propres ablutions avant le lavement pour ne pas incommoder ses compagnons de cérémonie par des effluves bien peu catholiques.

✝ **Montcuq**
- Messe dim 11h

Après avoir quitté Lascabanes, vous grimperez de nouveau sur le causse par un joli chemin creux voûté de buis et vous ferez une halte à la chapelle Saint Jean, qui veille sur la fontaine miraculeuse du même nom. Il se raconte que cette fontaine se remet à couler, même si elle est tarie, à l'équinoxe de printemps.

Certains feront la halte ou le détour par Escayrac, où le monastère des Dominicaines pratique de nouveau l'accueil des pèlerins. Dans les années 1990 l'hébergement y était rustique et on se lavait dehors au robinet d'eau (froide)... C'était le bon temps... Après enquête approfondie des services sociaux, personne n'en est mort...

Montcuq sera une bien jolie étape en Quercy Blanc. Village de maisons blanches s'enroulant autour d'un donjon carré qui domine les vieux toits, baigné par la Barguelonnette, c'est un bourg commerçant à la riche histoire. Vous trouverez de superbes vitraux dans l'église Saint-Hilaire.

Éliminons rapidement les jeux de mots oiseux sur la prononciation du nom du village. En occitan on prononce toutes les lettres et on articule "mon'cuque". La toponymie provient d'un ancien mot celtique "kuk" qui signifie "colline".

En raison de ses sympathies cathares, Montcuq vit ses murailles et son château rasés autour de l'an 1220, à l'exception du donjon. Les guerres de religion laissèrent aussi leur empreinte de sang.

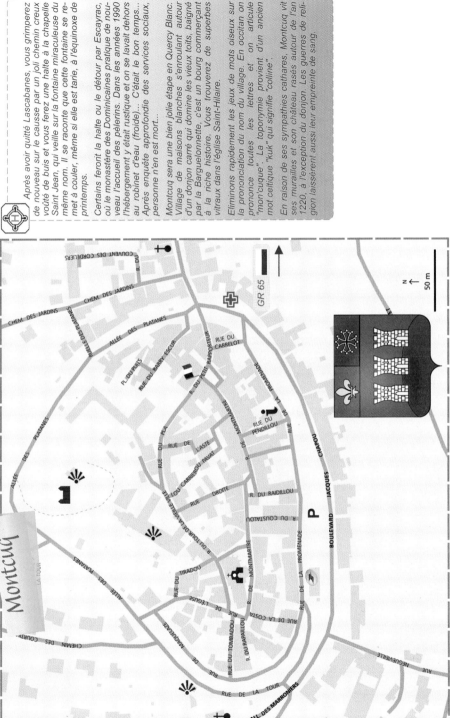

Montcuq

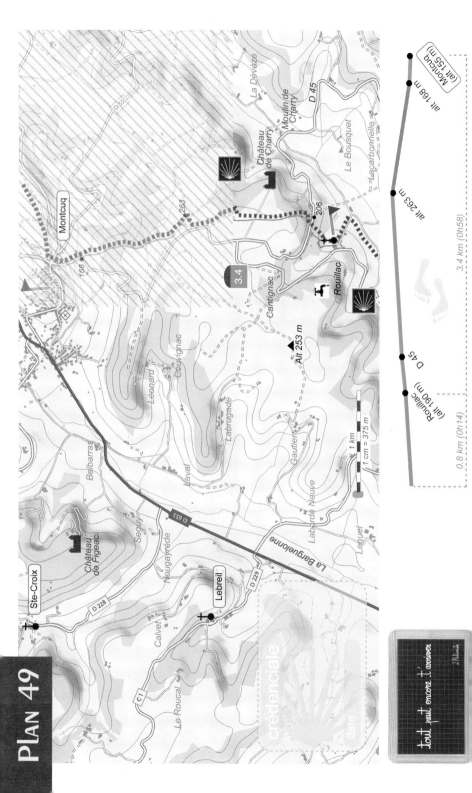

Vous quitterez Montcuq par un superbe chemin creux à l'assaut de la colline pour retomber sur le prochain cours d'eau appelé le Tartuguié, qu'il faudra traverser à gué, plutôt l'après-midi, quand les crocodiles font la sieste. Descendre, monter, mouiller, sécher, c'est le lot du pèlerin...

Rouillac sera un de ces minuscules hameaux isolés, blotti autour de sa chapelle, si typiques du Quercy Blanc. Si la chapelle est ouverte, vous y verrez de belles fresques peintes datant du XIIe siècle.

Dans une histoire plus récente, le département du Lot, durant la dernière guerre, un de ceux qui cachèrent le plus de personnes juives. A partir de 1942, quand les Allemands envahirent la zone libre et donc le Lot, la chasse aux Juifs commença et les gens de bonne volonté accueillirent et sauvèrent, au péril de leur propre vie, des familles entières de persécutés. 51 habitants furent faits "Justes parmi les Nations". Ces actes de charité furent accomplis par des familles, des foyers d'enfants, des monastères ou des institutions religieuses.

Sur le plan agricole, la terre ici est beaucoup plus riche et profonde que sur le causse de Limogne, avant Cahors. On voit que les paysans d'antan sont allés déboiser jusqu'aux limites des pentes. Faute de pouvoir les essarter, ils ont laissé le sommet des collines aux bois et aux cailloux. Quelquefois même ils ont établi leur mas sur ces sommets, afin de voir arriver leurs ennemis.

Depuis une trentaine d'années les agriculteurs ont établi nombre de retenues collinaires pour assurer l'arrosage des récoltes quand le cagnard se fait trop long. Elles sont discrètes et se cachent au fond des petites vallées, apportant des moustiques aux petits oiseaux du Bon Dieu et des grenouilles aux serpents, qui eux-mêmes se font croquer par les circaètes. Bref un éco-système où tout le monde mange à sa faim. Quand on vous disait que le Quercy est un avant-goût du Paradis...

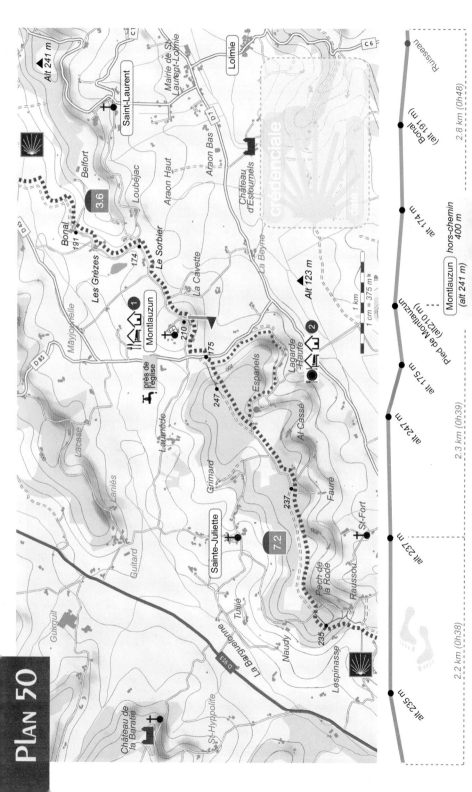

Plan 50

Alt 241 m
Saint-Laurent
Belfort
Loubéjac
Mairie de St-Laurept-Loimie
Lolmie
C 6
Araon Haut
Araon Bas
Le Sorbier
Bonal 191
174
3.6
Les Grèzes
Mayjouchelle
La Cavette
La Beyne
Château d'Estournels
crédenciale
date
Alt 123 m

Montlauzun 1
près de l'église
210
175
247
Espanels
Lagarde Haute 2
Al-Cassé
1 km
1 cm = 375 m
Lacase
Laniès
Laumède
Grimard
Fauré
St-Fort
7.2
237
Sainte-Juliette
Guitard
Tulié
Naudy
Pech de la Rode
Raussou
235
Lespinasse

Guirguil
Château de la Baratié
St-Hyppolite
La Barguelonne

Ruisseau
Bonal (alt 191 m)   2.8 km (0h48)
alt 174 m
Montlauzun hors-chemin 400 m
Montlauzun (alt 241 m)
Pied de Montlauzun (alt 210 m)
alt 175 m
alt 247 m   2.3 km (0h39)
alt 237 m
alt 235 m   2.2 km (0h38)

① _ ⚡ @ Chambre d'hôtes-Gîte Gillon
Chris et Eileen Gillon (pèlerins), ancien presbytère, 46800 Montlauzun (05-65-36-04-02 & 06-73-44-26-39 ✉ lap46montlauzun@orange.fr) Chambres, 3 ch, DP ♦ 55€ // 95€ // Gîte, 6 pl, en ch 4 pers DP ♦ 37€ (🛏 inclus), en ch 2 pers DP ♦ 39€ (🛏 inclus), draps 4€ // 🍽 15€, LL 4€, SL 4€, ouv mai à oct, ⏰ 15h, sur résa BS *(quitter le GR et prendre la route qui monte sur 200 m au village de Montlauzun)*

② ⚡ 🔆 📶 ⚡ 🏃
Chambre d'hôtes-Gîte-Ferme-Auberge Le Canabal
Michel Tressens, Lagarde-Haute, 82110 Tréjouls (06-03-97-41-89 ✉ canabal@free.fr) 4 ch, DP ♦ 65€, ♦♦ 104€ // Gîte, 6 pl, ♦ 22€ (🛏 inclus), ♦ 13€ (poss végétarien), 🛏 draps 3€ // LL 3€, SL 3€, poss massages détente-bien-être, ouv tte l'année sur résa, 🕐 15h *(après l'indication "Montlauzun", continuez le GR jusqu'à l'indication "Auberge du Canabal 900 m". On rejoint directement le GR le lendemain)*

A peine aurez-vous franchi le Tartuguié qu'il vous faudra attaquer la prochaine colline. Le chemin vous mènera en quelques foulées au pied du piton de Mont-lauzun, modeste village de quelques maisons installé 40 mètres au-dessus de la crête. Vous n'êtes pas obligé d'y grimper, mais la vue est superbe pour pique-niquer, et il y a un robinet d'eau !

On n'a pas grand chose à se mettre sous la patte pour Montlauzun, alors on va s'inventer un truc comme on en voit des milliers dans toutes les pages historiques de Wikipédia : « Montlauzun fut une des dernières places-fortes gauloises à résister à l'armée de Jules César, qui y commit un grand massacre après la reddition. Au Moyen-âge, ce fut une ville fortifiée, située sur un emplacement stratégique entre les vallées de la Barguelonnette et du Tartuguié. Son plus illustre seigneur, Baudouin VI, duc de Montlauzun, participa à la croisade et mourut transpercé de flèches sous les murs de Jérusalem. Un de ses successeurs, Albéric III, ayant comploté contre le roi, le cardinal de Richelieu ordonna que fussent détruites les murailles et le château, dont il ne reste pas une pierre, et la moitié des habitants furent envoyés aux galères. La grande Peste se chargea de l'autre moitié l'année suivante. La cité ne se remit jamais de ce tragique épisode et disparut peu à peu des mémoires. Un tremblement de terre chavira l'église romane en 1812, ce qui explique le peu d'intérêt de la nouvelle construction. Le visiteur imaginera facilement sur le plateau la grandeur de la cité perdue ».

C'est mal pas tout ça, on y croirait presque... Maintenant levez les yeux de ces niai-series et portez-les vers l'occident où vous devriez apercevoir, dans le lointain, la ville fortifiée de Lauzerte qui sera votre prochaine étape sur le chemin du bonheur.

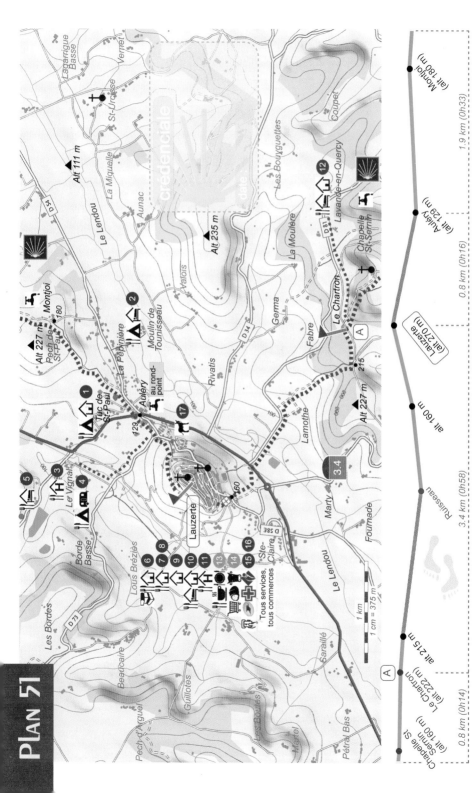

PLAN 51

Lauzerte

Crédenciale

Date

Tous services,
tous commerces

1 cm = 375 m

1 km

Chapelle St
Sernin
(alt 160 m)

Le Chartron
(alt 222 m)

alt 215 m

Ruisseau

alt 160 m

Lauzerte
(alt 270 m)

Auléry
(alt 129 m)

Montjoi
(alt 180 m)

0.8 km (0h14)   0.8 km (0h58)   3.4 km (0h58)   0.8 km (0h16)   1.9 km (0h33)

PLAN 71

1 🇬🇧 Gîte d'étape Le Gîte Fleuri du Tuc de Saint-Paul, Mélanie Bourrières, Tuc de Saint-Paul, 82110 Lauzerte (06-32-14-64-95) ✉ m.bourrieres@laposte.net) 12 pl en ch et dortoir, en dortoir ⚡ 15€, en ch ⚡ 20€, chauffage 4€, 🛏 5€, 🛒 épicerie à dispo, 🛏 6€, draps 4€, LL 2€, SL 2€, ⚠ 6€, 🚲 vers Lauzerte ou supermarché, ouv tte l'année, ⏱ 17h *(à l'endroit où le GR rejoint la D 54)*

2 🇬🇧 ⓒ Chambre d'hôtes Wallon-nous dormir Annick Coulée, La Pépinière, 82110 Lauzerte (07-84-14-15-01 & 05-63-04-56-44 ✉ annick.coulee@outlook.fr) 2 ch, ⚡ 25€, 🛏 50€, DP ⚡ 40€, 🍽, (poss végétarien), 🍴, LL 2€, ⚠ 14€ (sanitaire inclus), 🚲, ouv tte l'année, ⏱ 15h *(avant d'arriver à Lauzerte, descendre à gauche entre les ambulances et le contrôle technique sur 250 m)*

3 🇬🇧 🅿 ⓒ Hôtel-Restaurant Le Luzerta La Plane, 82110 Lauzerte (05-63-94-64-43 & 06-65-20-94-31 ✉ luzerta@hotmail.fr) 15 ch, ⚡ à partir de 66€, 🛏 8€, DP ⚡ 79€, 🍴 96€, 🍽, carte, 🚲, poss remonter les pèlerins au village, hôtel ouv 7/7 *(au rond-point, prendre vers Lauzerte sur 100 m puis à droite sur 200 m)*

4 🇬🇧 🅿 🅰ccv 🅿 Camping Le Beauvillage***, Christine Courbot, Le Vignal, 82110 Lauzerte (06-75-79-77-50 & 05-63-29-13-68) ✉ sirne234@yahoo.com camping 🍴 22.40€ // mobil-home à partager ⚡ 30€ // 4 yourtes ⚡ 70€, 🍴 // 🛏 6€, 🍽 snack, 🍴 draps 3€, dépôt de pain, ouv 1er mars au 15 nov

5 🇬🇧 🅿 ⓒ Chambre d'hôtes Clément, Pauline Rey, lieu-dit Poulet, 82110 Lauzerte (✉ pauline.clement0092@orange.fr 06-03-85-90-28) 1 ch, ⚡ 30€, 🛏 50€, 🍴 75€, 🍽, 🚲 lieu-dit Aulèry, ouv mars à oct, ⏱ 18h

6 🇬🇧 🅿 🅰ccv 🅿 Gîte d'étape communal, Corinne (pèlerine), 15 rue du Millial, 82110 Lauzerte (06-19-70-89-49 ✉ lecamino123@gmail.com) 15 pl en 1 dortoir 6 pers et 3 ch 2-3-4 pers, en dortoir ⚡ 14€, en ch ⚡ 15-19€, 🛏 5€, 🍽 13€ (poss végétarien), draps 2€, LL 3€, SL 3€, massages shiatsu, ouv avr à oct, ⏱ 15h

7 🇬🇧 🅿 ⓒ Gîte Tamba'Ki, Ana Rache de Andrade, 36 rue de la Garrigue, 82110 Lauzerte (✉ tambaki36@gmail.com 07-61-31-11-22 & 05-63-39-66-41) 12 pl en ch 2-3-4 pers, ⚡ 16€, 🛏 5€, 🍽 14€ (résa la veille), 🍴 2€, draps 2€, ouv avr à oct, ⏱ 15h

8 🇬🇧 🅿 ⓒ Gîte Chez Serge, Serge Pradin, 32 rue de la Garrigue, 82110 Lauzerte (06-72-24-19-85 ✉ serge.pradin@orange.fr) 4 pl, ⚡ 15€, 🛏 5€, 🍽 12€, 🍴 1€, ouv avr à oct, ⏱ 15h

9 🅿 ⓒ Gîte L'Abeille Lulu, Nicole Bourcier, 1 chemin de la Fontaine, passage du Pèlerin, 82110 Lauzerte (06-87-05-53-60 ✉ abeillelulu82@gmail.com) 7 pl en ch 2-3 pers, ⚡ 17€ (draps inclus), chauffage 2€, 🛏 5€, 🍽, LL 3€, SL 3€, ouv tte l'année, sur résa BS, ⏱ 14h

10 🅿 🚲 🌐 🇬🇧 ▬ ▬ ❚❚ 🔲 👁 ((@ 🅰ccv ⓒ Gîte-Chambre d'hôtes Les Figuiers, Florence et Alain, 25 chemin du Coudounié, 82110 Lauzerte (05-63-29-11-85, & 06-85-31-71-31 ✉ accueil@lesfiguiers-lauzerte.com) Gîte, 30 pl en ch 1-7 pers, ⚡ 15-29€, dortoir ⚡ 6€, DP ⚡ 36-50€ // 5 ch, ⚡ 35€, 🛏 56€, DP ⚡ 50€, 🛏 86€ // 🛏 6€, LL 3€, ouv avr à oct, ⏱ 15h, BS ouv pour groupes sur résa *(sur le GR en montant vers la vieille ville)*

11 🇬🇧 ((ⓒ 🅿 Hôtel-Restaurant du Quercy, Frédéric Bacou, faubourg d'Auriac, 82110 Lauzerte (05-63-94-66-36 ✉ hotel.du.quercy@wanadoo.fr) 9 ch, ⚡ 55-65€, 🛏 8.50€, 🍽 15€ (midi semaine) à 36€, DP ⚡ 70€, 🛏 108-124€, 🍴 150€, 🍴 12€, LL 6.50€, hôtel ouv 7/7 avr à nov, sur résa dim-lun-mer, resto fermé dim soir, lun et mer soir, fermé fév, Toussaint et février *(à l'entrée du village après la petite église)*

12 🇬🇧 ⓒ 🅿 🅿 🅿 Chambre d'hôtes-Gîte Lavande en Quercy**, Marie-Noëlle Turti, Saint-Jean, 82110 Lauzerte (✉ marienoelle.turti@free.fr 05-63-94-66-19 & 06-30-83-32-07) Chambres 3 ch, ⚡ 35€, 🛏 55€ // Gîte, 2-3 pl, ⚡ 35€, 🛏 55€ (🛏 inclus) // ⏱ 16h 🛏 20€, 🍴 épicerie-dépannage, LL 3€, SL 3€, 🚲 Lauzerte, ouv tte l'année, ⏱ 16h *(au repère A (Le Chartron), continuer sur la route 500 m jusqu'au croisement avec la D 81, faire encore 400 m, puis à droite sur 200 m)*

13 Restauration :

- ((Café du Commerce, 5 place des Cornières (05-63-94-65-36) poss apporter son pique-nique/manger sur place, point d'eau fraîche, ouv 7/7 jun à mi-sep, fermé lun-mar, fermé oct à mars

- Aulèry Bar-Restaurant, Aulèry (05-63-29-09-01) restauration rapide, sandwiches, buffet 12-13.90€ (midi), plats à emporter, fermé dim, lun soir, mar soir et mer soir *(en bas du village près de l'Intermarché)*

- Pizzeria L'Etna, 5 place du Faubourg d'Auriac (05-63-94-18-60) 🍽 pizzas 7-13€ (midi), fermé sam midi, dim midi, lun-mar BS, ouv 7/7 HS *(infos sous réserve)*

- Bar-Brasserie-Restaurant L'Auberge des Carmes, faubourg d'Auriac (05-63-94-64-49) 🍽 7-16€, ouv 7/7 15 jun au 15 sep, fermé jeu BS

- Créperie Aux Sarrazines du Faubourg, 6 bis route de Moissac (05-63-32-10-10) 🍽 13€, ouv 7/7 jul-aou, fermé mar BS

- Restaurant La Table des Trois Chevaliers, place des Cornières (05-63-95-32-69) 🍽 à partir de 19€, fermé jeu HS, ouv uniquement week-end BS, fermé déc-jan-fév

- Restaurant L'Etincelle, place des Cornières (09-82-39-02-09) 🍽 20-30€, ouv mar à dim 1er mai au 25 sep et vacances de Pâques, ouv jeu à dim en mars, ouv mer à dim avr, fermé 25 sep à fév

Suite Lauzerte page suivante ../...

PLAN 5]

- Bar Le Lucerna, 4 place des Cornières (06-21-68-42-56) glacier, bar, dépôt de pain, petite épicerie du marcheur, petite restauration (en fonction du marché), ouv toute l'année 6/7

- Pizzeria La Lorina II, La Pépinière (06-74-31-60-34) à emporter uniquement, pizzas, paninis, frites, formules 7€, fermé dim midi et lun, ouv 11h à 14h et 17h30 à 21h

14 Ravitaillement :

- Intermarché en bas du village (Auléry), fermé dim après-midi
- Boulangerie Larroque (1 rue des Tanneurs), sandwiches, épicerie, ouv 6h-14h l'été, ouv 6h30-12h30 BS
- Boulangerie Les Douceurs de Lili (Auléry), fermé dim après-midi et jeu
- Charcuterie-Traiteur-Pâtisserie Bonnefous (faubourg d'Auriac), fermé lun-mar
- Primeur Au Panier des Saveurs (faubourg d'Auriac), épicerie fine, dépôt de pain, fermé mer, sam après-midi et dim après-midi
- Epicerie Le Relais, ouv 8h à 14h mar à sam

15 Office de Tourisme, place des Cornières
✉ accueil@lauzerte-tourisme.fr 05-63-94-61-94 www.quercy-sud-ouest.com)

16 La Poste, place du Foirail, ouv lun 14h à 16h, mar-jeu-ven 9h à 12h et 14h à 16h, mer-sam 9h à 12h (infos sous réserve)
✉ accueil@lauzerte-tourisme.fr 05-63-94-61-94 www.quercy-sud-ouest.com)

17 Adodane, Jean-Michel Leroux, chemin du Coudounié, 82110 Lauzerte (06-74-36-99-40 ✉ contact@adodane.fr) www.adodane.fr) location d'âne bâté 70€/jour (tarif dégressif selon durée), âne tractant une Escargoline (voir introduction page 32) 95€/jour, transport ânes et matériels 1.20€/km, ouv avr à sep, sur résa BS

Lauzerte se verra de loin... Perchée sur son piton, la cité médiévale veille ici depuis 11 siècles. Vous grimperez à l'assaut des murailles par un sentier qui vous élèvera dans « un des plus beaux villages de France ». Les maisons sont typiques du Quercy Blanc, façades à colombages, fenêtres à meneaux, blotties les unes contre les autres, certaines posées là depuis le XIIIe siècle. Particularité qui montre que l'astuce des citoyens contribuables parvient souvent à tromper le Fisc et ses tatillonnes réglementations : Les maisons à pans de bois comportent souvent une avancée du premier étage par rapport au rez-de-chaussée, et la même chose s'il existe un second étage. Cette disposition technique, outre le fait d'abriter le bas de la façade et l'entrée de la boutique en cas de pluie, permettait d'augmenter discrètement la surface de la maison, dont l'impôt était calculé sur l'emprise au sol...

Toutes les rues vous mèneront à la place des Cornières, le centre du village, une merveille d'équilibre et de couleurs. Sur un côté de la place se dresse l'église paroissiale Saint Barthélémy, datant des années 1600. Elle est dotée d'un très beau retable baroque. Vous y verrez aussi une rare statue du Christ en cuir. Celle-ci fut formée et cousue par un prisonnier espagnol, originaire de Cordoue (c'était un "cordouanier") qui gagna ainsi sa liberté. Ce jeune artisan trouvait que les statues de bois étaient trop lourdes à porter lors des processions...

L'Office de Tourisme a créé près des remparts le Jardin du Pèlerin, avec mille belles choses à découvrir.

Lauzerte fut autrefois une brillante cité commerçante, spécialisée dans le commerce des draps de lin et du vin de Cahors. Sa fortune ne l'empêcha pas de subir une affreuse saignée pendant les guerres de Religion. Quand elle fut prise par les Huguenots, les 597 habitants furent massacrés sans pitié. Il faut dire à la décharge des armées protestantes que le Parti Catholique avait largement donné le tempo des massacres au nom du Très-Haut.

Quittant Lauzerte, vous redescendrez dans la vallée avant de remonter de l'autre côté, vers Le Chartron, qui est un ancien monastère de Chartreux. Juste en face, un pigeonnier typique du Quercy, perché sur quatre piliers de pierre afin d'éviter que les rongeurs ne viennent s'attaquer aux œufs ou aux oisillons.

Puis vous descendrez de nouveau, c'est là votre triste sort, en passant à côté de la chapelle Saint-Sernin, datant du XIe siècle, simple et émouvante. Longtemps abandonnée, comme le cimetière qui l'entoure, elle a été restaurée avec tendresse et respect depuis quelques années par une association de bénévoles. Cherchez la tombe d'une petite Marie-Gabrielle, qui repose ici depuis 1879, après seulement 14 printemps, et lisez l'émouvant poème que ses sœurs lui ont écrit sur la pierre.

Lauzerte
Messe dim 11h

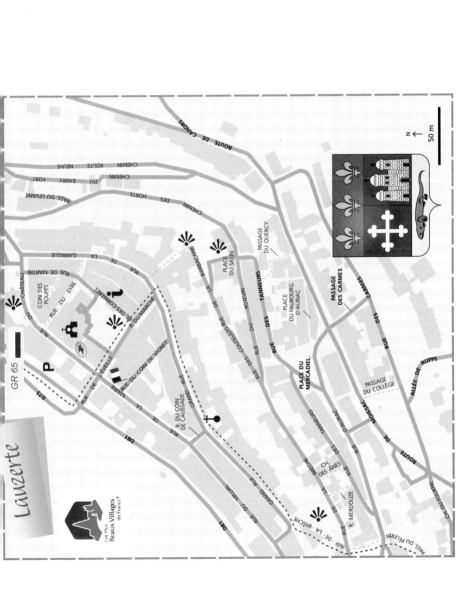

Lauzerte

Les Plus Beaux Villages de France®

GR 65

N ← 50 m

D73

D81

P

CHÂTEAU

RUE DU FORT

COIN DES POUPÉES

RUE DU SYRE

RUE DE MARTRE

LA GARRIGUE

RUE DE

RUE DES CORNIÈRES

RUE DU MARCHÉ

RUE DE L'ÉVEILLÉ

RUE DE LA MARINE

RUE DU COIN DE VIGNET

R. DU COIN DE CAUSSADE

RUE GRAND

BARBACANE

RUE DE LA

RUE DES COIFFEURS

RUE DU POTEVIN

RUE DES TANNEURS

PLACE DU SALIN

PASSAGE DU QUERCY

PLACE DU FAUBOURG D'AURIAC

PLACE DU MERCADIEL

PASSAGE DES CARMES

RUE DES MOISSAC

RUE DE

RUE D'AURIAC

PASSAGE DU COLLÈGE

ALLÉE DE RUPPE

RUE DES FANIÈRES

CH. DES ÂNES

RUE DE LA MERDOUZE

R. MERDOUZE

ROUTE DE MOISSAC

CH. DU FORNIL

PASS. DU PÈLERIN

IMP. DE LA BRÈCHE

GRAND RUE

RUE DU MILLAU

ROUTE DE CAHORS

CHEMIN ROUTE NEUVE

CHEMIN DU BARRY FORT

PASS. DU LEVANT

CHEMIN DES HORTS

PLAN 52

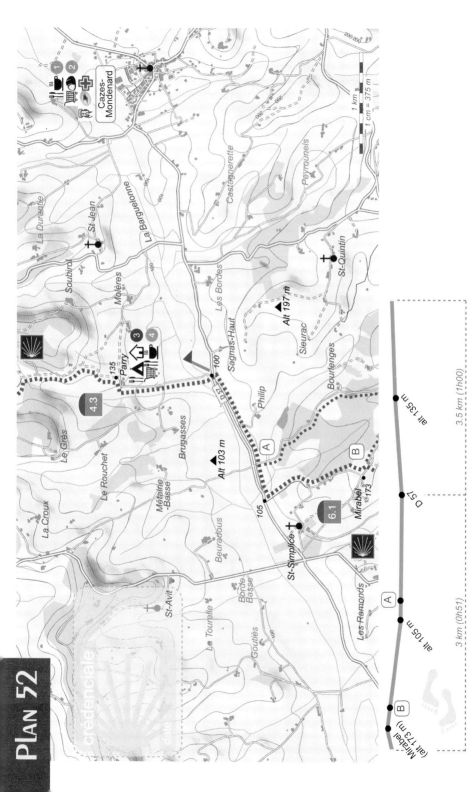

La Croix
La Durante
Soubiral
St-Jean
St-Avit
Le Grès
Le Rouchet
Molères
Brugasses
Métairie-Basse
Beuradous
Borde-Basse
La Tourelle
Goutiès
Les Remonds
Parry
Cazes-Mondenard
Castagnerette
La Barguelonne
Peyrounels
Les Bordes
Sagnas-Haut
Philip
Sieurac
Alt 197 m
St-Quintin
Bourfenges
Mirabel
St-Simplice
35
4.3
Alt 103 m
100
105
6.1
173
1 cm = 375 m
1 km
D 57

crédenciale
date :

Mirabel (alt 173 m)
alt 105 m
D 57
alt 135 m
3 km (0h51)
3.5 km (1h00)

1 Bar-Restaurant La Source, 3 place de l'hôtel de ville (06-66-71-01-30) **|○|** 13,90€ midi, fermé dim-lun, mar soir, mer soir, jeu soir, sam midi, HS bar ouvert jusqu'à 18h

2 Ravitaillement :
- Epicerie Casino, fermé dim après-midi et lun
- Boulangerie Chez Julian, fermé dim après-midi et lun

3 🛈 Camping-Gîte à la Ferme du Parry
Marie Baldet, Parry, 82110 Lauzerte (06-80-64-45-79) ✉ ginestet.mar@orange.fr)
Camping, **♦**7€, tentes à dispo **♦**10€, mobilhome 4 pl **♦**10€ (draps inclus) // Chambres, **♦**16€ (ch partagées), ch 2 pers **♦♦**60€ // **⇨** 5€, **|○|** 14€, ouv fév à nov, ⊕ 17h, fermé dim, accueil groupes sur résa

4 Snack' à Dos-Epicerie, Parry (06-80-64-45-79) produits de la ferme, salades, assiette du pèlerin, salades, sandwiches, gâteaux, etc... **⇨** 5€, **|○|** 12€ (midi) à 14€ (soir), ouv mars à nov 7h30 à 13h et 17h à 20h, fermé dim, repas groupes sur résa

Quand vous atteindrez la Barguelonne, il faudra encore remonter vers Durfort-Lacapelette, puis Saint-Martin, avant de rejoindre la vallée du Tarn à Moissac (Plans 55-56). Ça vous apprendra à traverser la France en diagonale, d'escalier en escalier, au lieu d'aller passer vos vacances au bord de la mer en suivant l'autoroute, comme tout le monde... Ceci dit, si vous arrivez du Puy-en-Velay, les escaliers du Quercy Blanc vont vous paraître ridiculement niaiseux. Entre le Chartron et les rides de la Barguelonne, il n'y a que 300 petits pieds...

Si vous avez la chance de parcourir cet itinéraire au printemps, vous bénéficierez d'une palette de couleurs exceptionnelles au moment de la floraison des milliers d'hectares d'arbres fruitiers qui font la richesse de ces vallées : pruniers, cerisiers, pommiers, poiriers vont chacun leur tour illuminer la campagne.

Si le paysage vous semble fade, et qu'approche l'heure de la méridienne, imaginez les bontés que s'apprêtent à vous donner, moyennant quelques sols, les auberges de la région : les fois gras, les confits de canard, le cassoulet, les magrets fourrés, les cous farcis...

Tentez de visualiser l'image et l'olfactif d'un coulis de foie-gras tiède sur une omelette où batifolent quelques champignons. Certes la gourmandise est un péché, mais chez Miam Miam Dodo nous avons calculé, grâce à notre peccatomètre, que la marche sur une journée, et la pénitence qu'elle représente, compense très exactement le plat quercynois qui vous fera gémir de plaisir. Slurp !

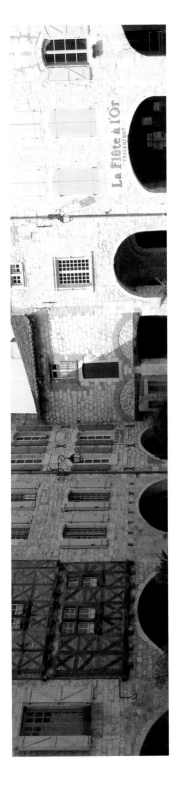

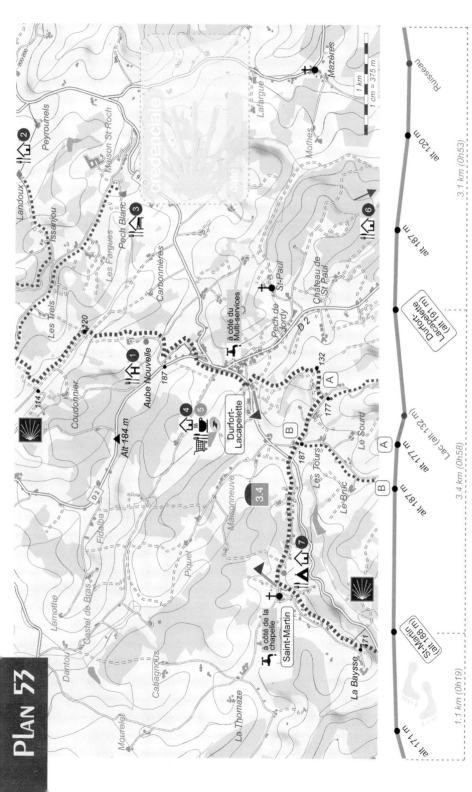

PLAN 53

Peyrounels

Landoux ⌂ 2

Tissanjou

Les Trels

Pech Blanc ⌂ 3

Maison St-Roch

Les Fargues

Carbonnières

120

Coudonnier

114

Aube Nouvelle ⌂ 1

187

Alt 184 m

⌂ 4 / 5

Durfort-Lacapelette

à côté du
Multi-services

Pech de Nordy

St-Paul

Château de
St-Paul

D 2

⌂ 6

Lafargue

Mothes

Mazères

1 cm = 375 m

1 km

crédenciale

date

D 2

Fidalba

Lamothe

Castel de Bras

Dantou

Mourejoi

Cabagnous

La Thomaze

Piquet

Maisonneuve

3.4

132

177

A

B

187

Les Tours

Le Sourd

Le Bric

A

B

⌂ 7

Saint-Martin

à côté de la
chapelle

La Baysse

171

alt 171 m

St-Martin
(alt 188 m)

1.1 km (0h19)

alt 187 m

alt 177 m

Lac (alt 132 m)

3.4 km (0h58)

Durfort-
Lacapelette (alt 191 m)

alt 187 m

alt 120 m

Ruisseau

3.1 km (0h53)

PLAN 77

① Logis ✶ 🅿️ 🔲 ▓ ◀▶ 🏴󠁧󠁢󠁥󠁮󠁧󠁿 📶 ⚓ 🛏️ 🚲 ~ancv~ ((𝄐)) ⌒

Hôtel-Restaurant L'Aube Nouvelle✶✶   8 ch,
82390 Durfort-Lacapelette   (05-63-04-50-33   ✉ aubenouvelle82@yahoo.fr)
DP 📍88€, 🛏️ 137€, 🍴 185€, 🍴🍴🍴 233€, 🍴 16€, ouv avr à oct, 🕐 14h, fermé sam
jusqu'à 15h // Sandwiches sur place ou à emporter le midi *(sur le chemin, 500 m avant
Durfort)*

② 🛏️ ~ancv~ @ ((𝄐)) ⌒ Gite de Lesclapayrac

Jean-Claude et Danielle Gilbart, Landoux, 82110 Cazes-Mondenard (09-84-12-85-18 &
06-07-99-73-55   ✉ jcdgilbart82@gmail.com) 15 pl en 6 ch, 📍14€, ch 2 pers 📍17€, en
ch seul 19€, 🛏️ 4€, 🍴 12€, 👕 1€, 🛏️ 6€, draps 3€, LL 3€, 🚲 intersection GR et
D 57, ouv tte l'année *(au repère A du Plan 52 prendre la petite route à gauche vers
Bourlenges sur 1.3 km puis Issanjou sur 1.1 km et descendre à Landoux sur 800 m. On
rattrape le GR sans retour le lendemain)*

③ 🏴󠁧󠁢󠁥󠁮󠁧󠁿 ⌒ 🛏️ ⌒ Chambre d'hôtes

Heleen Inagorri van Klaveren, Pech-Blanc, 82390 Durfort-Lacapelette (05-63-05-04-67 &
06-43-49-03-18   ✉ heleen.vanklaveren@orange.fr) 2 ch, 📍35€, 📍📍50€, 🍴 à partir de
16€, LL & SL, 🚲 sur le chemin, ouv tte l'année *(à Mirabel (repère B du Plan 52),
suivre la route à gauche sur 2 km)*

④ ((𝄐)) Gite du Soleil Levant, Chris, rue des Pélerins, 82390 Durfort-Lacapelette
(06-14-96-00-30   ✉ gitedusoleillevant@hotmail.fr) 10 pl en 2-6 pers dont 1 chalet,
📍20€ (draps inclus), 🛒 gestion libre (thé, café, sucre, beurre, confiture offerts), 👕
LL 4€, SL 4€, ouv tte l'année, 🕐 15h *(sur le GR, à 20 m du café-restaurant-épicerie)*

⑤ Snack-Multi-Services-Epicerie Le Relais Saint-Jacques (05-63-04-43-87) assiettes,
café, sandwiches, dépôt de pain, ouv 7/7 avr à oct, ouv 7h30 à 20h, fermé sam BS

⑥ Gite L'Aneth

Chantal Caillon, Lanet, 82390 Durfort-Lacapelette (05-63-04-50-91 & 07-83-56-79-46)
5 pl en dortoir, 📍15€, 🛏️ 5€, 🍴 poss bio/végétarien, 🚲 Durfort, téléphoner avant d'arriver, pas d'accueil groupes, pas de résa *(à Durfort, prendre la D 2 vers Montauban sur
2 km, tourner à gauche vers Lanet sur 1.3 km)*

⑦ 🏴󠁧󠁢󠁥󠁮󠁧󠁿 🔲 ▓ ~ancv~ ((𝄐)) @ 🛏️ 🚲 Gite Saint-Martin

Pierre David, 1155 route de Saint-Martin, 82390 Durfort-Lacapelette (06-85-35-73-59
✉ gite.saint.matin82@gmail.com) 14 pl en 5 ch 2-3-4 pers, 📍17€, poss ◢◣ 📍6€, 🛏️
5.50€, 🍴 14.50€, 🛏️ 6€, LL 3€, SL 3€, 🚲 Durfort, ouv 15 mars au 31 oct, 🕐 14h30

🅷 ✛

Ce Plan comporte un monument historique jacquaire, l'auberge Aube Nouvelle.
En effet, cet établissement, créé par des Hollandais tombés en amour avec la
province, a longtemps été le seul à accueillir les pèlerins entre Lauzerte et Moissac,
dans une respectable bâtisse chargée de bien des secrets. Aujourd'hui c'est la
seconde génération qui a pris le relais.

Peu après vous parviendrez au village de Durfort-Lacapelette, qui n'en est pas vraiment un puisqu'en-dehors de la mairie, le bâti vous semblera bien maigre. Durfort
est en cela un village typique du Quercy Blanc, avec un habitat très dispersé
comportant de nombreuses fermes et hameaux. Le centre administratif de la
commune ne comporte même pas d'édifice religieux. Les 5 chapelles sont égaillées
dans la campagne alentour : Saint Hubert, Saint Paul, Saint Martin, Saint Simplice et
Saint Hilaire. La géographie des hébergements de Durfort est à l'image de l'habitat :
la plupart des gîtes se trouvent à une portée d'arbalète du Chemin.

A partir de l'instant où vous avez quitté Lauzerte, et si par bonheur il se mettait à
pleuvoir, vous allez vivre avec la terre du Quercy Blanc, jusqu'à Moissac, une rela-
tion amoureuse d'une exceptionnelle intensité. Cette terre aime les pèlerins, et
possède le goût du voyage. Sitôt qu'elle aperçoit le croquenot d'un marcheur de
Saint Jacques, encouragée par les escargots mouillés, elle va s'agglutiner, s'agglo-
mérer, se contorsionner autour des semelles et des lacets tant et si bien que le
godillot ne pourra faire autrement que de partir avec son boulet de glaise, et de le
traîner, plus ou moins maugréant. Si vous avez choisi des chaussures de marche
légères, il vous faudra accepter de prendre avec vous ce fardeau supplémentaire.
En fait, compte-tenu du sens de rotation de notre planète, on a pu mesurer que les
années où se pressait la foule de pèlerins, le volume de terre déplacé suffisait à
ralentir la vitesse de rotation de quelques millièmes de millimètres par seconde, c'est
pour vous dire...

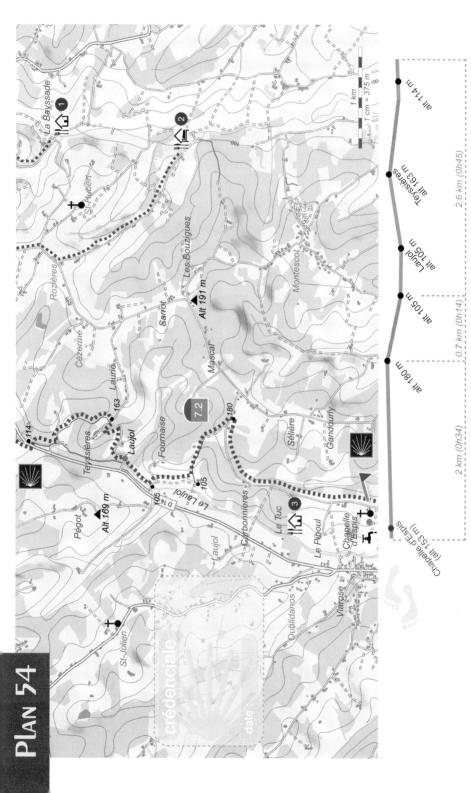

PLAN 54

La Bayssade ①

St-Hubert

Rozières

Cézerine

Laurie

Teyssières 114

163

Laujol

Le Laujol

D 16

Carbonnières

Le Tuc ③

Le Piboul

Chapelle d'Espis

Oubidanos

Viarose

St-Julien

Pégot
Alt 169 m

crédenciale

date

105

105

Fournaise

Mascal

Sarrot

Les Bouzigues

Alt 191 m

Montescot

Sélière

Gandourly

180

7.2

②

1 km
1 cm = 375 m

Chapelle d'Espis (alt 153 m)
alt 114 m
Teyssières alt 163 m
Laujol alt 105 m
alt 105 m
alt 180 m

2.6 km (0h45)
0.7 km (0h14)
2 km (0h34)

1 @ 🛏️ Gîte à la ferme de la Bayssade
Claudette Moriquet, Saint-Hubert, 82390 Durfort-Lacapelette (05-63-04-51-47
✉️ earldebayssade@wanadoo.fr) 10 pl, 🛏️ 22€ 🍴 15€ (produits du jardin),
🛏️🚿, draps 1€, LL 3€, 🚲 Durfort-Lacapelette, ouv mars à nov, ⏰ 15h (au repère
A du Plan 53, prendre à gauche sur 1.5 km. Le lendemain raccourci vers le GR par Sarrot)

2 🅿️ 🛏️ 📶 🛏️ Chambre d'hôtes La Grenouille Joyeuse
Nadine Besse-Boue, 1740 chemin de Rozières, 82390 Durfort-Lacapelette (06-86-69-
69-42 & 09-81-84-55-75 ✉️ nadinedidier.besse@dbmail.com) 4 ch, 👤 45€, 👥 75€, DP
👥 60€, 👥 105€, 🍴 5-8€, LL & SL, 🚲 Durfort-Lacapelette, ouv tte l'année, ⏰ 17h (au
repère B du Plan 53, prendre à gauche la petite route sur 1.5 km. A Rozières prendre
à gauche la petite route (chemin de Rozières) sur 1.7 km)

3 🇬🇧 🏠 Gîte Colibri d'Espis
Agnès Villemain 2105 chemin d'Espis, 82200 Moissac (✉️ colibridespis@gmail.com
06-16-48-07-29) Gîte, 13 pl en dortoirs et 2 ch, en dortoir 👤 17-19€, en ch 👥 38-42€,
🛏️ 5€, 🍴 14€, 🛏️ 3€, draps 2€, LL 2-4€, SL 4€, ouv tte l'année, ⏰ 15h30, sur résa
24h à l'avance BS

⊕

Quittant la vallée du Laujol, le Chemin va grimper sur la crête et s'y tenir quasiment jusqu'à Moissac. Ce faisant, il va passer à côté de l'humble chapelle d'Espis,
datant du XIIIe siècle.

Tout près de cette chapelle se niche le sanctuaire marial Notre-Dame d'Espis. Il
commémore la série d'apparitions mariales survenues en différents endroits du bois
d'Espis entre 1945 et 1948. Le principal voyant de la Vierge était Gilles Bouhours, un
petit garçon de quelques années. Ayant une révélation à faire au pape, le garçonnet
fut reçu en audience privée par Pie XII le 1er mai 1950.

Après différents atermoiements et enquête officielle, l'évêque de Moissac déclara
que ces apparitions étaient des hallucinations et menaça de suspension ad divinis
tout prêtre qui se présenterait sur le site. Nonobstant l'interdiction épiscopale, un
pèlerinage est organisé chaque 28 mai au sanctuaire.

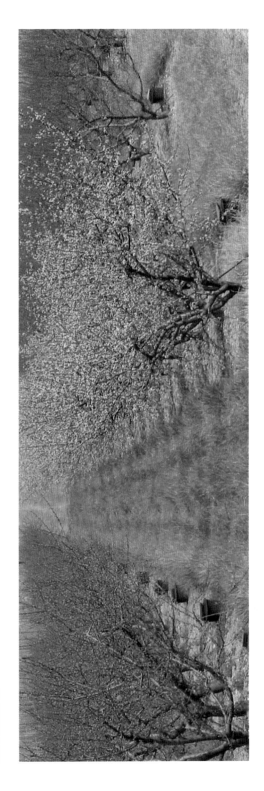

PLAN 55

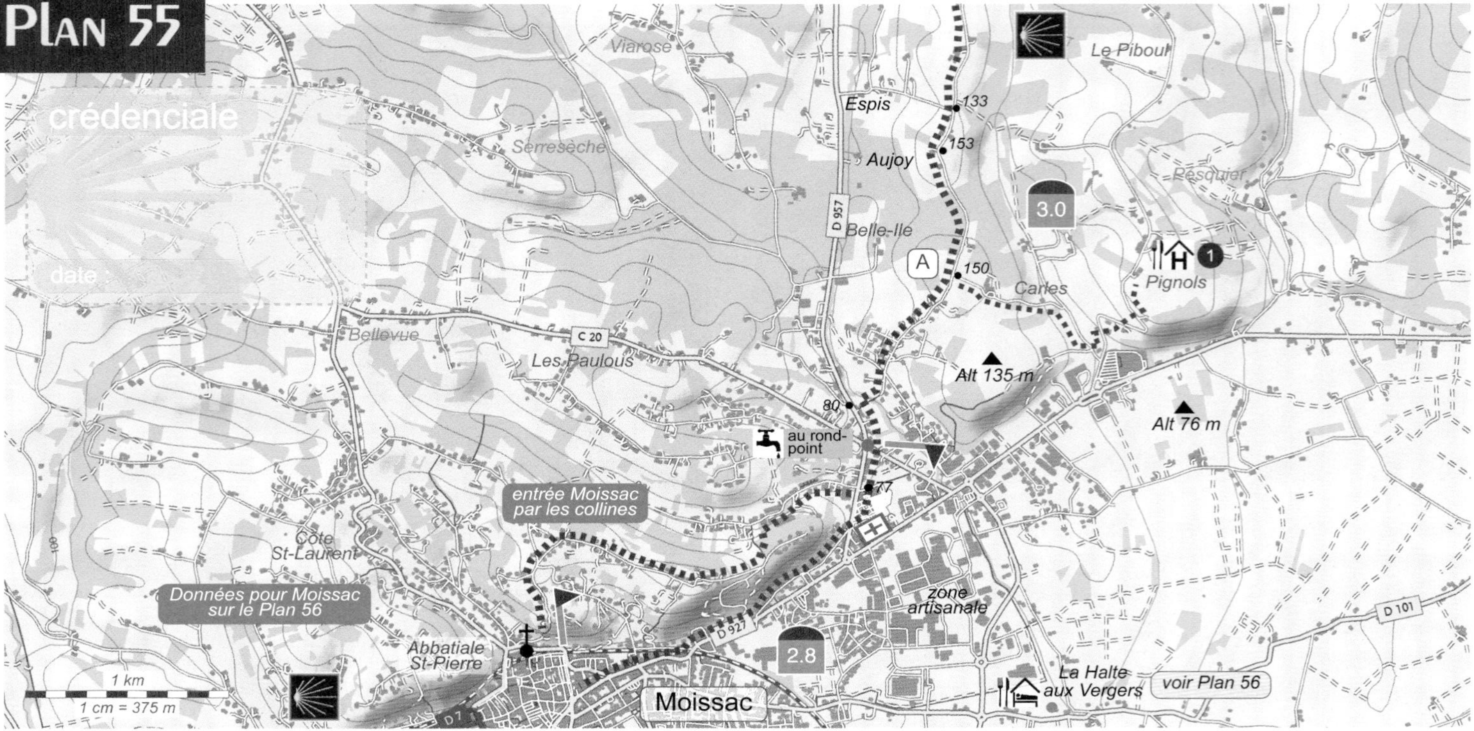

crédenciale

date :

Le Pibou

Resquié

Le Pibou

Pignols

ⓗ **1**

3.0

Caylus

133 · 153

Espis

Aujoy

Belle-Ile

150

▲ Alt 135 m

D 957

80

au rond-point

A

Vianose

Serresèche

Les Paulous

C 20

Bellevue

Côte St-Laurent

entrée Moissac par les collines

▲

Abbatiale St-Pierre

✝

D 1

Données pour Moissac sur le Plan 56

🐚

1 km
1 cm = 375 m

▲ Alt 76 m

Alt 135 m

2.8

Moissac

zone artisanale

⛪ La Halte aux Vergers

voir Plan 56

D 101

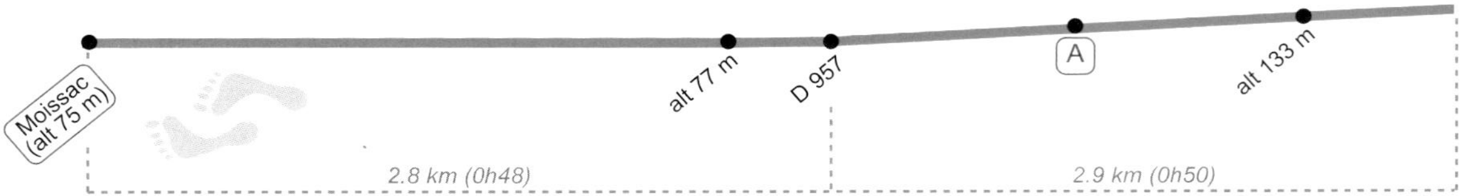

Moissac (alt 75 m)

alt 77 m

D 957

A

alt 133 m

2.8 km (0h48)

2.9 km (0h50)

TAIS-TOI !
écoute ...
J.P. Alaux

PLAN 77

1 ♿ *Logis* ☺ 🇬🇧 ✕ ⊞ ▰ 🧺 ➤ (((• 𝑎𝑟𝑐𝑣 @ ♫ ⛷

Hôtel-Restaurant des Crêtes de Pignols ⋆⋆
Mr et Mme Grand, 1167 côte de Pignols, 82200 Moissac (05-63-04-04-04
✉ hotel@cretesdepignols.com) 12 ch., 🛏 66€, 🛏🛏 79€, 🛏🛏🛏 92€, DP ⁖ 96€.
126€, 🛏🛏🛏 169€, 🛏🛏🛏 212€, 🍴 sur le chemin 5€, ouv 7/7 6 jan au 17 déc, ⊕ 16h30
*(après la chapelle d'Espis, à partir du repère A du Plan, suivre les panneaux sur 1.8 km
(route qui relie Espis à Pignols))*

Profitons de ce Plan pour remettre à jour nos connaissances historiques sur l'Ancien Régime. Nombre de notices, textes, brochures traitant de l'Histoire d'un lieu emploient des termes que nous connaissons, mais dont nous avons totalement perdu le sens. Qui va savoir ce qu'est un paréage, un bailli, un sénéchal ?

Et pourtant près de huit siècles de notre Histoire de France se sont déroulés avec une structure administrative qui a fonctionné, certes plus ou moins bien, et que la Révolution a mis en bas en quelques mois pour donner l'organisation que nous connaissons aujourd'hui : départements, préfets, etc...

Parlons de la noblesse, qui était un des statuts sociaux de la population française. L'état de noblesse était soit transmis par ses parents du fait du glorieux passé de la famille. C'est ce qu'on appelle la noblesse d'épée. Le titre de noblesse pouvait aussi être octroyé par le roi pour services rendus à la Nation. C'est ce qu'on appelle la noblesse de robe.

La noblesse possédait plusieurs titres : on pouvait être baron, grade le moins élevé, puis vicomte, comte, marquis, duc enfin. Le titre de prince était réservé aux membres de la famille royale. Le titre était attaché à la terre. On est comte de Chapdeniers parce qu'on possède le comté de Chapdeniers. On dira alors Aldébart Vallouis, comte de Chapdeniers. Si on vend la seigneurie à cause d'un revers de fortune, on n'est plus comte de rien du tout. Si on trouve un trésor et qu'on achète le marquisat de Sestrenières, on se nommera désormais Aldébart Vallouis, marquis de Sestrenières.

On reste noble si on respecte certaines règles édictées par le pouvoir royal : un noble n'a pas le droit d'exercer certaines professions, notamment l'agriculture ou le commerce, mais curieusement pas les forges. Et il doit au roi obéissance, surtout si celui-ci lui demande d'aller mourir à la guerre en son nom.

Les gens de noblesse sont exemptés de certains impôts, à l'exception de la capitation.

Contrairement à une légende bien ancrée, la particule "de" ne signifie en aucun cas la noblesse d'une famille. Cette confusion provient certainement du fait que les nobles étaient en majorité propriétaires d'une quelconque châtellenie, donc comte ou marquis "de" quelque part.

L'histoire de l'Ancien Régime est emplie de faux titres nobiliaires, de rachat de titres, de procès en fausse noblesse, de recherche désespérée d'ancêtres ayant combattu aux Croisades.

Bon, c'est bien compliqué tout ça. Pour nous reposer, sur le Plan prochain, on parlera d'un truc plus simple. l'histoire du presse-purée au Moyen-âge sur le chemin de Saint-Jacques.

PLAN 56

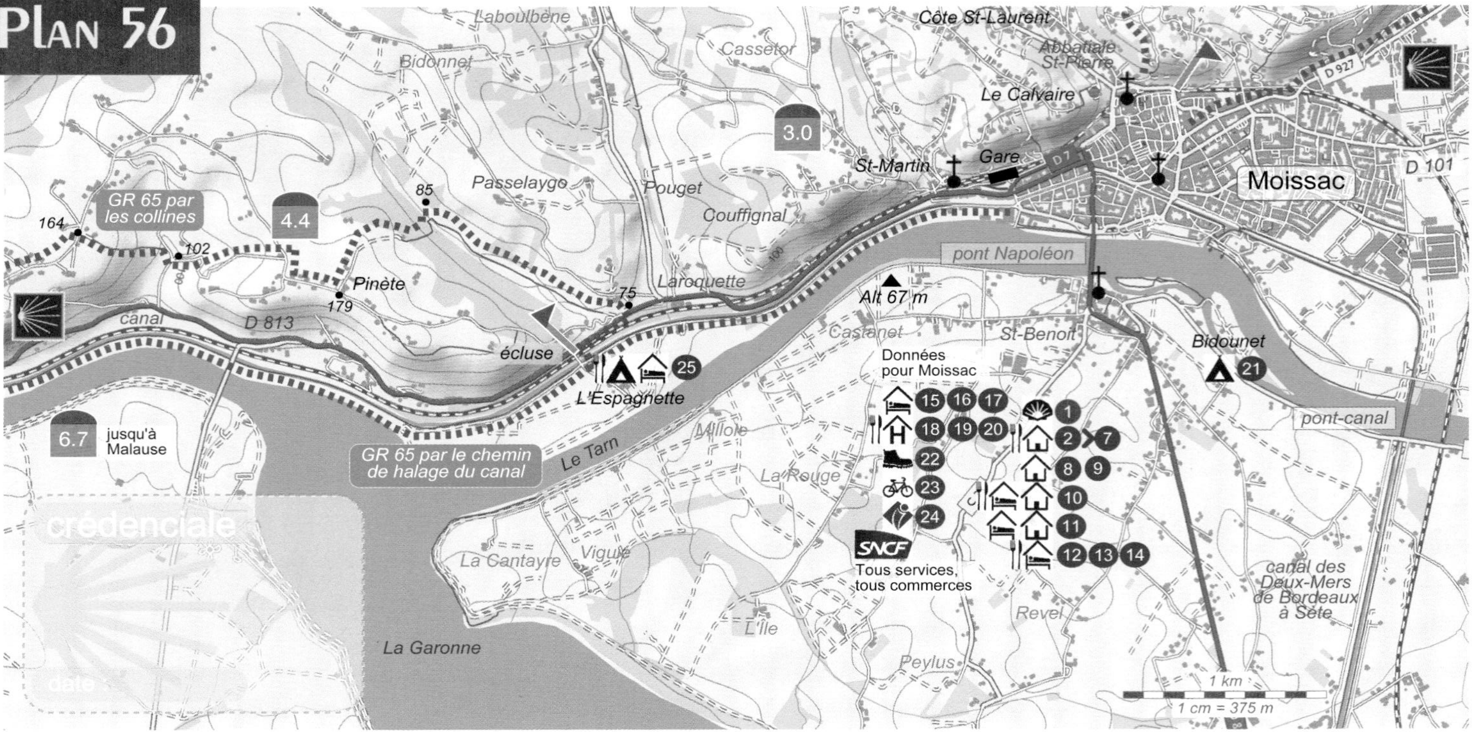

Moissac

Abbatiale St-Pierre
Côte St-Laurent
Le Calvaire
Gare
St-Martin

Casselot
Pouget
Couffignal
Laraquette
Cassetot
Laboulbène
Bidonnet
Passelaygo

D 927
D 101

pont-canal
Bidounet
canal des Deux-Mers de Bordeaux à Sète

pont Napoléon
St-Benoît
Castanet
Alt 67 m

Données pour Moissac

Tous services,
tous commerces

SNCF

La Reuge
Millol
Reve
Peylus
L'île

3.0

écluse
L'Espagnette
Le Tarn
25

GR 65 par le chemin
de halage du canal

La Cantayre
Vigue
La Garonne

4.4

GR 65 par
les collines

Pinète
179
85

D 813
canal

102

164

6.7

jusqu'à
Malause

crédenciale

gîte

GR 65

(par définition la variante le
long du canal est toute plate...)

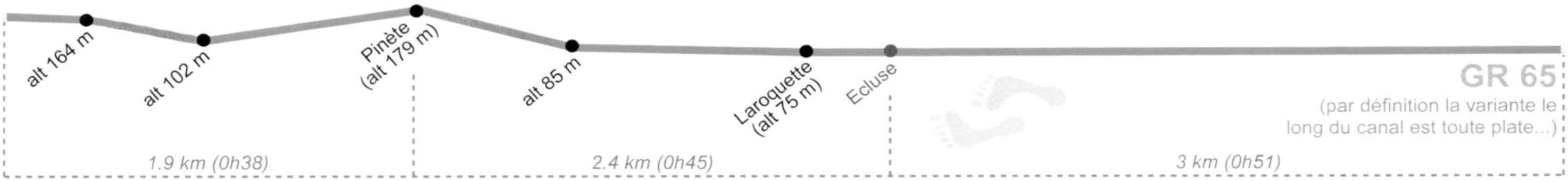

3 km (0h51)

Écluse

Laroquette
(alt 75 m)

2.4 km (0h45)

alt 85 m

Pinète
(alt 179 m)

1.9 km (0h38)

alt 102 m

alt 164 m

1 cm = 375 m
1 km

1 La Maison des Pèlerins-Maison de l'Abbaye, 4 rue de l'Abbaye, 82200 Moissac (05-63-32-28-87) pas d'hébergement, point accueil-infos pèlerins, tampon créanciale, échanges avec pèlerins, hospitaliers et sœurs de la communauté, consignes pour sacs, poss réchauffer aliments, ouv mai à sep *(à 150 m de l'abbatiale)*

2 Gîte L'Ancien Carmel (pèlerins) 5 sente du Calvaire, 82200 Moissac ⌂ contact@lanciencarmelmoissac.com 05-63-04-62-21 & 09-64-48-71-99) 30 ch 24-6 pers, 16-28€, 6.30€, 14.50€ (poss végétarien), 8€, draps 2.50€, LL 3€, SL 3€, si difficultés, ouv tte l'année, 14h *(monter l'escalier à gauche de l'abbatiale, prendre à droite la Côte Saint Laurent sur 200 m, puis à gauche sente du Calvaire)*

3 Gîte d'étape nature La Petite Lumière Anne Vittot (pèlerine), point de vue du Calvaire, 82200 Moissac (06-74-68-12-94 ⌂ lapetitelumiere@free.fr) 12 pl dortoir 6 pers + 1 ch + Yourte-tipi-cabane 4 pl // dortoir-yourti-pi-cabane 16€, DP 36€ //ch, 30€, DP 48€, 79€ (linge inclus) // 8€, DP 28€ // 6€, 14€, 1€, draps 2€, LL 3€, SL 3€, massages par Anne, ouv avr à oct, 15h *(voir pavé 2, puis monter 300 m au dessus de l'ancien Carmel)*

4 Gîte d'étape Les Etoiles Béatrice Blet, 4 rue Falhière, 82200 Moissac ⌂ contact@gite-moissac.com 05-63-94-22-47 & 06-25-63-00-16) 13 pl en dortoir 2-3-4 pers, 16-19€, 5.45€, 14€, draps 3€, LL 3€, SL 3€, ouv 15 avr au 1er oct, 15h *(derrière la Poste)*

5 Gîte Aliénor de Moissac Emmanuelle Lemée, 25 rue Malaveille, 82200 Moissac (07-87-90-07-21 ⌂ lemee.moissac@gmail.com) 15 pl en 5 ch, 25€ (+ linge inclus), DP 35€ (poss végétarien), LL, ouv tte l'année, 14h

6 Gîte La Coquille, Florian Desdoits (pèlerin), 4 rue des Mazels, 82200 Moissac (06-21-71-29-38 ⌂ compostelle.moissac@yahoo.com) 8 pl en 4 ch, 30€, 55€ (+ linge inclus), DP lun-mer-ven-dim 40€, 80€, (poss végétarien), et libre part frais, LL, si difficultés, ouv avr à oct, 15h15

7 Gîte Auberge des Chemins, Agnès Belveze (pèlerine), 17 rue du Pont, 82200 Moissac ⌂ aubergedeschemins@gmail.com 06-24-34-80-87 & 05-63-05-15-06) Gîte, 14 pl en 2 dortoirs et 2 ch, en dortoir 20€, en ch 26€, DP 45€, 6€, (linge inclus), 15€ (poss végétarien), 7€, LL 3€, SL 3€, massages, réflexologie plantaire, si difficultés, ouv 1er avr à fin vacances Toussaint, 12h, sur résa BS

8 Gîte d'étape Au 180, Fabienne, 180 chemin du Fraysse Bas, 82200 Moissac (06-85-07-69-56 ⌂ au180@orange.fr) 2 pl en 1 ch, 35-42€ (draps inclus), ouv avr à oct, 17h30

9 Gîte-Appartement Le T2 moderne des Palmiers, Renaud Chareyre, 35 pl. des Palmiers, 82200 Moissac ⌂ contact@auxpalmiers.com 06-84-33-80-05) 1 appt 4 pl, 70€, 90€, 110€ (linge inclus), LL, ouv tte l'année, 15h

10 Gîte-Chambre d'hôtes Ultreïa Moissac Carole et Marc Gougeon (pèlerins) 45 avenue Pierre Chabrié, 82200 Moissac (05-63-05-15-06 & 06-71-74-03-14 ⌂ info@ultreiamoissac.com) Gîte, 14 pl, 22€ (inclus), DP 36€, draps 2€ // 4 ch, 46€, 62€, 84€, 104€, 14€, 7€, LL 3€, SL 3€, si difficultés, ouv tte l'année, 15h *(sur le GR, face à la gare)*

11 Chambre d'hôtes-Gîte Provensal*** Mr et Mme Provensal, 40 rue Guilleran, 82200 Moissac (05-63-04-07-88 & 06-86-13-94-66 ⌂ jeanyvesprovensal@free.fr) Chambres, 2 ch, 49€, 58€ // Gîte de groupe, 6-7 pl, 130€ le gîte (loué priorité semaine), 5€, LL 3€, SL 2€ // ouv tte l'année *(à 50 m de l'abbatiale)*

12 Chambre d'hôtes Le Jardin Suspendu, Alun MacFadyen, 25 boul. Léon Cladel, 82200 Moissac ⌂ almacfad@gmail.com 06-07-81-33-15) 3 ch, 50€, 55€, 18€ (min 2 pers), LL 5€, ouv tte l'année *(derrière l'abbatiale)*

13 Chambre d'hôtes La Halte aux Vergers Anne-Marie Labrune, 1295 route des Vergers, 82200 Moissac (05-63-32-52-35 & 06-83-16-11-00) lahalteauxvergers@gmail.com) 1 ch +1 suite, 65€, 80€, 110€, 120€, 130€, 25€, 5€, LL 3€, SL 3€, Abbatiale, ouv 16 jan au 15 déc, 16h *(sur la D 101, 2,7 km Est de l'abbatiale (voir Plan 55))*

14 Chambre d'hôtes, Daniel et Véronique Natoli-Baudet, 40 avenue du Languedoc, (06-89-88-12-66 ⌂ danbaudet@orange.fr) 3 ch, 40-45€, 60-65€, 80-85€, 20€, LL, SL avec part, ouv tte l'année, 17h30 *(traverser le Tarn par le pont Napoléon et faire 200 m)*

15 Chambre d'hôtes Fuite en Egypte, Anne Decours, 29 rue Guileran, 82200 Moissac ⌂ chambres@decours-moissac.com 06-14-83-33-80) 3 ch, 55€, 68€, 120€, LL & SL avec part, ouv Pâques à Toussaint sur résa

16 Chambre d'hôtes La Maison du Pont-Saint-Jacques Christine et Michel Fournier, 20 quai Magenta, 82200 Moissac (05-81-78-12-09 & 06-11-09-73-53 ⌂ info@chambresdhotesmoissac.fr) 5 ch, 63€, 73€, 100€, supp 27€, LL 3€, SL 2€, si difficultés, ouv 21 mars au 8 nov, 15h

17 Chambre d'hôtes La Maison Lydia, Béatrice Fall, 2 bis Quai Magenta, 82200 Moissac (07-49-78-22-02 ⌂ contact@lamaisonlydia.fr) 4 ch, 55-65€, 65-75€, 100€, 120€, LL 3€, SL 5€, ouv tte l'année, 15h

18 Hôtel-Restaurant Le Pont Napoléon**, 2 allée Montebello, 82200 Moissac (05-63-04-01-55 contact@le-pont-napoleon.com) 15 ch, 79-98€, 82-98€, 98€, 9.50€, DP 34€, 123€, 169€, 220€, 272€, 9€, LL 10€, SL 10€, ouv 7/7, 15h

19 Hôtel-Restaurant L'Armateur ***
1 rue François Raynal, 82200 Moissac (05-63-32-85-10 hotelarmateur@orange.fr) 16 ch, 85-140€, 12€, 25€, DP 113-145€, 146-200€, hôtel ouv 7/7, resto fermé dim, sam midi et lun midi, 15h

20 Hôtel Le Chapon Fin***
Salhi Furlan Zina, 3 place des Récollets, 82200 Moissac (05-63-95-59-49 contact@hotelchaponfin.com) 24 ch 1-4 pers, 68-78€, 68-98€, 88-110€, 110€, 9€, +, 28€, ouv tte l'année

21 Camping du Moulin de Bidounet***
82200 Moissac (05-63-32-52-52 camping-bidounet@moissac.fr) 14.50-21€, 7.90-11.40€, sur commande, traiteur jul-aou, épicerie-dépannage, LL 3.50€, SL 3.50€, ouv 26 mars au 25 oct (passer le pont Napoléon et 1ère route à gauche)

22 Boutique La Traversée de Moissac
3 rue de la République (05-63-29-23-26) boutique des pèlerins, équipement et matériel de randonnée, vêtements, ouv 7/7 HS, fermé lun BS (face à l'abbatiale)

23 Rand'Eau Loisirs, 220 ch. de la Rhode (randeau-ck@wanadoo.fr 06-85-47-72-47) réparation vélos, loc vélos pour continuer le chemin, tarifs sur devis en fonction de l'étape souhaitée, étape détente et loisirs natiques, ouv avr à oct sur résa

24 @ Office de tourisme, 1 boulevard de Brienne 05-32-09-69-36 (accueil@tourisme-moissacconfluences.fr) www.tourisme-moissac-terresdesconfluences.fr

25 Chambre d'hôtes L'Espagnette, Marie-France Taverney, 270 chemin de l'Espagnette, 82200 Moissac (06-48-36-96-47 mftaverney@gmail.com) 1 ch, 25-35€, 57-59€, DP 40€ (inclus) // 6€, 5€ // LL, épicerie-dépannage, ouv tte l'année sur résa, 17h (près de l'écluse de l'Espagnette)

Moissac
Messe sam et veille de fêtes 18h30 - Dim et fêtes 11h
Offices liturgiques à l'abbatiale : Laudes 8h30 // Vêpres 18h (sauf dim et fêtes 17h30) // Messe et bénédiction des pèlerins (18h30)

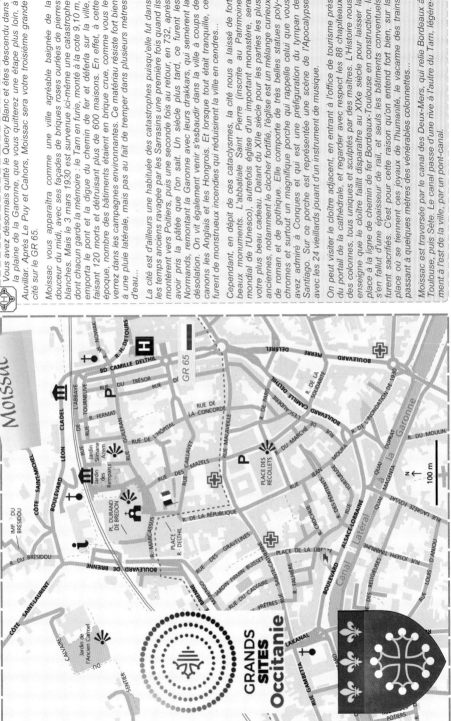

Vous avez désormais quitté le Quercy Blanc et êtes descendu dans la plaine de la Garonne, que vous quitterez une étape plus loin, à Auvillar. Après Le Puy et Cahors, Moissac sera votre troisième grande cité sur le GR 65.

Moissac vous apparaîtra comme une ville agréable baignée de la douceur du midi, avec ses façades de briques roses ourlées de pierres blanches. Mais le 3 mars 1930 est survenue ici-même une catastrophe dont chacun garde la mémoire : le Tarn en furie, monté à la cote 9,10 m, emporta le pont et la digue du chemin de fer et déferla sur la ville, faisant 120 morts et détruisant plus de 600 maisons. En effet, à cette époque, nombre des bâtiments étaient en brique crue, comme vous le verrez dans ces campagnes environnantes. Ce matériau résiste fort bien à une pluie latérale, mais pas au fait de tremper dans plusieurs mètres d'eau...

La cité est d'ailleurs une habituée des catastrophes puisqu'elle fut dans les temps anciens ravagée par les Sarrasins une première fois quand ils montèrent vers Poitiers, puis une seconde fois au retour, en 732, après avoir pris la pâtée que l'on sait. Un siècle plus tard, ce furent les Normands, remontant la Garonne avec leurs drakkars, qui semèrent la désolation. On vit également venir s'esbaudir dans la ville à coups de canons les Anglais et les Hongrois. Et lorsque tout était tranquille, ce furent de monstrueux incendies qui réduisirent la ville en cendres...

Cependant, en dépit de ces cataclysmes, la cité nous a laissé de fort beaux monuments. L'abbatiale Saint Pierre (inscrite au Patrimoine mondial de l'Unesco), autrefois église d'un important monastère, sera votre plus beau cadeau. Datant du XIIe siècle pour les parties les plus anciennes, notamment le clocher fortifié, l'église est un mélange curieux de roman et de gothique. Elle comporte de très belles statues poly-chromes et surtout un magnifique porche qui rappelle celui que vous avez admiré à Conques et qui est une préfiguration du tympan de Santiago. Sur ce porche est représentée une scène de l'Apocalypse avec les 24 vieillards jouant d'un instrument de musique.

On peut visiter le cloître adjacent, en entrant à l'office de tourisme près du portail de la cathédrale, et regarder avec respect les 88 chapiteaux des colonnes, tous uniques et sculptés par des maîtres. L'Histoire nous enseigne que le cloître faillit disparaître au XIXe siècle pour laisser la place à la ligne de chemin de fer Bordeaux-Toulouse en construction. Il s'en fallut d'une épaisseur de rail, et seuls les bâtiments conventuels furent sacrifiés. C'est pour cette raison qu'on entend fort bien, sur la place où se tiennent ces joyaux de l'humanité, le vacarme des trains passant à quelques mètres des vénérables colonnettes...

Moissac est traversée par le canal des Deux-Mers, qui relie Bordeaux à Toulouse, puis Sète. Le canal passe d'une rive à l'autre du Tarn, légère-ment à l'est de la ville, par un pont-canal.

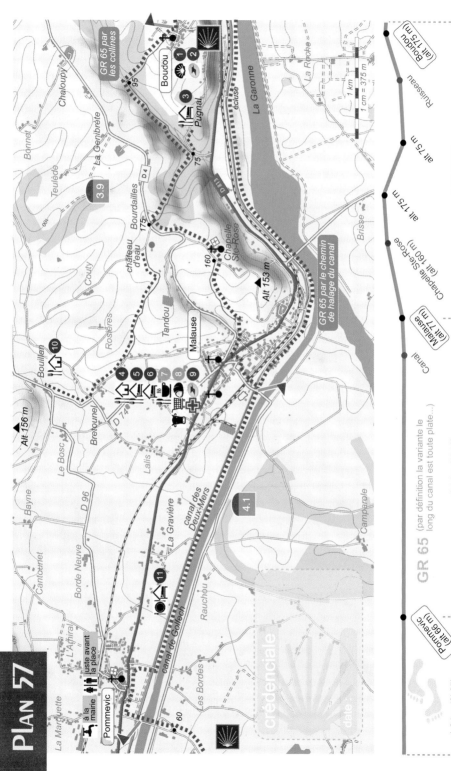

PLAN 57

Boudou

1
2

3 · Pugnal

GR 65 par
les collines

95

75

La Genibrète

D 4

3.9

Bourdailles 175

château d'eau

Chapelle
Ste-Rose
160

▲ Alt 153 m

GR 65 par le chemin
de halage du canal

La Garonne
écluse

D 813

Brise

Chaloupy

Teulède

Couty

Rosières

Tandou

Malause

4 5 6 7 8 9

Bouillen 10

▲ Alt 156 m

D 74

Bretounel

Le Bosc

Lalis

D 96

Bayne

La Marguette

Cantournet

Borde Neuve

L'Affiral

liste avant
la place

à la mairie

Pommevic

60

Canal des
Deux-Mers

La Gravière

11

canal de Golfech

Rauchou

Les Bordes

Camparole

4.1

La Rioche

Brise

crédenciale

date :

GR 65 (par définition la variante le
long du canal est toute plate...)

Bonnet

Boudou
(alt 175 m)

Ruisseau

alt 75 m

alt 175 m

Chapelle Ste-Rose
(alt 160 m)

Malause
(alt 77 m)

Canal

Pommevic
(alt 66 m)

1 cm = 375 m
1 km

4 km (1h12)   4.1 km (1h10)   1.6 km (0h27)

PLAN 5/

1 Accueil pèlerins Eglise Saint-Pierre, Association Patrimoine de Boudou, table d'orientation, tampon crédenciale, ouv tous les matins 10h à 11h30 Pâques à Toussaint (pas de couchages)

2 La Poste, ouv lun à ven 8h30 à 11h

3  Chambre d'hôtes de Pugnal
Jenny Smither, 1186 route du Point de Vue, Pugnal, 82200 Boudou (09-63-01-40-21 & 06-66-59-38-72 ✉ jennysmither@wanadoo.fr) 5 ch, ♦ 22€, ♦♦ 44-70€, ♦♦♦♦ 90€, 100€, poss ch partagées, ❶ 18€, 6€, LL 4€, SL 4€, 🚉 gare de Moissac, ouv avr à oct, 🕐 15h *(sur le GR, 2 km après Boudou ou par la variante en quittant le canal à l'écluse Le Petit Bézy)*

4 🛏 ((🐕 🅿 Gîte Boudet
Mr et Mme Boudet, 11 avenue de Bordeaux, 82200 Malause (06-79-44-09-77 & 06-33-29-96-75 ✉ yolande.boudet@wanadoo.fr) 12 pl en 4 ch, ♦ 20€, DP ♦ 40€ (lits faits), ❑ LL, 🐕, ouv tte l'année, fermé ven-dim-lun

5 ❑ ((🐕 🅿 Chambre d'hôtes Chez Willy, Willy Thomann, 7 avenue de Bordeaux, 82200 Malause (✉ chez.willy@orange.fr 05-63-39-55-90) 4 ch, ♦ 20€, ♦♦ 40€, ♦♦♦♦ 50€, ❶ pizza 8.50-10.50€, ouv tte l'année, fermé ven-dim-lun *(face au bureau de tabac)*

6 ((🐕 🅿 Chambre d'hôtes Chez Josiane
Josiane Rosolen, 96 chemin de las Moles, 82200 Malause (06-83-57-36-84 ✉ josiane.rosolen@gmail.com) 2 ch, ♦ 20€, ♦♦ 40€, ❑, LL, ouv avr à nov, 🕐 16h *(à 80 m du GR)*

7 Bar-Pizzeria Chez Willy, 7 avenue de Bordeaux (05-63-39-55-90) ❶ 10€, restauration rapide midi, pizzeria soir, fermé dim après-midi et lun

8 Ravitaillement :
- Epicerie Vival, fermé dim après-midi et lun après-midi
- Boulangerie Les Douceurs de Malause, fermé dim après-midi et lun
- Boucherie Roques, 32 avenue de Bordeaux, fermé dim après-midi et lun

9 La Poste, ouv mardi au 14h à 17h, sam 11h à 12h

10 🛏 ((🐕 🅿 Gîte d'étape et groupes Le Grenier du Levant
Virginie Leblanc, 3230 route de Pommevic, Bouillan, 82400 Saint-Vincent-Lespinasse (06-42-56-69-31 ✉ virginie@legrenierdulevant.com) 14 pl en 4 ch, ♦ 20€, supp ch individuelle 5€, ⛲ 5€, draps 5€, LL & SL avec part, 🛒 , épicerie-dépannage, ❶ 13€, ouv tte l'année *(par le GR 65 des collines : au château d'eau de Malause, au lieu-dit Bourdailles, suivre fléchage "Grenier du Levant" par le GR de pays (rouge et jaune) sur 2.6 km. Par le canal : aller jusqu'à Malause, au rond-point prendre la D 74, suivre fléchage "Grenier du Levant" sur 2.1 km. Le lendemain, retour sur GR à Pommevic)*

11
Chambre d'hôtes-Restaurant Auberge du Braguel, Ruud Ham, Maison Eclusière N°28, 82400 Pommevic (06-79-50-10-59 ✉ aubergedubraguel@gmail.com) 3 ch, DP ♦ 49.50€, ouv avr à déc sur résa, 🕐 15h à 18h // Restaurant, ❶ 14.50€, resto fermé mer

---

Après Moissac vous aurez deux choix : soit suivre le GR 65 et grimper sur les coteaux en fleurs par Boudou et Malause, soit emprunter (à partir du centre-ville), le chemin de halage du canal sur la rive sud, jusqu'à Pommevic, à l'ombre des platanes et bercé par le clapotis de l'eau. Le canal latéral à la Garonne, à ne pas confondre avec le canal du Midi (qui relie Toulouse à Sète) relie Bordeaux à Toulouse en évitant les crues de la Garonne.

Vous apercevrez dans le lointain, à partir de Moissac, puis de plus en plus, les tours de refroidissement de la centrale nucléaire de Golfech, qui se trouve à une encablure de Valence-d'Agen. Un bief spécial a été aménagé, abondé par les eaux de la Garonne, pour alimenter ces tours en eau fraîche.

Si vous choisissez l'option "coteaux" vous traverserez un paysage de douces collines, de vergers, de cultures, un terroir plus riche et plus jardiné que les causses où vous traîniez vos godasses depuis une semaine. Vous ferez une halte dans la petite chapelle Sainte Rose, simple et émouvante.

Jusqu'à la dernière guerre, avant que les instruments de navigation de nuit soient installés sur les aéroplanes, ceux-ci devaient, comme les navires, suivre des phares établis sur le tracé de la ligne aérienne, comme des pointillés lumineux dans la nuit. C'est ainsi que les avions de l'Aéropostale se dirigeaient vers le phare de Malause, qui existe toujours, avant d'obliquer vers Toulouse.

A Pommevic vous traverserez le canal, il vous restera alors une lieue de route pour rejoindre de nouveau la Garonne et monter à Auvillar.

PLAN 58

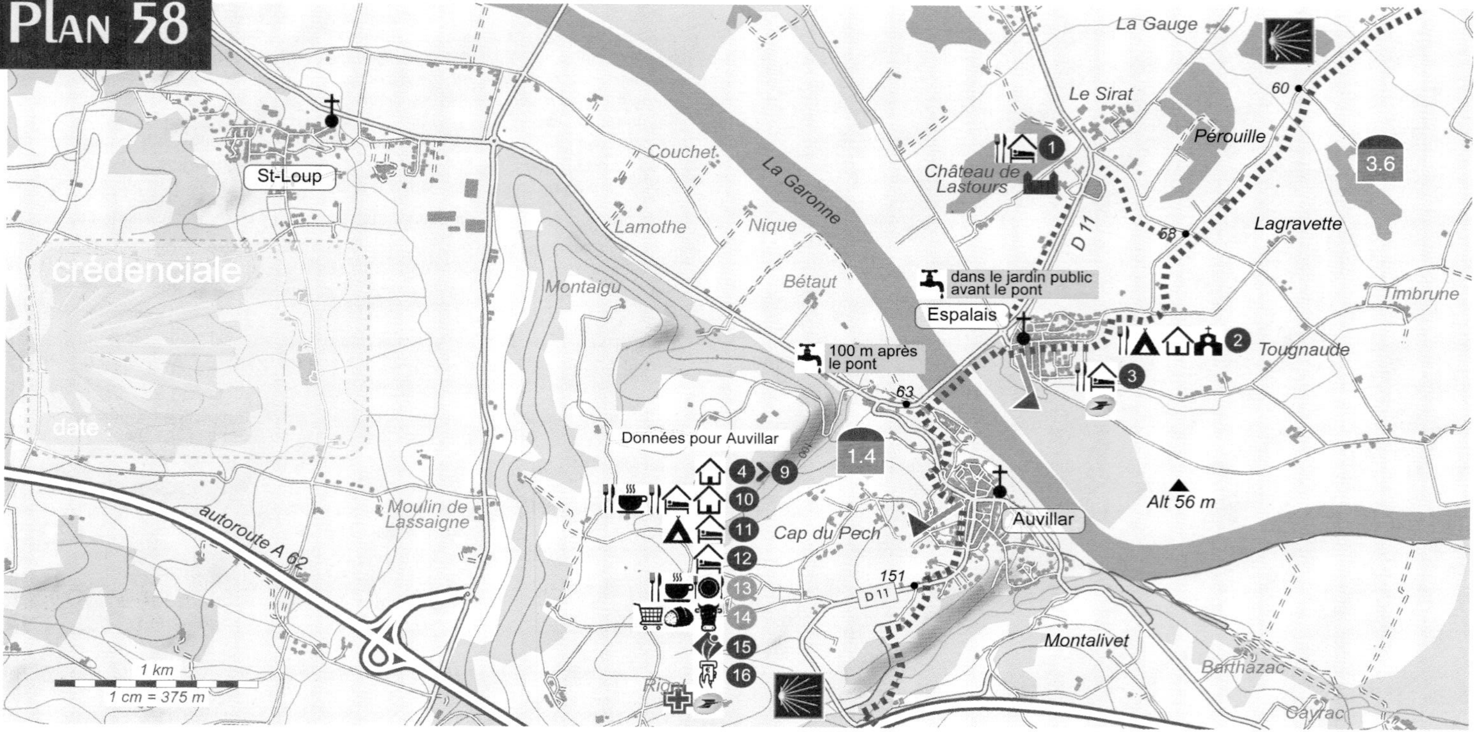

Lagravette
3.6
60
Pérouille
La Gauge
Le Sirat
68
D 11
Château de Lastours
1
Espalais
dans le jardin public avant le pont
Imbrune
Tougnaude
2
3
Alt 56 m
Auvillar
Montalivet
Barthazac
Cap du Pech
151
D 11
1.4
100 m après le pont
63
La Garonne
Bétaut
Nique
Couchet
Lamothe
Montaigu
Moulin de Lassaigne
autoroute A 62

Données pour Auvillar
9
4 10 11 12 13 14 15 16

St-Loup

crédenciale
date:

1 km = 375 m
1 cm = 375 m

ARTICULE
quand tu penses
J.Michaud

alt 60 m
2 km (0h34)
alt 58 m
Espalais (alt 59 m)
1.4 km (0h24)
alt 63 m
Auvillar (alt 106 m)
1.9 km (0h33)
alt 151 m
Autoroute A 62

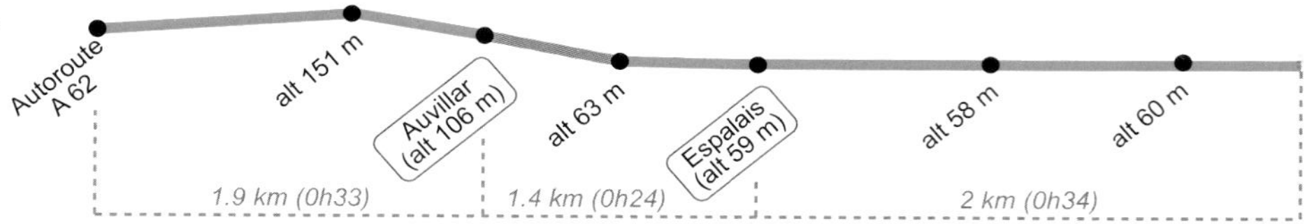

1 🇬🇧 Chambre d'hôtes Château de Lastours Ruud Ham, 3 route d'Espalais, 82400 Espalais (05-81-78-00-01 & 06-24-24-24-66 ✉ reservation@chateaudelastours.eu) 5 ch, 4 appt, 6 studios, ✝ DP 59,50€, ⬛ 7,50€, LL 5€, SL 5€, office de Tourisme Auvillar, ouv tte l'année, ⏰ 15h à 18h *(à Auvillar, prendre la D 11 vers Valence-d'Agen sur 750 m ou bien 500 m avant Espalais prendre la route après le Comptoir des légumes)*

2 🇬🇧 Gîte-Accueil pèlerin Le Par'Chemin Muriel et Frédéric (pèlerins) 34 avenue de Monplaisir, 82400 Espalais (05-63-94-73-78 & 06-84-46-22-05 ✉ parchemin82@orange.fr) 14 pl en 3 ch partagées, ✝ 15€, ⬛ 6€, 🍽️ 13€, DP 33€ (sauf ven soir), poss ⛺ en part libre, LL, ouv avr à oct, sur résa BS *(entrée d'Espalais, à gauche)*

3 🇬🇧 🐕 Chambre d'hôtes Le Clos d'Espalais, Véronique et Martial Leclerc, 8 route de Timbrune, 82400 Espalais (05-81-51-92-87 ✉ verozun64@yahoo.fr) 5 ch, ✝ 60-65€, DP 48€, ⚡ 90€, LL 3€, ouv tte l'année sur résa, ⏰ 14h30 *(dans le village, 1ère rue à gauche, puis à gauche de nouveau)*

4 Gîte d'étape communal, ancien presbytère, 82340 Auvillar (office de tourisme 05-63-39-89-82) 18 pl, ✝ 15,50€, LL & SL, ouv début avr à début oct, ⏰ 14h30 à 17h30, clés à l'office de tourisme

5 🇬🇧 🐕 Gîte privé Le Clos d'Alange Isabelle Geldhof, Cap du Pech, 82340 Auvillar (05-63-94-76-84 & 06-75-49-14-57 ✉ isabelle.geldhof@gmail.com) 6 pl en 2 ch, ⬛ 25€ inclus+lits faits), ouv tte l'année, ⏰ 14h *(prendre à droite après le parking de la Poste sur 800 m, puis à droite panneau "Clos d'Alange")*

6 @ 🐕 Gîte d'étape privé Desprez*** Marie-Thérèse Desprez, 761 chemin du Moulin, 82340 Auvillar (05-63-39-01-08 & 06-10-93-56-25 ✉ desprezmarie@orange.fr) 4 pl, ✝ 40€, ⚡ 50€, ⚡⚡ 60€, ⚡⚡⚡ 80€, draps 2€, LL & SL, 🚗 face inclus), 🍽️ en dépannage, épicerie-dépannage, ouv tte l'année à l'épicerie d'Auvillar, ouv tte l'année

7 🇬🇧 🐕 Gîte d'étape privé Chez Le Saint Jacques Gerhard et Marie-José Schneider-Ballouhey, 15 place de la Halle, 82340 Auvillar (05-63-29-14-23 ✉ gemjio@orange.fr) 8 pl en 4 ch, ✝ 20€ (inclus), draps 3€, LL 3€, ouv avr à oct, ⏰ 15h

8 🐕 Gîte Cellario, Francine et Dany Cellario, 59 chemin du Moulin, 82340 Auvillar (06-33-15-86-18 & 06-95-63-91-82 ✉ francine.cellario@wanadoo.fr) 4 pl en 2 ch, ✝ 35€, ⚡⚡ 60€, ⚡⚡⚡ 85€, ⚡⚡⚡⚡ 100€ (draps inclus), LL, 🚗 Poste, ouv tte l'année ⏰ 14h30 *(au parking du moulin puis prendre à droite le Chemin Neuf sur 150 m, puis le chemin du Moulin)*

9 🐕 Gîte Place du Château (✉ auvillar.gite@gmail.com 06-04-02-98-36 & 06-66-93-30-74) 11 pl en 3 ch 3-5 pers, ✝ 20€, ⬛ 6€, LL+SL, ouv mai à oct ⏰ 16h du Château, 82340 Auvillar

10 🇬🇧 Chambre d'hôtes-Gîte Le Petit Baladin, Mr et Mme Wojtusiak, 5 place de la Halle, 82340 Auvillar (05-63-39-73-61 ✉ les-crapettes-dauvillar@wanadoo.fr) Gîte, 6 pl en ch 2-4 pers, ✝ 16-20€, ⬛ 6€, DP 38-45€, linge 6€ // 4 ch, ✝ 45€, ⚡⚡ 60€, DP 55-65€, ouv mars à oct, ⏰ 14h30, groupes max 15 pers

11 🐕 Chambre d'hôtes Sarraut Jacques et Annick Sarraut, 100 impasse Eucalyptus, Cap du Pech, 82340 Auvillar (05-63-39-62-45 & 06-08-35-18-02 ✉ annick.sarraut@wanadoo.fr) 4 ch, ✝ 55€, ⚡⚡ 65-75€, ⚡⚡⚡ 90€, ⬛ supp 25€, poss ⛺, LL & SL, ouv tte l'année *(prendre chemin à droite après le parking de la Poste sur 500 m. La maison est au fond de l'allée des peupliers)*

12 🐕 Chambre d'hôtes Bedel, Eliette et René Bedel, 4 rue du Chemin Neuf,, 82340 Auvillar (05-63-39-60-58 & 06-33-69-80-09 ✉ eliette.bedel@gmail.com) 2 ch, ✝ 30€, ⚡⚡ 48€, ⚡⚡⚡ 70€, ouv Pâques à Toussaint *(à 250 m du centre sur le GR)*

13 Restauration :
- Restaurant Le Petit Palais, place de l'Horloge (05-63-29-13-17) 🍽️ 13€ (midi) à 20€, fermé mer-jeu BS, fermé mer soir et jeu un à sep, résa conseillée
- Bar-Buvette-Restauration rapide-Crêperie Le Baladin, 5 place de la Halle (05-63-39-73-61) 🍽️ 3-14€, service non-stop sur place ou à emporter, ouv avr à oct
- Restaurant Pizza Al'Dente, 1 route de Castelsarrasin (05-63-32-20-55) 🍽️ 16-18€ + pizzas, fermé lun
- Bar-Restaurant Le Bistrot du Coin, route de Castelsarrasin (05-81-78-66-16) ✝ 🍽️ 9€, 🍽️ 140€, ⚡ 7€, ouv 7/7 HS, fermé lun BS
- Camion Pizza, promenade des Moines, jeu 18h à 20h30

14 Ravitaillement : Epicerie Vival, fermé dim après-midi et lun // Boulangerie d'Auvillar, fermé mer et dim après-midi BS, mar et dim après-midi HS // Boucherie ambulante, sur le marché dim matin // Distributeur de pain à l'entrée d'Espalais, sur le marché dim matin

15 Office de tourisme 4-6 rue du Couvent (05-63-39-89-82 ✉ ot-auvillar@cc-deuxrives.fr www.officedetourismedesdeuxrives.fr) produits régionaux

16 Distributeur de billets à la Poste

PLAN 58

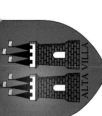

Après une bonne suée, car la pente est raide, vous allez découvrir un joyau de Gascogne : Auvillar, « un des plus beaux villages de France ». Pénétrez dans l'église Saint Pierre qui présente une partie romane et une partie gothique, promenez-vous dans les rues et admirez les maisons dont certaines datent du XVe siècle. Des maisons de briques roses, un panorama magnifique sur la plaine de la Garonne, une place à arcades sortie du fond des siècles, une halle circulaire de carte postale, une place de l'église entièrement rénovée.

La Tour de l'Horloge était autrefois la porte de la cité. Il fallait franchir un fossé sur un pont-levis pour pénétrer en ville. La Tour, d'époque Louis XIV, abrite aujourd'hui un musée de la Batellerie, car Auvillar était un port sur le fleuve, mais ça c'était avant...

Prenez garde : le terroir que vous allez fouler dès la sortie d'Auvillar sera de nouveau très amoureux, et vous allez probablement regretter le goudron de la petite route de plaine... A la première ondée, vous aurez quatre livres de glaise langoureusement collées à chaque pied, que vous devrez traîner jusqu'au prochain gîte... D'aucuns disent qu'on porte ainsi le poids de ses péchés... Cependant, en contrepartie de l'effort fourni, vous bénéficierez chaque soir de nourritures et de vins bénis des dieux. Déjà le soir, laissez-vous tenter par le Floc de Gascogne, un apéritif qui vous tirera des larmes.

Auvillar

Messes 1er dim du mois 9h30, 1er et 3ème jeu du mois 9h30
- Accueil pèlerins dans l'église tous les après-midi lun à sam en jul-aoû

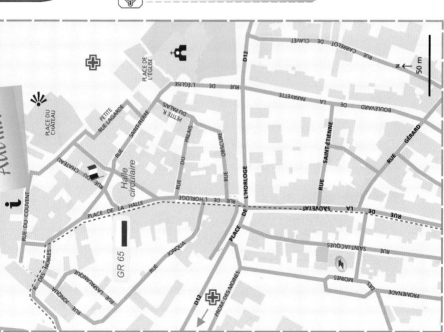

GR 65

PLACE DU CHÂTEAU

PLACE DE L'ÉGLISE

Halle circulaire

RUE DU COUVENT

R. DES MOINES

RUE LASPRALANQUE

RUE JONQUA

PLACE DE LA HALLE

RUE DU CHÂTEAU

PETITE RUE LAGARDE

RUE SAINT-PIERRE

PETITE R. DU PALAIS

RUE DU PALAIS

RUE OBSCURE

RUE DE L'ÉGLISE

RUE DE L'HORLOGE

PLACE DE L'HORLOGE

RUE JONQUA

PROM. DES MOINES

PROMENADE DES MOINES

RUE SAINT-JACQUES

RUE DE LA SAUVETAT

RUE SAINT-ÉTIENNE

BOULEVARD DE LA PAPAYETTE

RUE GÉRARD

RUE CARRELOT DE CLAVET

D12

N ↑ 50 m

PLAN 59

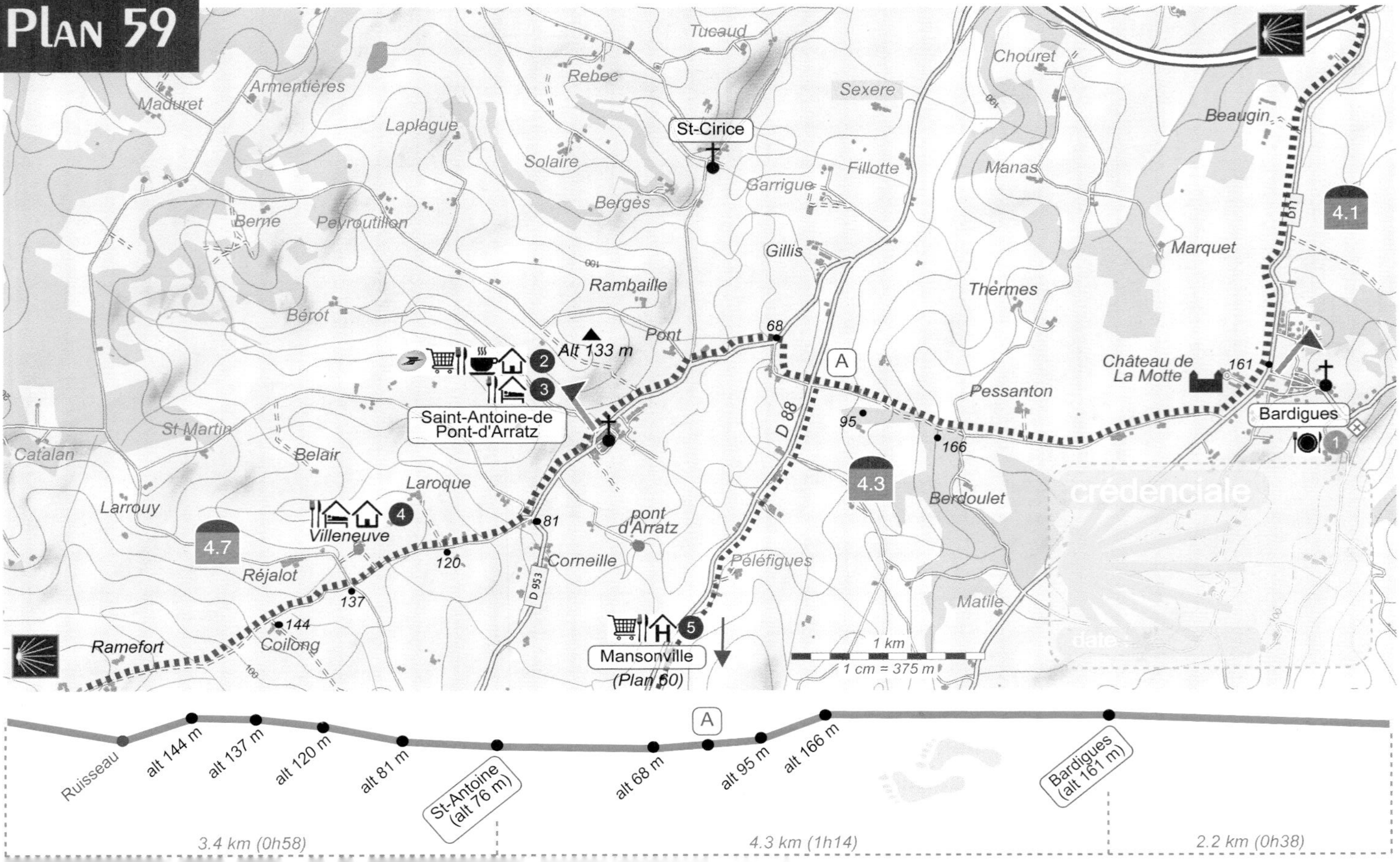

4.1

ⴕ

Bardigues 1

Beaugin

N

Marquet

Château de La Motte

161

Chouret

Manas

Thèrnes

Pessanton

Berdoulet

Matile

Sexere

Fillotte

Garrigue

Gillis

166

Tibeaud

St-Cirice ⴕ

Rebee

Bergès

Solaire

Rambaille

Pont

68

D 88

A

95

Pélèfigues

4.3

1 cm = 375 m

1 km

Laplague

Petroutilhan

Bérot

Belair

Alt 133 m

2 3

Saint-Antoine-de Pont-d'Arratz

pont d'Arratz

Corneille

81

D 953

Mansonville 5
(Plan 60)

A

Armentières

Berne

St-Martin

Laroque

126

Villeneuve 4

137

Réjalot

144

Coilòag

Rameforts

Maduret

Larrouy

Catalan

4.7

crédenciale

date

2.2 km (0h38)		4.3 km (1h14)				3.4 km (0h58)				

Bardigues (alt 161 m)

alt 166 m

alt 95 m

alt 68 m

St-Antoine (alt 76 m)

alt 81 m

alt 120 m

alt 137 m

alt 144 m

Ruisseau

1 Auberge de Bardigues (05-63-39-05-58) 15-25€ (midi semaine), 28-35€ (week-end), fermé dim soir, lun, mar

2 Gîte Le Figuier-Snack-Epicerie-Point Poste Michèle Paysan et Dominique Menier (pèlerins), 14 chemin de Ronde, 32340 Saint-Antoine-du-Pont-d'Arratz (06-41-89-37-64 & 05-62-68-71-65 paysanmichele@yahoo.fr) 12 pl, chauffage 3€, 16€, draps 3€, LL 2€, SL 2€, si difficultés, ouv tte l'année, résa indispensable oct à mars, 15h30 // Snack-Epicerie, boissons, épicerie-dépannage, ouv mar à sam 8h à 18h HS, mar à sam 9h à 12h et 14h à 18h HS, 10h à 12h et 16h à 18h BS

3 Chambre d'hôtes La Maison du Bois, John et Pearl Scott, 32340 Saint-Antoine-de-Pont-d'Arratz (05-62-28-68-15 jonandpearl@hotmail.co.uk) 4 ch, 40-55€, 55-70€, 15€, LL 5€, SL 5€, Auvillar ou Miradoux 30€ et retour, ouv mars à oct, 15h *(1ère maison à gauche après l'église)*

4 Chamin de Traditions Chambre d'hôtes-Gîte privé Ancienne Ferme de Villeneuve, Rose-Anne et Renaud des Courtis (pèlerins), Villeneuve, 32340 Saint-Antoine-de-Pont-d'Arratz (05-62-28-21-75, & 06-10-33-67-99 contact@la-ferme-de-villeneuve.fr) 5 ch, DP 70€, 99€, ouv avr à oct, 148.50€ // Gîte 4 pers, DP à partir de 42€ (linge inclus) // LL & SL, 15h30

5 Hôtel-Restaurant-Epicerie L'Auberge du Saturnin 82120 Mansonville (05-63-04-79-16 lesaintsaturnin@laposte.net) 3 ch, 45€, 55€, 6€, DP 75€, 95€, 16€, épicerie-dépôt de pain, fermé lun soir *(au repère A prendre à gauche la D 88 sur 3.1 km. Le lendemain on retrouve le GR 65 à Flamarens (Plan 60) en prenant la D 3 puis la D 953 sur 4 km)*

Après avoir tangenté l'ancienne bastide de Bardigues et son château du XIIe siècle, vous pénétrerez sur ce Plan un des plus curieux villages du chemin, témoin de la très vieille histoire du pèlerinage de Saint Jacques au cours des siècles passés.

Saint-Antoine-de-Pont-d'Arratz, tel est son nom, est un bourg minuscule qui concentre à lui seul tous les attributs d'une halte pour pèlerins. Au début ce fut une abbaye des Antonins, d'où le célèbre "Tau" qu'on voit dans l'église (et qu'on retrouvera en Espagne peu avant Castrojeriz). Le vieux pont d'Arratz est aujourd'hui dans une propriété privée, caché par des arbres, à 500 m du village. L'ordre des Antonins fut rattaché en 1777 à l'ordre de Malte.

Les moines accueillaient les pèlerins dans leur hospital, toujours debout aujourd'hui après huit siècles, et en entrant dans le village, vous passerez sous le porche de cet établissement vénérable devenue propriété privée.

La petite église se dresse juste à gauche à la sortie du porche, émouvante de simplicité et de majesté. Le chemin traverse ensuite le village, entre deux rangées de maisons à colombages. Presque rien n'a changé ici depuis le Moyen-âge.

En 1993, on s'apprêtait à fermer l'école, quand le renouveau du Chemin a apporté au bourg un souffle économique inattendu. Des cris d'enfants, quelques gîtes d'étape qui accueillent chaque soir une fournée de pèlerins, de jeunes couples qui s'installent, il n'en faut pas plus pour redonner la vie.

Si vous passez là au mois de janvier, vous pourrez admirer une très belle crèche dans l'église, car Saint-Antoine fait partie de la célèbre Ronde des Crèches qui anime tout le canton.

En quittant Saint-Antoine, apprêtez-vous à suivre une belle litanie de villages et de châteaux médiévaux aux quelques étapes : Flamarens, Miradoux, Castet-Arrouy, jusqu'à la perle de Lectoure. Un pays où le bonheur est non seulement dans le pré, mais aussi sur le chemin...

Saint Antoine
Alternance Messes avec Auvillar

PLAN 60

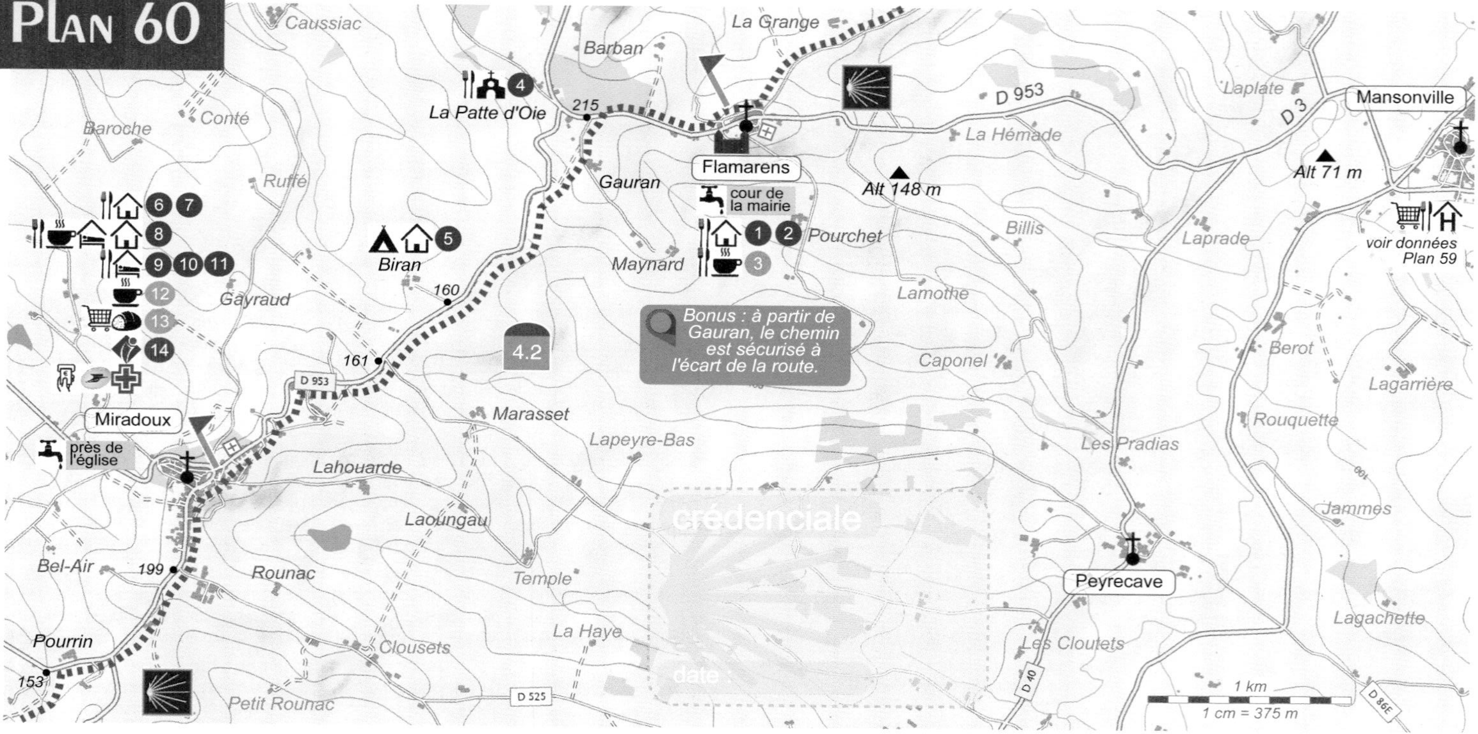

Mansonville

Alt 71 m

D 3

voir données
Plan 59

Laplate

Laprade

Lagarrière

Lagachette

Berot

Rouquette

Jammes

D 86E

1 km

1 cm = 375 m

La Grange

D 953

La Hémade

Billis

Lamothe

Caponel

Les Pradias

Peyrecave

Les Clou|ets

D 40

Alt 148 m

Pourchet

Flamarens
cour de
la maire

1 2

1 2 3

Bonus : à partir de
Gauran, le chemin
est sécurisé à
l'écart de la route.

Gauran

Barban

215

La Patte d'Oie

4

Maynard

4.2

Marasset

Lapeyre-Bas

Grédenciale

date

Caussiac

Ruffé

Conté

Baroche

Biran

5

160

161

Gayraud

D 953

Lahouarde

Laouingau

Clousets

Temple

La Haye

D 525

6 7

8

9 10 11

12 13

14

Miradoux

près de
l'église

Rounac

Petit Rounac

Bel-Air

Pourrin

199

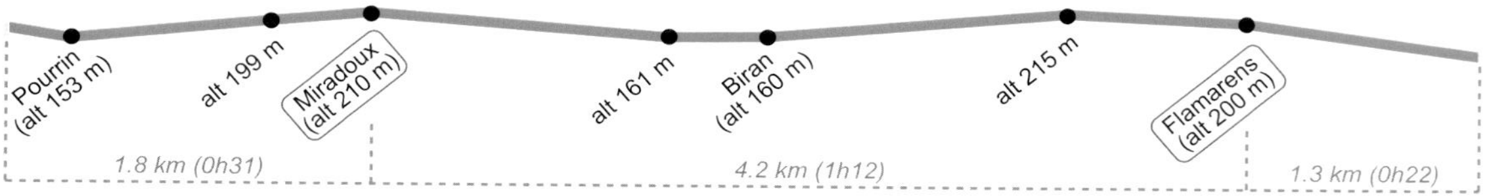

153

Flamarens
(alt 200 m)

1.3 km (0h22)

alt 215 m

4.2 km (1h12)

Biran
(alt 160 m)

alt 161 m

Miradoux
(alt 210 m)

alt 199 m

1.8 km (0h31)

Pourrin
(alt 153 m)

PLAN 60

1 [icons] Gîte Château de Flamarens
Marie-Hélène et Arthur Gadel, 22 Village, 32340 Flamarens (06-20-44-44-48 & 06-20-30-03-52) a.gadel@orange.fr) 15 pl, dortoir ❖ DP 43€, ch de 2 ❖ DP 110€ (draps inclus), 5€, ouv mai à oct, 16h30

2 Gîte Les Artisans du Voyage, Sandra et Damian Vazquez, 11 au village, 32340 Flamarens (06-78-93-55-19) sandra.fillol@gmail.com) 4 pl, 20€, 4€, 11€, 8€, LL 3€, ouv avr à déc, 16h30

3 Le Repos du Pèlerin, place de l'Eglise (Association Traditions Paysannes en Lomagne, Jean-Louis Selleslagh, 05-62-29-30-36 & 07-85-81-70-89) buvette, boissons chaudes-fraîches, sandwiches 3.50€, croustades, ouv avr à sep 10h à 15h

4 Accueil pèlerin Xavier et Isabelle Ballenghien
La Patte d'Oie, 32340 Flamarens (05-62-28-61-13) 4-5 pl maxi, ❖ accueil chrétien des pèlerins au sein de la famille, pas de résa (tél 48h à l'avance seulement), part libre aux frais, ouv tte l'année *(à gauche de la route, 1 km après Flamarens)*

5 Camping à la ferme-Gîte, Philippe Laville, Biran, 32340 Miradoux (06-20-29-90-70 & 05-62-28-64-65) ⚠ 12€, 3 chalets 2-3 pl, 15€ // Gîte, 2 ch, 30€ //, ouv avr à oct, groupes max 6 pers

6 Gîte d'étape Le Patio
Josiane Wachill, 9 place du Foirail, 32340 Miradoux (05-62-28-68-53 & 06-46-24-82-49) josiane.wachill@wanadoo.fr) 12 pl en 5 ch, 16-18€, 5€, 14€ (si resto fermé), LL 3€, SL 3€, ouv 1er avr au 15 nov, 15h

7 [halte vers Compostelle] Gîte d'étape Bonté Divine !
Stéphane Chevillion, 5 rue Porte d'Uzan nord, 32340 Miradoux (05-62-20-50-09-70) contact@bontedivine.net) 8 pl en 2 dortoirs, 16€, 6€, 14€, DP 35€, 2 pl en ch, 28€, 52€, DP 47€, DP 90€, 7€, draps 3€, 6€, LL 3€, SL 3€, ouv avr à oct, 15h *(après les halles, faire 30 pas en descendant la rue d'Uzan Nord, façade à colombages)*

8 Bar-Restaurant-Gîte-Chambre d'hôtes L'Etape
Marie-Line Moussaron, 6 route de Lectoure, 32340 Miradoux (05-62-28-61-43) marieline.moussaron@sfr.fr) 2 gîtes de 2 pl, DP 50€, LL avec part. // Chambres, 2 ch, DP 40€, 80€, 120€ // Resto, 14€ (midi) à 15€ (soir), assiette du pèlerin 10€, ouv tte l'année, resto ouv tous les soirs avr à oct

9 Chambre d'hôtes La Cordalie
Mr et Mme Abbal, 3 place de la Mairie, 32340 Miradoux (05-62-28-84-35 & 06-75-57-49-29) lacordalie@free.fr) 3 ch, 45€, 70€, 15€ (sur résa au resto du village), LL 3€, SL 3€, ouv avr à oct, 15h

10 Chambre d'hôtes Les Tournesols
Josiane Wachill, 4 place de la Halle, 32340 Miradoux (05-62-28-68-53 & 06-46-24-82-49) josiane.wachill@wanadoo.fr) 2 ch, 33-48€, 14€ (si resto fermé), LL 3€, SL 3€, ouv 1er avr au 15 nov, 15h

11 Chambre d'hôtes Ailleurs
Chrystèle Pommies, 12 rue Major, 32340 Miradoux (06-72-66-62-87 & 06-71-44-36-66) chrystele.pommies@sfr.fr) 3 ch, 40-45€, 55-60€, 13€, réflexologie plantaire, ouv jun à oct

12 Café, Mr Bonnet (05-62-28-68-88) fermé dim après-midi

13 Ravitaillement :
- Boulangerie La Farinette Gersoise, sandwiches, fermé dim après-midi et lun
- Epicerie associative de la Place du Foirail (05-62-68-81-76) productions locales en petites portions, fruits, légumes, boissons, etc., tables et bancs à l'extérieur, ouv lun-sam 9h à 12h30 et 16h à 19h, dim 9h à 12h

14 Office de tourisme (le point info se trouve à la mairie) (05-62-28-63-08) mairie@miradoux.org www.miradoux.org *(site sous réserve)*

PLAN 60

Juste après Saint-Antoine, vous allez entrer dans un paysage de douces collines qui fait penser à la Toscane. Ça ne fera que monter et descendre, virer à droite ou contrer à gauche, plein sud-ouest. S'il fait beau le paysage sera fabuleux et les couleurs somptueuses. S'il fait mauvais, branchez votre décrotteur de glaise, parce que ça va coller aux bottes...

On regrettera que dans les années 1960 la sinistre mode du remembrement agricole soit passée par ici afin d'effacer toutes les haies qui morcelaient le paysage. Il reste donc bien peu de boisé dans le département, et bien peu d'arbres pour abriter le pèlerin du soleil quand ça cagnasse. Quant aux chemins de terre qui allaient de ferme en ferme, on les a labourés sans vergogne. C'était pour le progrès, qu'ils disaient... En attendant, la bonne terre file vers le bas...

Notez cependant une bonne initiative du Conseil Départemental du Gers qui a décidé voici une dizaine d'années de racheter une emprise de quelques mètres le long de la route afin que les pèlerins marchent à l'abri des voitures.

Le premier village que vous traverserez sera Flamarens, tout droit sorti d'un conte d'enfance, endormi à l'ombre de son château médiéval. Après bien des abandons et des vicissitudes, le château est aujourd'hui sauvé. Ses toitures incendiées par la foudre sont de nouveau en place et la maçonnerie est protégée. Il n'en est pas de même de l'église Saint Saturnin qui est dans un piètre état. Sa ruine est probablement due à des désordres du sous-sol argileux.

Et puis à une lieue de là, Miradoux, carte postale du Gers. Prenez le temps de faire le (petit) tour de la cité : belles maisons de pierre et de colombages, halle massive, et bien entendu l'église. Cette église a été édifiée à l'emplacement et avec les matériaux du château féodal, dont elle a gardé le donjon comme clocher. Elle contient les reliques de saint Orens dans une chasse d'argent et expose aussi un boulet de canon, souvenir d'une bataille qui a opposé dans le village le prince de Condé et les troupes fidèles au roi de France en 1652. Miradoux possédait au Moyen-âge pour les pèlerins un hospital Sainte Madeleine, tenu par les chevaliers de Saint Jean de Jérusalem, successeurs des Templiers.

Peu après Miradoux vous passerez près des ruines du château féodal de Gachepouy, élevé sur une motte féodale. Ce château était encore en état et habité jusqu'à la guerre 1914-1918. Voyez comme les choses se dégradent vite quand on ne les entretient plus...

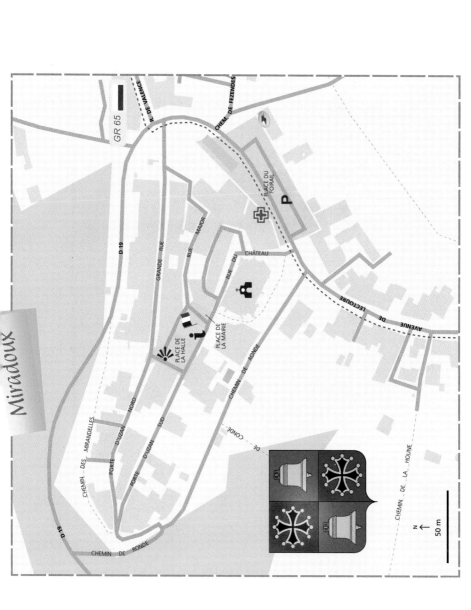

Miradoux

GR 65

R. DE VALENCE
CHEMIN DE FEZENDES

D 19

GRANDE RUE

RUE MAJOUR

RUE DU CHÂTEAU

PLACE DU FOIRAIL
P

PLACE DE LA HALLE

PLACE DE LA MAIRIE

CHEMIN DE RONDE

CHEMIN DES MIRANDELLES

PORTE D'UZAN NORD

PORTE D'UZAN SUD

DE CONDE

AVENUE DE LECTOURE

D 19

CHEMIN DE RONDE

CHEMIN DE LA HOUNE

N
50 m

Plan 61

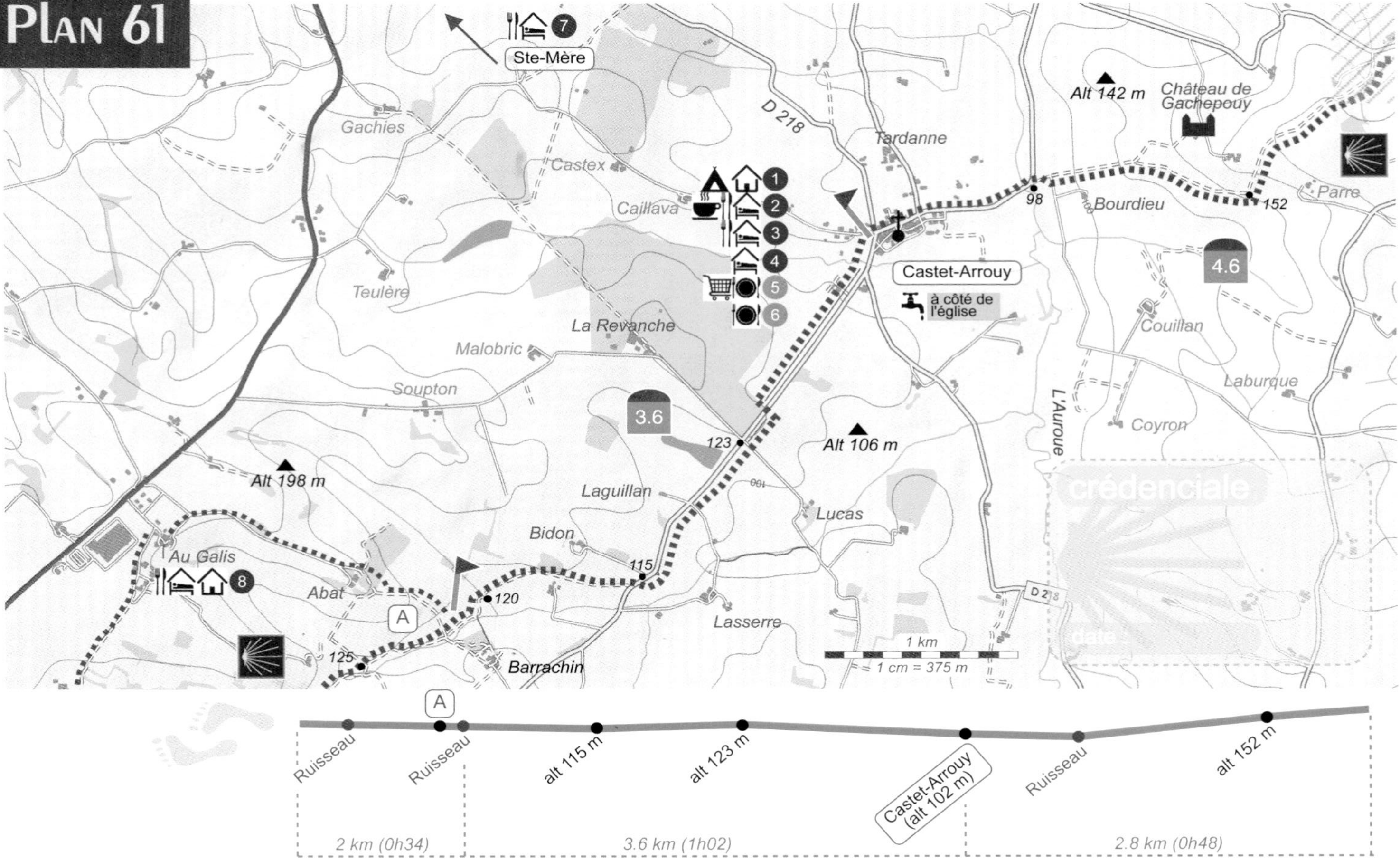

Ste-Mère
7
Gachies
D 218
Tardanne
Alt 142 m
Château de Gachepouy
Castex
Caillava
1
2
3
4
5
6
Teulère
La Revanche
Malobric
Soupton
Castet-Arrouy
à côté de l'église
98
Bourdieu
152
Parre
4.6
Couillan
Laburque
Coyron
L'Auroue
3.6
123
Alt 106 m
Alt 198 m
Laguillan
Lucas
Bidon
115
Au Galis
8
Abat
120
A
Lasserre
125
Barrachin
D 218
1 km
1 cm = 375 m
crédenciale
date
A
Ruisseau
Ruisseau
alt 115 m
alt 123 m
Castet-Arrouy (alt 102 m)
Ruisseau
alt 152 m
2 km (0h34)
3.6 km (1h02)
2.8 km (0h48)

PLAN 61

1 🏳️ [icons] Gîte communal, place de la mairie, 32340 Castet-Arrouy (06-84-92-73-96 & 05-62-29-28-43 ⊠ gitecomcastetarrouy0@orange.fr) 18 pl, ♦ 21€ (⊪ inclus), ⛺ ♦ 6€, tentes à disposition, 🚿, épicerie-dépannage, draps 1€, LL 3€, SL 3€, ouv avr à oct, ⊕ tte la journée mais accueil 17h

2 [icons] Chambre d'hôtes Chez Nat-Pause pèlerins
Nathalie Arnulf, 10 rue des Glycines, 32340 Castet-Arrouy (⊠ nat.arnulf@orange.fr 06-22-39-54-07 & 05-62-29-19-40) 2 ch, ♦ 30€, ♦♦ 52€, ♦♦♦ 72€, ♦♦♦♦ 88€, nov à mars ch partagées ♦♦ 22€ (⊪ inclus), ⦿ 16€ (poss végétarien), LL 3€, SL 2€, ouv tte l'année, sur résa nov à mars // Pause pèlerins, libre part aux frais, boissons chaudes-fraîches

3 [icons] Chambre d'hôtes A la Croisée de Nos Chemins
Florence Testut, 11 rue des Glycines, 32340 Castet-Arrouy (05-62-68-37-80 & 06-78-76-24-45 ⊠ florence.testut@orange.fr) 2 ch, ♦ 40€, ♦♦ 66€, DP ♦ 65€, ♦♦ 116€, ⦿ (local et bio, poss végétarien), 🚿, LL 3€, SL 2€, ouv fin mars à fin oct, ⊕ 15h30 à 16h

4 [icons] Chambre d'hôtes Au Musée d'Albert
Isabelle et Albert Sala, place de l'Eglise, 32340 Castet-Arrouy (06-22-18-42-76 ⊠ aumuseedalbert@gmail.com) 5 ch, ♦ 40€, ♦♦ 60€, ♦ supp 25€, LL 3€, SL 2€, ouv mars à oct (face au restaurant)

5 [icons] Restaurant La Plancha, Patrick Bayonne (05-62-29-12-87) ⦿ 17€, fermé dim et lun, fermé dim 14 jul au 15 aoû, résa conseillée (face à l'église)

6 [icons] Camion pizza le dimanche soir face à l'église

7 [icons] Chambre d'hôtes Au Chien Pèlerin
Pascale Hennebois (pèlerine), 2 chemin du Nord, 32700 Sainte-Mère (06-76-82-05-30 & 05-62-68-95-33 ⊠ auchienpelerin@orange.fr) 3 ch, DP ♦ 90€, ♦♦ 106€, ♦♦♦ 144€, ♦♦♦♦ 180€, LL & SL 10€, ⇆ Miradoux - Castet-Arrouy, bus SNCF ligne Agen-Auch au village Sainte-Mère vers 17h, ouv 3 avr au 26 sep (5 km nord-ouest de Castet-Arrouy par la D 218)

8 [icons] Gîte-Chambres d'hôtes Ty'Galis
Au Galis, 32700 Lectoure (06-14-46-02-48 ⊠ tygalis.lectoure@gmail.com) Gîte 4 pl. ♦ 44€, ♦♦ 52€, ♦♦♦ 73€, ♦♦♦♦ 89€ (draps inclus), 🚿 5€, ⇆ // 2 ch 2-5 pers, ♦ 52€, ♦♦ 68€, ♦♦♦ 97€, ♦♦♦♦ 121€, ♦♦♦♦♦ 140€ ⦿ 12-20€, LL 3€, 🍴 Barrachin et Lectoure, ouv tte l'année, ⊕ 15h (à la hauteur de Barrachin (repère A), monter à droite sur 1.7 km (pancarte "Ty'Galis"). On retrouve le GR 65 à Pitrac (Plan 62) le lendemain)

Encore une lieue de marche et vous traverserez Castet-Arrouy : quelques maisons anciennes et bossues, la belle église Sainte Blandine.

Vous passerez peu après près de la ferme Barrachin, qui accueillait les pèlerins depuis presque trente ans. Dans les années 1990, la famille possédait un chien Berger des Pyrénées qui accompagnait les pèlerins depuis leur gîte jusqu'à Lectoure, puis revenait seul à la ferme y faire une sieste méritée... Le papé et la mamée Esparbès, aujourd'hui disparus, ont laissé à nombre de pèlerins des souvenirs inoubliables de leur table et de leur gîte. Tout y était produit maison, depuis les légumes jusqu'au vin et même la goutte qui a rendu bien des cerveaux brumeux...

C'est grâce au papé Esparbès si l'itinéraire historique du chemin, depuis Castet-Arrouy, a été récréé. Il s'est battu contre tous, FFRP et autorités diverses, pour que le chemin de Saint Jacques retrouve son tracé en faisant racheter des chemins qui étaient devenus privés. Auparavant, c'étaient des kilomètres de goudron fade et brûlant...

Deux heures et trente minutes de marche avant d'apercevoir Lectoure la Belle !

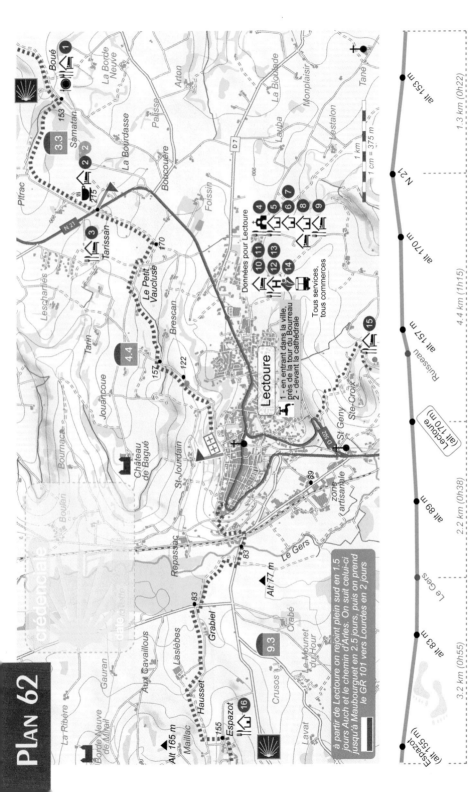

1 👫 🇬🇧 📶 @ 🚲 🅿 Chambre d'hôtes, Ivor et Rosemary Elliott, Boué, 32700 Lectoure (05-62-68-89-49) 2 ch, 🛏 40€, DP 🛏 55€, 🛏🛏 75€, 🛏🛏🛏 105€, (poss végétarien), LL, ouv mars à oct // ÷ 🍴 midi (sur résa avant 10h30) *(panneau "Boué" à droite sur poteau téléphonique. La maison est à 100 m du GR)*

2 👫👫 🚲 🍴 Chambre d'hôtes à la Ferme de Pitrac-Snack
Hélène Laval, Bordeneuve de Pitrac, 32700 Lectoure (✉ fermedepitrac@gmail.com 06-82-96-22-08) 2 ch, 🛏 36€, 🛏🛏 45€, 🛏🛏🛏 55€, 🌡, ouv avr à oct, ⊕ 16h // Snack fermier, produits locaux, salades, fruits, légumes, ouv jul à sep le midi *(sur le GR, au croisement avec la N 21)*

3 🇬🇧 🚲 🍴 Chambre d'hôtes, Ginette & Michel Sellin, Tarissan, 32700 Lectoure (06-78-38-60-60) 5 ch, 🛏 36€, DP 🛏 49€ (produits du jardin), 🌡, LL & SL avec part, ouv tte l'année *(couper la N 21 et continuer le GR sur 50 m)*

4 📶 🚲 🅿 Accueil chrétien au presbytère, Abbé Charles Sawadogo, 30 rue Nationale, 32700 Lectoure (06-49-16-85-84) 10 pl, DP uniquement (nuit+🍴+🍴), libre part aux frais, tél 48h à l'avance maxi, ouv lun de Pâques au 30 sep, ⊕ 15h

5 📶 🚲 🅿 Gîte d'étape Grya, Retno Niti Boucher (pèlerine), 111 rue Nationale, 32700 Lectoure (06-59-22-15-47 ✉ dannh35@gmail.com) 4 pl en 1 ch, 🛏 18€, ⬇ 6€ (sur résa), 🍴 14€ (sur résa 4 jours avant), draps 2.50€, ouv 1er mars au 5 nov, ⊕ 15h

6 📶 🚲 🅿 Gîte d'étape L'Etoile Occitane
Isabel Fournier (pèlerine) 140 rue Nationale, 32700 Lectoure (05-62-68-82-93 & 06-74-45-11-77 ✉ isabelfournier@hotmail.fr) 14 pl en 2 dortoirs et 1 ch, en dortoir 🛏 21€, en ch 🛏🛏 51€, (⬇ inclus), 🌡, LL & SL 5€, draps 2€, poss soins énergétiques & massages sur résa, ouv mi-mars à fin oct, ⊕ 15h

7 👫👫 📶 @ 🚲 🅿 Gîte La Résidence Le Marquisat
Annie et Jean-Yves, côte du Marquisat, 32700 Lectoure (✉ contact@lemarquisat.com 05-62-68-71-27) 25 pl en 5 ch, 🛏 31€, en ch individuelle 🛏 45€, 🛏🛏 62€ (⬇+linge inclus), ⬇ 7€, LL 3€, SL 3€, 🚲 centre ville pour 🍴 ou Office de Tourisme, massages sur résa aux thermes, ouv tte l'année, ⊕ 14h sans résa *(descendre la côte à moitié, le gîte est à gauche)*

8 📶 🚲 🅿 Gîte-Chambres A2 Pas
Anne-Sophie d'Hem, 56 rue Nationale, 32700 Lectoure (✉ contact@a2-pas.fr 06-70-99-37-79) 15 pl en 5 ch, en ch partagée ÷ 🛏 26€, linge 6€ // en ch 🛏 58€, 🛏🛏 68€, 🛏🛏🛏 93€ (⬇+linge inclus) // 🌡, LL 4€, SL 4€, ouv mars à oct, ⊕ 14h30 *(à côté de la cathédrale)*

9 👫👫👫 📶 🚲 🅿 Chambre d'hôtes Le Clos de Lectoure
Joëlle Cazeneuve, 87 rue Nationale, 32700 Lectoure (06-75-42-02-67 & 05-62-68-49-58 ✉ leclos.lectoure@gmail.com) 5 ch, ÷ 🛏 59€, 🛏🛏 70€, 🛏🛏🛏 93€, 🛏🛏🛏🛏 124€, poss 🍴 (sur résa partenariat avec resto voisin), LL 4€, SL 4€, ouv tte l'année, ⊕ 15h, nov à mars uniquement sur résa *(centre-ville face à la halle)*

10 🇬🇧 📶 🚲 🅿 Chambre d'hôtes le Boudoir
Patricia Fourniat, 17 rue du 14 Juillet, 32700 Lectoure (06-75-90-32-81 ✉ patricia.fourniat@gmail.com) 3 ch, 🛏 51€, 🛏🛏 64€, 🛏🛏🛏 91€, 🛏🛏🛏🛏 120€, 🛏🛏🛏🛏🛏 150€, 🛏🛏🛏🛏🛏🛏 180€ // LL 4€, SL 4€, ouv mars à oct sur résa, ⊕ 15h

11 📶 🚲 Chambre d'hôtes de l'Horloge
Béatrice Sager, 101 rue Nationale, 32700 Lectoure (06-76-86-30-42 & 06-98-66-16-64 ✉ beajl.sager@free.fr) 3 ch, 🛏 63-95€, 🛏🛏 73-115€, 🛏🛏🛏 137€, 🛏🛏🛏🛏 159€, ouv tte l'année, ⊕ 15h à 19h

12 *Logis* 🚲 🅿 Hôtel-Restaurant de Bastard***, rue Lagrange, 32700 Lectoure (05-62-68-82-44 ✉ info-booking@hoteldebastard.com) 26 ch, 🛏 à partir de 83€, DP (sur résa seulement) ÷ 🛏 à partir de 99€, 🛏🛏 à partir de 158€, ⬇ 13€, 🍴 25-65€, ⬇ 13€, ⊕ 14h30, hôtel fermé fin déc à début fév // resto fermé dim soir, lun et mardi midi mais ouv de mai à sep dim soir et lun soir pour les clients de l'hôtel *(près de la cathédrale)*

13 ♿ 🇬🇧 📶 🚲 🅿 Hôtel Collège des Doctrinaires****
148 rue nationale, 32700 Lectoure (05-62-68-50-00 ✉ doctrinaires@valvital.fr) 44 ch, 🛏 à partir de 83€, DP 🛏 à partir de 99€, ⬇ 14.90€, 🍴 room-service 24h/24h, 🌡, 🌡, LL, SL, spa thermal 14h à 19h lun à sam et 13h30 à 18h dim, soins, ouv 4 avr au 22 nov, ⊕ 14h

14 @ Office de tourisme, place du général De Gaulle
(http://gascogne-lomagne.com ✉ contact@otgl.fr 05-62-64-00-00)

15 🇬🇧 📶 🚲 🅿 Chambre d'hôtes Blue Heaven
Hans et Monika Reich, Bouhobent, 32700 Lectoure (05-81-68-13-03 & 06-29-70-18-47 ✉ mhreich@gmx.ch) 2 ch, 🛏 45€, 🛏🛏 60€, 🛏🛏🛏 90€, LL 3€, SL 3€, 🐴 Lectoure, ouv tte l'année, ⊕ 15h *(dans les virages de la D 502 en bas de Lectoure, prendre le GR de pays "Coeur de Gascogne" sur 1.2 km, puis la route à droite sur 200 m puis à gauche sur 300 m)*

16 🇬🇧 🚲 🐴 Gîte La Ferme d'Espazot
Catherine Coustols, Espazot, 32700 Lectoure (✉ peregrine32@orange.fr 06-37-64-89-80) 8 pl en 4 ch, 🛏 20€, ⬇ 7€, 🍴 18€, ⬇, ⬇ 8€, ouv tte l'année

Lectoure sera une de vos étapes inoubliables. Quand on voit la cité de loin, perchée sur sa colline, éblouissante de blancheur, quand on chemine au long de ses ruelles entre ombre et soleil, on se dit qu'il s'est trouvé en ce lieu des sages qui ont su préserver la richesse du capital légué par nos anciens, et élever la beauté au rang de standard.

Lectoure était déjà une puissante cité au temps de l'Empire Romain, sous le nom de Lactora, puisque la tribu des Lactorates, installée sur son oppidum, avait préféré s'allier aux Romains. On peut encore voir de cette époque lointaine la fontaine de Diane. Par la suite, la ville connut les affres de la guerre civile et des guerres de Religion, quand chacun voulait rentrer dans le crâne de l'autre la Vérité à grand coup de masse d'armes.

Lectoure comptait au grand temps du pèlerinage quatre temps hospitaux pour pèlerins : Saint Jacques, Saint Esprit, Sainte Catherine et Saint Jean-Baptiste.

On y trouve aujourd'hui de magnifiques demeures et palais de pierre blanche qui entourent la superbe cathédrale Saint Gervais dominée par son clocher à cinq niveaux. Cette cathédrale fut d'abord un temple de la déesse Cybèle, puis un édifice roman, avant d'être transformée en église gothique au XIVe siècle.

Si par bonheur vous avez le temps de faire une pause, faites-la à Lectoure et profitez des Thermes de la ville, où vous irez buller-buller dans des eaux à 42°. Si vous y revenez un jour, allez visiter dans la vieille ville le magasin qui propose les produits à base du célèbre Bleu de Lectoure. Le Belge Henri Lambert s'est installé près d'ici en 1995 pour relancer la culture du pastel et l'extraction du pigment qui possède toutes les vertus. On trouvait autrefois cette couleur délicate sur les charrettes agricoles. Le bleu charron durait des dizaines d'années et éloignait les mouches des animaux de trait.

Et si le temps est au grand beau, levez les yeux vers le sud. Pour la première fois, vous apercevrez l'immense barrière des Pyrénées chapeautée de blanc. Boudiou ça va grimper, chauffez vos mollets...

Lectoure

Cathédrale : Messe 10h45

Couvent de la Providence : Messe lun à sam 11h15

Carmel : Messe 8h sauf lun 18h15 et mer en période scolaire 7h30

Eglise du Saint Esprit : sam 18h

Permanence à la cathédrale 1er mai au 1er oct lun à ven 16h à 18h

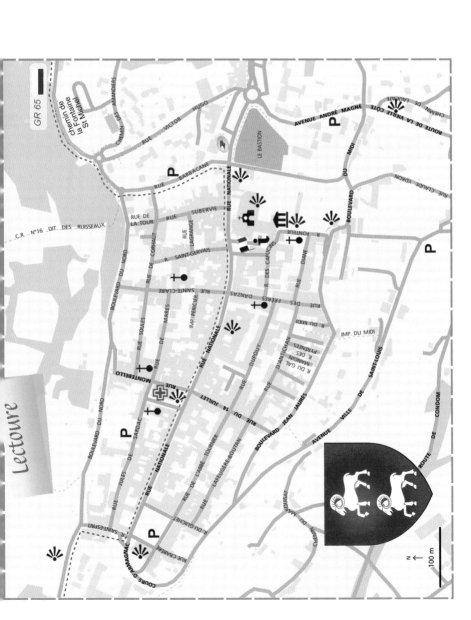

Lectoure

GR 65

chemin de la Fontaine St Michel

CHEMIN DES AMANDIERS

RUE VICTOR HUGO

C.R. N°16 DIT DES RUISSEAUX

RUE DE LA TOUR

RUE SUBERVIE

RUE BARBACANE

RUE DE CORHAUT

RUE LAGRANGE

R. SAINT-GERVAIS

BOULEVARD DU NORD

RUE SAINTE-CLAIRE

IMP. PERICLIER

RUE DE MARES

RUE SOULES

RUE DANZAS

RUE DES FRERES CAPUCINS

RUE DES CAPUCINS

RUE DIANE

R. FONTEILLE

RUE NATIONALE

LE BASTION

AVENUE ANDRÉ MAGNÉ

ROUTE DE LA VIEILLE CÔTE

CHEMIN DE LAUQUÉ

BOULEVARD DU MIDI

RUE CLAUDE YDRON

RUE NATIONALE

RUE DU MIDI

IMP. DU MIDI

R. DU GAL. MANGIN

R. DES PYRENEES

RUE D'ARTICHAU

RUE DUFOUY

RUE DU 14 JUILLET

BOULEVARD JEAN JAURES

AVENUE VILLE DE SAINT-LOUIS

ROUTE DE CONDOM

CHEMIN DE MARSOLAN

BOULEVARD DU NORD

RUE JULES DE SARDAC

RUE NATIONALE

R. DU GUICHET

RUE DE L'ABBÉ TOURNIER

RUE LAFEUGÈRE-BOUTAN

R. SAINT-ESPRIT

RUE CRABÈRE

COURS D'ARMAGNAC

MONTEBELLO

RUE MONTEBELLO

100 m

N

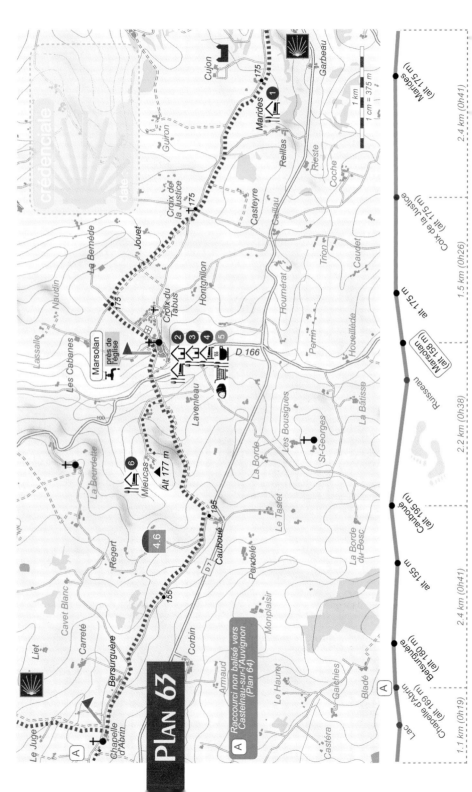

PLAN 63

Raccourci non balisé vers Castelnau-sur-l'Auvignon (Plan 64)

Marsolan · près de l'église

Alt 177 m

4.6

D 166

D 7

crédenciale · date

1 km
1 cm = 375 m

Le Juge · Chapelle d'Abrin · Bersurguère · Regert · Cavet Blanc · Carreté · Liet · La Beaudette · Lassalle · Naudin · Les Cabanes · La Bernède · Jouet · Croix de la Justice · Guiron · Cujon · Garbeau · Croix du Tabus · Hontgrillon · Lavenleau · Mieucas · Cauboué · Pendelé · Corbin · Armaud · Monplaisir · Le Hauret · Blade · Galéties · Castéra · La Borde du Bosc · Le Taslet · Les Bousigues · St-Georges · La Bâtisse · Houeillède · Perrin · Hournérat · Trion · Caudet · Coche · Rieste · Reillas · Gaillau · Casteyre · Marides · 175

Chapelle d'Abrin (alt 169 m)

Lac

1.1 km (0h19)

Beisurguète (alt 160 m)

2.4 km (0h41)

alt 155 m

Cauboué (alt 195 m)

2.2 km (0h38)

Ruisseau

Marsolan (alt 158 m)

alt 175 m

1.5 km (0h26)

Coix de la Justice (alt 175 m)

2.4 km (0h41)

Marides (alt 175 m)

① 🏠 (((⌂ Chambre d'hôtes Marides
Pierre Brecy et Laetitia, Marides, 32700 Marsolan (06-34-27-41-94 & 06-13-44-30-57 ⊠ laetitia.brecy@hotmail.fr) 3 ch, ⚏ DP ♦ 40-50€, ♦♦ 120€, LL 3€, ⌂ ouv mi-avr à fin sep

② 🏠 🏠 🏠 (((⌂ ⌂ Gîte d'étape-Chambre d'hôtes l'Enclos du Tabus, Richard Musset, A l'Enclos, 32700 Marsolan (06-24-90-53-08 & 05-62-68-79-40) Gîte en ch partagées, ⚏ 16€, DP ♦ 36€, draps 2€ // Chambres, 3 ch, ⚏ DP ♦ 60€, ♦♦ 97€, ♦♦♦ 135€ // ⌂, LL 3€, SL 3€, massage 2€ // ch sur résa, fermé jul-aou et en hiver, ⊕ 15h, sur résa (à l'église prendre à gauche jusqu'à la croix du Tabus)

③ 🏠 (((⌂ Gîte Le Bourdon
Philippe, Le Village, 32700 Marsolan (⊠ lebourdondemarsolan@gmail.com 09-54-10-78-68) accueil uniquement pèlerins avec crédenciale, à pied, à vélo, sur résa (pas de voitures accompagnatrices), 12 pl en ch 4 ch, ⚏ 25€, DP ♦ 5€, ⌂ 12€ (sur résa au resto voisin Chemin de Tables) ⌂, LL 3€, SL 3€, ouv 15 avr au 15 oct, ⊕ 15h à 18h (dernière maison du village à gauche)

④ 🏠 (((⌂ Chambre d'hôtes Chemin de Tables
Monique, Au Village, 32700 Marsolan (⊠ chemindetables@gmail.com 09-72-50-70-66) 3 ch, ⚏ DP ♦ 72€, ♦♦ 99€, ⌂ ouv avr à oct, ⊕ 16h

⑤ (((⌂ Restaurant Chemin de Tables-Epicerie-Café-Snack-Dépôt de pain, 32700 Marsolan (09-72-50-70-66) cuisine familiale, omelettes, sandwiches, ⌂ 7.50€, ⌂ 12€ (midi) à 15€ (soir) sur résa, ⌂ (sur résa), ouv 7/7 avr à oct, ⊕ 10h à 14h et 16h à 19h

⑥ 🏠 (((@ ⌂ ⌂ Chambre d'hôtes La Colline du Mieucas
Edith Tardin, Ferme agricole de Mieucas, 32700 Marsolan (05-62-68-90-53 & 06-72-76-70-09 ⊠ edith.tardin@wanadoo.fr) 3 ch, ♦ 72-78€, ♦♦ 77-83€, ♦♦♦ 98-101€, ⌂ 24€, ⌂ (réchauffer), spa-sauna 9€, ⌂ Marsolan, ouv 22 mars au 15 nov sur résa, ⊕ 16h (sur le GR, peu après Marsolan, suivre les panneaux à droite. Raccourci pour récupérer le chemin le lendemain)

Si vous n'avez pas trop abusé de la liqueur d'Armagnac lors du repas d'hier soir, vous parviendrez à quitter Lectoure sans dommage. Sinon, restez au lit tant que vous voyez deux clochers à la cathédrale...

Deux lieues plus loin, vous traverserez le village de Marsolan, une des perles du Gers, village amoureusement restauré depuis quelques années. Puis encore une lieue de campagne bosselée et vous passerez devant la chapelle d'Abrin, aujourd'hui propriété privée, autrefois commanderie des Hospitaliers de Saint Jean de Jérusalem. On peut encore voir dans l'enfeu du mur extérieur le clou où était suspendue la lanterne indiquant l'entrée de l'hospital.

La chapelle d'Abrin se trouve au carrefour historique de deux grandes voies de pèlerinage : celle du Puy, où vous traînez présentement vos guêtres, et celle qui vient de Rocamadour (GR 652 aujourd'hui).

A la chapelle d'Abrin, vous avez la possibilité de couper en allant directement sur Castelnau-sur-l'Auvignon (Plan 64). Mais ce sera grand dommage, car vous louperez alors La Romieu, cette exception médiévale et pèlerine perdue dans les collines de Gascogne.

Comme son nom l'indique, La Romieu, autrefois orthographié l'Arromieu, c'est-à-dire " le pèlerin ", fut une étape sur le chemin des Jacquets vers Compostelle. C'est aujourd'hui un village d'une rare beauté, aux maisons jalousement entretenues.

Lorsqu'on approche de ce village à pied, on est frappé par le contraste existant entre le village lui-même, tout-à-fait modeste, et la monumentale église collégiale qui le domine de ses tours. Cette collégiale est inscrite au Patrimoine mondial de l'Unesco. Elle fut construite au XIVe siècle par le cardinal d'Aux, originaire de la petite cité, sur ses deniers personnels. Il était cousin du pape Clément V, lui-même gascon, qui le prit avec lui comme camérier. Un cloître à quatre galeries est adjoint à l'édifice. C'est là que méditaient les chanoines affectés au service de la collégiale. On peut grimper les 168 marches menant au sommet d'un des clochers pour bénéficier d'une vue superbe sur la campagne environnante. A la Révolution, le chapitre de chanoines disparaît et l'église collégiale devient église paroissiale. La Romieu possédait aussi un hospital Saint Jacques pour accueillir les pèlerins.

Vous verrez dans les rues de La Romieu de nombreuses statues de chats, taillées et placées là par le sculpteur Maurice Serreau, qui était venu vivre sa retraite au village.

Une lieue et demi plus loin, vous passerez dans le minuscule village de Castelnau-sur-l'Auvignon, dominé par les ruines imposantes de son château-fort. Ce village fut en 1944 le lieu d'un féroce combat entre le maquis local et l'armée allemande, qui incendia les maisons en souvenir de son passage.

Peu après Castelnau, vous ferez une halte à la petite chapelle Sainte Germaine, blottie dans son enclos, d'une émouvante simplicité.

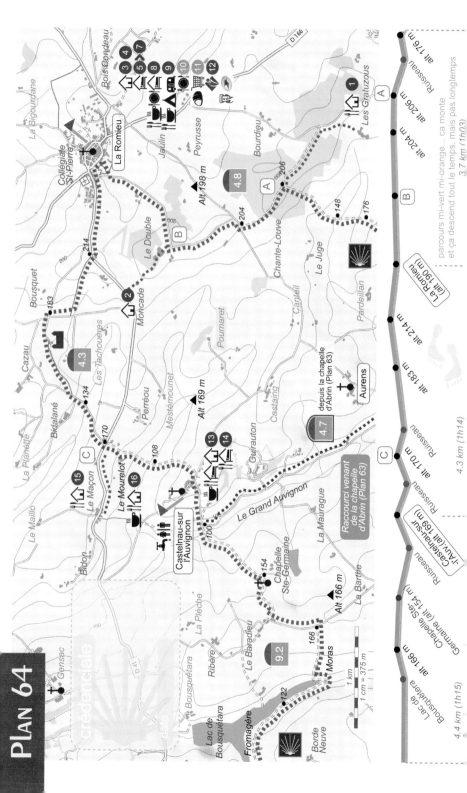

PLAN 64

parcours mi-vert mi-orange... ça monte et ça descend tout le temps, mais pas longtemps
3.7 km (1h03)

La Romieu (alt 190 m)

4.3 km (1h14)

Castelnau-sur-l'Auv (alt 169 m)

4.4 km (1h15)

alt 176 m — Ruisseau
alt 206 m
alt 204 m
alt 214 m
alt 183 m
Ruisseau
alt 170 m
Ruisseau
Chapelle Ste-Germaine (alt 154 m)
alt 166 m
Ruisseau
Lac de Bousquétara

La Bigourdane
Bois Condeau
La Romieu
Collégiale St-Pierre
Jaulin
Peyrusse
Alt 198 m
Les Gratuzous
Bourdieu
206
Chante-Louve
148
176
Le Double
Bousquet
183
Moncade
214
Cazau
Les Tachoueps
Perréou
Mestémounet
Alt 169 m
Poumaret
Capteil
Le Juge
Pardeillan
depuis la chapelle d'Abrin (Plan 63)
Aurens
La Plamette
Bidalané
134
170
Le Maçon
Le Mourelot
108
Guirauton
Castaing
Le Maillo
Bidon
Castelnau-sur-l'Auvignon
Le Grand Auvignon
La Maurague
Raccourci venant de la chapelle d'Abrin (Plan 63)
Gensac
La Plèche
Ribère
"Le Baradieu
100
154
Chapelle Ste-Germaine
Alt 166 m
La Barthe
crédenciale
Bousquétara
Lac de Bousquétara
Moras
166
Fromagère
122
Borde Neuve
1 km
1 cm = 375 m

4.8
4.3
4.7
9.2

1 Gîte Ferme de Gratuzous, Mme Tichané, 32480 La Romieu (05-62-28-22-88 & 07-80-01-57-52 gratuzous@hotmail.com) 6 pl en 2 ch, 16€, 5€, 15€, DP 35€ (draps inclus), LL, ouv mai à oct, résa obligatoire *(au repère A prendre le suivant en suivant 1.2 km)*

2 Gîte de Beausoleil**, Isabelle et Oscar, Moncade, 32480 La Romieu (06-71-58-50-21 locoupey@club-internet.fr) 35 pl en ch 2-5 pers, en 5 pers 20€ (draps inclus), en ch 2 pers 20€ (draps inclus), LL, ouv tte l'année, 12h *(au repère B suivre les panneaux à gauche sur 500 m)*

3 Gîte d'étape privé Couvent de La Romieu (ancien couvent), Frédérique Larribeau, rue Reglat, 32480 La Romieu (06-88-47-36-17 & 05-62-28-73-59 leveupas@orange.fr) 10 ch 1-2 pers, 36€, 54€ inclus-lits faits), 12€, LL+SL 7€, ouv 1er avr au 1er oct, 14h30

4 Gîte le Refuge du Pèlerin, Laurent Foltran, rue du docteur Lucante, 32480 La Romieu (06-43-12-81-01 laurentfoltran@orange.fr) 6 pl en 3 box, 15€, 5€, LL 2€, ouv tte l'année, 12h *(face à la collégiale Saint-Pierre)*

5 Chambre d'hôtes Boisson, Christine Boisson, boulevard Quintilla, 32480 La Romieu (06-73-16-63-61 christineboisson0908@orange.fr) 1 ch, 30€, 44€, 60€, 70€, LL 3€, ouv tte l'année

6 Chambre d'hôtes Le Perrouet, Jean-Michel Masson, rue Delor, 32480 La Romieu (05-81-68-13-11 & 06-67-03-60-46 masson.jeanmichel@sfr.fr) 1 ch, 50€, 70€, LL & SL, ouv tte l'année

7 Chambre d'hôtes Au Bon Repos, Léon Pujau, boulevard Betous, 32480 La Romieu (06-09-21-69-78 & 06-78-96-15-26 leon.pujau@gmail.com) 2 ch, 60€, LL 2€, SL 3€, ouv avr à oct, 15h

8 Chambre d'hôtes-Café-Restaurant l'Etape d'Angeline, Mr Martin, place Bouet, 32480 La Romieu (etapeangeline@orange.fr 05-62-28-10-29 & 06-69-63-88-99) 5 ch, 52€, 68€, 81€, 96€, 15h // Café-Resto, à partir de 19€, ouv 7/7 HS, fermé mer BS

9 Castel Le Camp de Florence-Camping-Resto****, Au Camp, 32480 La Romieu (05-62-28-15-58 info@lecampdeflorence.com) 18-38€, poss dans verger 8-9€ // DP en ch 65-85€, 117€, 157.50€, 194€ // 7€, 19€, 12€, LL 5€, SL 3€, ouv 24 avr au 26 sep, resto ouv lun à ven soir, sam-dim midi et soir, fermé mardi, snack ouv le soir 7/7 et en jul-aou midi et soir

10 Restaurant Le Cardinal, place Bouet (05-62-68-42-75) 16-25€, ouv 7/7 jul-aou, fermé lun, fermé déc à début mars

11 Ravitaillement : Boulangerie Le Fournil de la Romieu, fermé mer et dim après-midi // Epicerie Saveur et Qualité, fermé dim après-midi, ouv dim 18h à 19h15 mai à sep

12 Office de Tourisme, place Etienne Bouet (www.gascogne-lomagne.com 05-62-64-00-00 contact@otgl.fr) ouv seulement en saison, BS voir Office de Lectoure

13 Gîte-Chambre d'hôtes Les Arroucasses, Jeanine Rodriguez, 32100 Castelnau-sur-l'Auvignon (05-62-68-12-24 jeaninne32@hotmail.fr) Gîte, 10 pl en ch 3 pers, DP 37€, draps 2€, LL 3€ // Chambres, 3 ch, DP 70€, 100€ // Pause pique-nique, abri, sandwiches, omelettes, ouv avr à oct tte la journée

14 Chambre d'hôtes La Maison du Lézard Sylvia Schneider, au Village, 32100 Castelnau sur l'Auvignon (05-62-68-26-75 & 06-56-79-37-92 sylvia@maison-du-lezard.fr) 2 ch, 30€, 60€, 90€, 15€, LL & SL, ouv tte l'année, 15h *(face au monument aux morts)*

15 Gîte d'étape Le Relais du Maçon, Nicole Pillon, Le Maçon, 32100 Castelnau-sur-l'Auvignon (06-16-93-84-70 n.pillon80@laposte.net) 15 pl en 5 ch, 20€, 23€, DP 33-45€, 8€ (inclus), 14€, épicerie-dépannage, draps 5€, LL 3€, SL 3€, La Romieu ou Castelnau, ouv mars à nov, 15h *(au croisement avec la D 41 (repère C) prendre à droite sur 300 m. Le lendemain, raccourci pour la chapelle Sainte-Germaine)*

16 Accueil bénévole Donativo à L'Ancre, Jean-Pierre, Le Mourelot, 32100 Castelnau-sur-l'Auvignon (06-40-05-10-48) 5 pl en 1 ch, nuit+ +part libre au frais, résa maxi 48h à l'avance, LL, poss en dépannage, ouv tte l'année // poss pique-nique, boissons

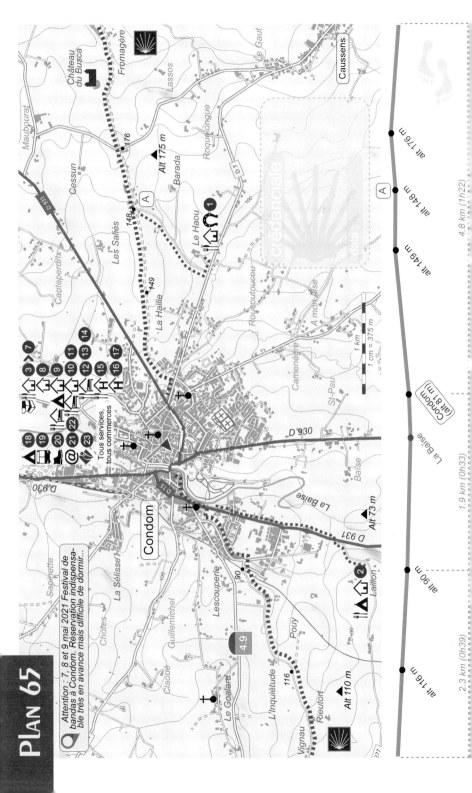

PLAN 65

Attention : 7, 8 et 9 mai 2021 Festival de bandas à Condom. Réservation indispensable très en avance mais difficile de dormir...

Tous services, tous commerces

Caussens

Condom

Château du Busca

Fromagère

Maubourat

Gessun

Captteperdrix

Les Sallès

La Haille

Lassos

Le Gaut

Roquelongue

Barada
Alt 175 m

Le Haou

A

Camenègre

St-Pau

Rouyoutouceur

A mort'ise

176

148

149

D 7

1

D 930

La Sapirette

Chôtes

La Sélisse'

Guillemichel

Lescouperle

Claode

Le Goalard

Pouy

L'Inquiétude

Vignau

Rieutort

Laitton

La Baïse

D 931

Alt 73 m

D 930

D 931

Alt 110 m

116

90

2

1 km
1 cm = 375 m

Barada

alt 176 m

A

alt 148 m

alt 149 m

Condom (alt 81 m)

La Baïse

alt 90 m

alt 116 m

4.8 km (1h22)

1.9 km (0h33)

2.3 km (0h39)

3 7 8 9 10 11 13 14 12 15 17 16

18 19 20 21 22 23

4.9

crédenciale
date

PLAN 02

1 🏇 Gîte Domaine du Haou-Centre Equestre L'Etrier Condomois
Accueil sans/avec chevaux, Mr Defrancès, route de Lectoure, 32100 Condom (05-62-28-09-41 ✉ info@etrier-condomois.fr) 20 ch 2-4 pers, 🛏 40€, ⚡ 45€ en ch 2 pers (draps inclus), LL 5€, 🍽 10€, 🍷 5€ (enclos), 10€ (box), ouv tte l'année *(1 km avant Condom (repère A) prendre à gauche un chemin sur 1.1 km)*

2 🏇 Gîte-Camping à la ferme, Mme Danto, ferme de Laillon, route d'Eauze, 32100 Condom (06-07-69-14-19) Camping, 🛏 10.80€, 2 caravanes 16€, 2 mobil-homes 🛏 22€ // Gîte, 12 pl, 🛏 14€, 🍷 5.50€, 🍽 14€, LL 3.80€, camping fermé 21 déc au 21 mars sauf résa, gîte ouv tte l'année sur résa *(prendre D 931 sur 1.9 km, puis D 277 à droite sur 500 m puis chemin à gauche)*

3 ♿ 🏇 Gîte de Gabarre, Mr et Mme Lanxade, 42 bis avenue des Mousquetaires, 32100 Condom (✉ contact@gitedegabarre.com 06-86-41-58-39) 40 pl, 🛏 17€, 🍷 5.50€, DP 🛏 37€, 🍽 6€, épicerie-dépannage, dépôt de pain sur résa, draps 6€, ouv mi-avr à oct, sur résa pour le code d'accès *(suivre le chemin de halage de la Baïse. Le gîte est au bord de l'eau à la sortie de Condom)*

4 🏇 Gîte de l'Ancien Carmel (association), 35 avenue Victor Hugo, 32100 Condom (05-62-29-41-56 ✉ accueil@anciencarmel.com) 15 pl en ch 1-2-3 pers, 🛏 25€ (🛏+linge inclus), DP 🛏 37€ (poss végétarien), 🍽 6€, LL 3€, ouv avr à oct, 🕐 14h, fermé semaine du 15 aou, sur résa BS *(suivre panneaux fléchés)*

5 @ 🏇 Gîte Le Relais Saint Jacques, Laurent et Arnaud Crassous, 2 avenue du maréchal Joffre, 32100 Condom (06-21-78-47-86 & 06-13-28-52-66 ✉ laurent_crassous@orange.fr) 15 pl en ch 1-2-3-4 pers, 🛏 20-25€ (🛏 inclus), 🍽 15-20€, *(légumes bio du jardin, pâtes, œufs offerts)*, 🍷 5€, LL 4€, SL 4€, ouv tte l'année

6 🏇 Gîte La Halte du Kiosque, Fabienne, 2 square Salvandy, 32100 Condom (✉ contact@lahaltedukiosque.fr 06-84-32-30-01 & 05-31-10-37-76) 10 pl en ch 2-3-4 pers, 🛏 19€, 🍷 5€, 🍽 11€ *(végétarien sur résa)*, DP 🛏 82€ en ch individuelle, 🍷 6€, draps 3€, LL 3€, SL 3€, ouv avr à oct, ouv mars *(2mn de la cathédrale, jardin public face au cinéma)*

7 🏇 Gîte d'étape Le Réconfort, Franck, 12 avenue des Anciens Combattants, 32100 Condom (✉ lereconfortcondom@gmail.com 06-71-70-15-80 & 05-31-10-30-04) 🛏 ch 2 pers, 🛏 15€, 🍷 6€, DP 🛏 34€, en ch individuelle 🛏 50€, 🍽 75€, DP 🛏 80€, 🛏 120€ (🛏 inclus), 🍽 15€, 🍷 6€, LL 3€, SL 3€, 🐕 si difficultés, ouv mars à nov 🕐 14h, sur résa BS

8 🏇 Gîte d'étape L'Aller Simple, Michel Lamarque, 14 place de la Liberté, 32100 Condom (05-62-28-27-31 & 06-82-59-06-52 ✉ gite.aller.simple@gmail.com) 8 pl en 2 dortoirs, 🛏 15€, 🍷 6€, 🛏, 🍷 2.50-6€, linge 2€, LL 2€, SL 2€, ouv avr à oct

9 🇫🇷🇬🇧 🏇 🔔 Gîte Le Champ d'Etoiles, Véronique et Jean-Marc (pèlerins), 18 avenue du maréchal Joffre, 32100 Condom (06-08-05-26-84 & 07-60-55-78-29 ✉ lechampdetoiles@gmail.com) 14 pl en 3 dortoirs et 1 ch, en dortoir 🛏 17€, DP 🛏 34€, en ch, 🛏 🍷 7€, DP 🛏 24€ // 🛏 5€, 🍽 15€ *(poss végétarien)*, 🛏 6€, LL 3€, SL 3€, 🐾 soins énergétiques-massages sur résa, ouv tte l'année 🕐 7h

10 🇫🇷🇬🇧 🏇 @ 🏇 Gîte-Chambre d'hôtes, Hélène Baron, 7 rue Parguère (entrée), 32100 Condom (06-64-54-81-86 ✉ helenebaron32@gmail.com) Gîte 3 pl, 🛏 90-125€ (🛏+linge inclus) // Chambres, 3 ch, 🛏 55€, 🛏 60€, 🍷 95€, 130€ // 🍽 15-20€, 🛏, LL & SL 5€, ouv tte l'année sur résa, 🕐 15h

11 🇫🇷🇬🇧 🏇 Chambre d'hôtes-Gîte d'étape Au Plaisir d'Etape, Philippe et Corinne Antoine, 37 boulevard Clémenceau, 32100 Condom (06-42-31-84-17 & 06-30-74-71-88 ✉ contact@auplaisirdetape.fr) Gîte d'étape, 10 pl en 2 dortoirs 4 pers et 1 ch 2 pers, en dortoir 🛏 20€, en ch 🛏 25€, 🛏 5€ // Chambre, 🍷 90€ // Gîte 4 pl, 🍷 120€ draps 5€, 🛏 🍽 15€, LL 1€, SL 1€, ouv mars à oct, 🕐 15h

12 🇫🇷🇬🇧 🏇 Chambre d'hôtes La Maison de Marie, Marie Vitrou-Durbas, 30 avenue de Prouillan, 32100 Condom (✉ marievd@wanadoo.fr 06-74-15-07-13 & 05-62-28-23-54) 2 ch, 🍷 40€, 🍷 55€, 🍽, en dépannage 12€, 🐾, massages des pieds, ouv tte l'année *(à l'entrée de Condom, 200 m du GR)*

13 🇫🇷🇬🇧 🏇 @ 🏇 Chambre d'hôtes Les Angelots, Murielle et Denis, 3 quai Laboupillère, 32100 Condom (✉ lesangelots.32@orange.fr 05-62-28-82-02 & 06-71-11-02-93) 5 ch, 🍷 45-60€, 🍷 50-65€, 🍷 83€, 🍷 100€, 🍽 23€ *(priorité bio)*, 🛏 7€, LL 3€, SL 3€, ouv tte l'année

14 🇫🇷🇬🇧 🏇 Chambre d'hôtes Whitechapel****, Laurent et Arnaud Crassous, 48 boulevard de la Libération, 32100 Condom (✉ laurent_crassous@orange.fr 06-21-78-47-86 & 06-13-28-52-66) 5 ch, 🛏 40€, 🍷 50€, 🍷 75€, 🍷 100€, 🍽 15-20€ *(légumes bio du jardin-pâtes-œufs offerts)*, 🛏 5€, LL 4€, SL 4€, ouv tte l'année *(sur le GR)*

15 ♿ 🏇 🇫🇷🇬🇧 🏇 Hôtel-Restaurant Continental***, 20 rue du maréchal Foch, 32100 Condom (✉ lecontinental@lecontinental.net 05-62-68-37-00) 29 ch, DP 🛏 69-134€, 🛏 108-169€, 🍽 13.50€ (midi semaine) à 35€, 🛏 10€, spa-sauna-massages sur résa, LL & SL 8€, ouv 7/7

16 🇫🇷🇬🇧 🏇 Hôtel Les Trois Lys***, 38 rue Gambetta, 32100 Condom (05-62-28-33-33 ✉ info@lestroislys.com) 12 ch, 🍷 60-65€, 🍷 80-200€, 🛏 10€, ouv 7/7 du 2 fév au 2 jan

Suite Condom page suivante ../..

17 🏴 Hôtel Logis des Cordeliers** Denis et Nathalie Boulanger, rue de la Paix, 32100 Condom (05-62-28-03-68 ✉ info@logisdescordeliers.com) 21 ch, 48-78€, 🍴 8€, ouv 7/7, fermé jan

18 🏕️ Camping municipal de l'Argenté***, chemin de l'Argenté, route d'Eauze, 32100 Condom (05-62-28-17-32 ✉ camping.municipal@condom.org) 10-12€, LL, ouv avr à sep (tarifs sous réserve)

19 Gare routière, 19 boulevard de la Libération

20 Caminoloc, Philippe et Serge (pèlerins) 1 place du Souvenir (05-62-68-40-10 www.caminoloc.com) location et vente chaussures, matériel et équipement de rando, ouv 15 mars au 15 nov, 7/7 11h à 19h *(à l'entrée de la rue piétonne Gambetta)*

21 📶 @ Cyber-Café Jeux m'Inform (05-62-68-39-92 ✉ jeuxminform@free.fr) imprimante 3D (impression de clips pour sac à dos, etc…), ouv mar à sam 14h à 19h et mer 9h à 12h

22 @ Point Internet-Point Info Jeunesse, boulevard de la Libération (✉ jeunesse@cias-tenareze.fr 05-62-68-30-46) en période scolaire ouv mar 10h à 12h30, 14h à 15h30 et 17h à 18h, mer 9h30 à 12h30 et 13h à 16h, jeu 13h à 16h, ven 13h à 16h et 17h à 18h, sam 9h - 12h et 13h à 16h, pendant vacances scolaires ouv lun à sam 9h à 12h et 14h à 18h (sous réserve) *(à côté de la gare routière)*

23 📶 Office de tourisme 5 place Saint-Pierre (05-62-28-00-80 ✉ contact@tourisme-condom.com www.tourisme-condom.com) borne de rechargement téléphones

---

Condom est une bien jolie cité sur le chemin. En-dehors de son nom, qui fait se plier de rire les pèlerins anglo-saxons adorateurs du caoutchouc érotique, la ville va vous offrir de somptueux cadeaux : le centre historique restauré avec goût, les belles maisons de pierre blonde, la Baïse qui serpente au cœur de ville et la cathédrale qui veille sur les toits de tuile rouge.

La rivière Baïse est canalisée et mène à la Garonne. C'est elle qui a permis à l'Armagnac, cet alcool béni des dieux, la plus ancienne eau-de-vie de France, d'être exporté par péniche vers Bordeaux et de faire la prospérité de la cité. On y trouve d'ailleurs un musée de l'Armagnac, avec un pressoir de 18 tonnes aux proportions gigantesques.

Condom compta au Moyen-âge jusqu'à six hospitaux pour pèlerins, d'ici à dire qu'ils venaient plus en ce lieu pour la liqueur que pour les reliques… Ce sont d'ailleurs les pèlerins de Compostelle qui ont répandu la réputation de la liqueur d'Armagnac dans toute l'Europe… Plus on picolait, moins on avait mal aux ampoules…

La cathédrale Saint-Pierre a été bâtie dans les années 1500. Vous noterez sa nef unique, qui en fait un véritable vaisseau de pierre, sa voûte aux clés sculptées et dorées, et ses flamboyants vitraux. Le cloître est adjacent, mais il est bien austère…

Fi de cette austérité, vous profiterez de la halte pour goûter la gastronomie gasconne et ses parfums diaboliques. N'espérez pas y faire un régime et laissez-vous simplement aller au bonheur d'un succulent repas et d'un bon vin de terroir. Confits, foie gras, magrets noyés dans le Madiran, Jurançon ou Tursan.

Attention : le second week-end de mai se tient à Condom le festival de bandas, ces fanfares qui font danser et trépigner toute la population. N'espérez pas dormir si vous faites halte à cette période… Et n'espérez pas marcher le lendemain si vous avez fait la fête…

Petit aparte sur la dignité de « chanoine » dont nous parlerons souvent tout au long du chemin : les chapitres ou collèges de chanoines étaient souvent fondés par un seigneur local, qui leur attribuait une église, des demeures, des revenus fonciers (les fameuses "prébendes"). En contrepartie, les chanoines étaient obligés de réciter chaque jour messes et offices, de chanter les psaumes, notamment pour l'âme du seigneur après sa mort. Celui-ci, ainsi que sa famille, était enterré dans l'église et pouvait dormir tranquille pour l'éternité, protégé par un rideau de prières.

✞ Condom

Cathédrale : Messe dim 10h30, en semaine 18h lun à ven avr à nov - Vêpres 17h

Permanence mai à sep lun-jeu 15h à 17h

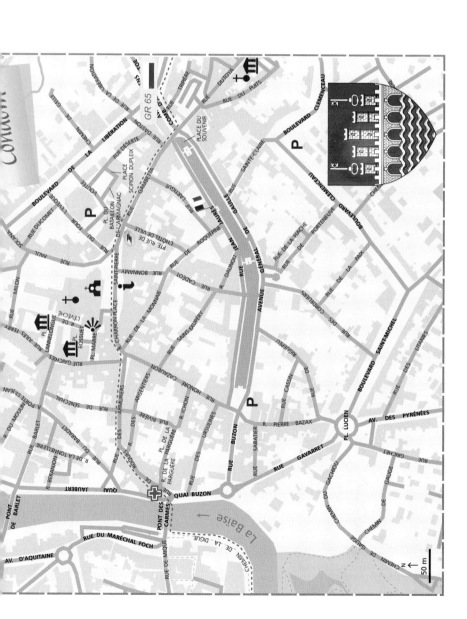

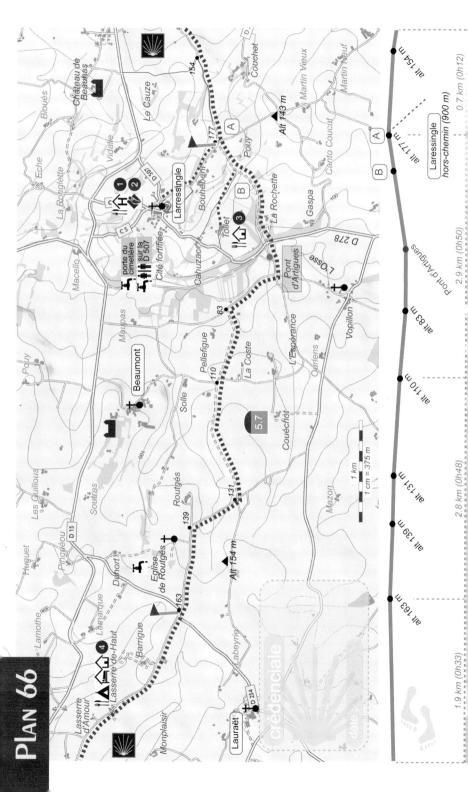

Plan 66

1 & **Logis** 〰️ ▪️ ◻️ 📶 🅿️ 🛗

Hôtel-Restaurant Auberge de Larressingle***, Coulomet, 32100 Larressingle (05-62-28-29-67 ✉️ contact@auberge-de-larressingle.fr) 12 ch, 80-120€, 🛏️109-152€, 🍴138-184€, 🍽️ 15-22€, spa-sauna-hamman, ouv déb. mars à fin nov 7/7

2 Point Info (05-62-28-00-80) ouv mai à sep

3 🏠 Gîte-Accueil à la Ferme authentique de Tollet

Mr et Mme Carrère, Tollet, 32100 Larressingle (05-62-28-02-45 & 06-87-36-04-34 Attention : pas de résa sur répondeur) 5 ch, ch partagée 2 pers 🛏️ 20€, 🍽️ 3€, 🍴, DP 🍴36€ (linge inclus), 🍽️ 12.50€ (produits de la ferme, dégustation en chais, 🛒 sur le chemin, ouv tte l'année *(au repère B quitter le GR par un chemin à droite sur 500 m et suivre le fléchage)*

4 ♂️♂️♂️♂️ 🛏️▪️◻️🅿️🛗 📶 🏳️ 🇬🇧🏴 🛗 🚲 ♿ ⛽

Chambre d'hôtes-Gîte d'étape Agapé du Gers Stéphanie Molès (pèlerine), Lasserre de Haut, 32250 Montréal-du-Gers (06-22-78-68-80 ✉️ agape.du.gers@gmail.com) Chambres, 5 ch, 🛏️ 45-65€, 🍴 70-80€, DP 🍴65-85€, 🛏️ 110-120€ // Gîte, 8 pl en 2 dortoirs, ⚡🍴 20€, DP 🍴 38€, 🛗 // 🏕️ 🍴 10€ (douche+🛗) // ouv mi-mars à mi-oct, 🕒 15h *(sur le GR)*

Cette étape pourrait être une douce promenade sur les chemins du Gers, mais c'est sans compter Larressingle. Curieusement maintenue hors-chemin par l'itinéraire officiel du GR 65, cette petite Carcassonne mérite pourtant le kilomètre de détour. Les amoureux du patrimoine n'hésiteront pas l'ombre d'une semelle et quitteront le chemin au repère A sur le Plan, d'autant qu'on peut se restaurer dans la cité…

Larressingle est un village-château-fort resté presque intact après des siècles d'histoire. 300 mètres de murailles, les fossés, le donjon, tout est là : ne manquent plus que les hordes de pèlerins franchissant la barbacane et quelques pintes d'huile bouillante lancée des mâchicoulis sur les collecteurs d'impôts…

C'est pour cette raison que la forteresse est classée comme « un des plus beaux villages de France ». Avant la Révolution le château avait été dépouillé de ses charpentes et toitures, n'ayant plus de rôle militaire, et se trouvait au début du XXe siècle en grande décrépitude. C'est Edouard Napoléon César Edmond Mortier, duc de Trévise, arrière-arrière-petit-fils du maréchal d'empire Mortier, qui finança la sauvegarde et la restauration de la forteresse, aidé en cela par des fonds américains.

Poursuivant le chemin après Larressingle, vous franchirez sur la rivière Osse le pont d'Artigues, lourdement chargé d'histoire, récemment restauré et inscrit au Patrimoine mondial de l'Unesco. Près de ce pont fut autrefois un hospital pour pèlerins. Il fut la propriété du diocèse de Santiago, puis des chevaliers de Saint Jacques de l'Epée Rouge, puis des Chevaliers de Saint Jacques de la Foi et de la Paix, tous ces gens-là prélevant un droit de passage aux pèlerins qui ne voulaient pas se mouiller les pieds d'eau de la rivière.

Un peu plus loin vous passerez près de la modeste église de Routgés, à l'abri de son enclos. La légende dit que la seconde porte de l'église, plus petite, était celle par où devaient entrer ceux qu'on appelait autrefois les "cagots" dans le sud-ouest. C'était une partie de la population, traitée en parias, dont on ne connaît pas l'origine exacte, descendants de Maures ou lépreux… L'ostracisme à l'égard des cagots n'a cessé qu'au début du XXe siècle, l'oubli ayant fait son œuvre.

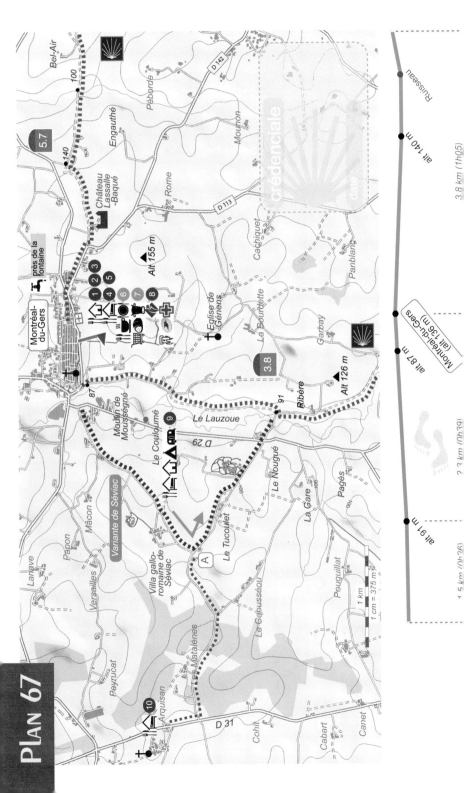

PLAN 67

Bel-Air

Péborde

Engauthé

Mounon

D 142

5.7

Château
Lassalle
-Baqué

Rome

D 113

Cachiquet

Panblang

Alt 155 m

près de la
fontaine

Montréal-
du-Gers

1 2 3
5
4
6 7 8

Église de
Génens

La Bourdette

Garbay

3.8

87

Moulin de
Mousségué

Le Couloumé

9

Le Lauzoue

91

Ribère

Alt 126 m

Variante de Séviac

Mâcon

Papon

Lanave

Versailles

Peyrucat

Villa gallo-
romaine de
Séviac

Le Tucollet

Le Nougué

La Gare

Pagès

Le Goussèou

A

D 29

D 31

Matalènes

Arquisan

10

Cohit

Pouguillat

Cabart

Canet

1 cm = 375 m
1 km

crédenciale

date:

Ruisseau

3,8 km (1h05)

alt 140 m

Montréal-du-Gers
(alt. 136 m)

alt 87 m

2,3 km (0h39)

alt 91 m

1,5 km (0h26)

1 🏴 ▓ 🏴 📶 @ 🅿️ Gîte d'étape Compostela

Anita Dann (pèlerine), 10 rue du 14 juillet, 32250 Montréal-du-Gers (05-62-28-67-36 & 06-44-31-82-82, ✉ anitadann@hotmail.com) 13 pl en 2 dortoirs + 1 ch 2 pers, 🛏 22€ (🍽 inclus), DP 🛏 35€ // en ch DP 🛏 46€, DP 👥👥 78€, loc draps, LL 3€, ouv 20 mars au 10 oct, 🕐 14h *(à 30 m de la place de l'Hôtel de Ville)*

2 🏴 Gîte A la Halte du Rempart

Françoise et Christian Conort, 11 place de l'Hôtel de Ville, 32250 Montréal-du-Gers (05-81-68-10-55 & 06-15-15-34-38 ✉ lahaltedurempart@hotmail.fr) priorité pèlerins à pied, en vélo, sans véhicule, valises non acceptées, 10 pl en 1 dortoir, ⚡ 20€ (🍽 inclus), DP 🛏 32€, 💧, 🕐, ouv 1er avr au 15 oct, 🕐 14h *(sur la place du village)*

3 🏴 🅿️ 🅿️ Gîte Napoléon-Boutique de produits régionaux

Maria Zago, rue des Pyrénées, 32250 Montréal-du-Gers (06-37-55-48-24 & 06-32-15-59-28 ✉ armagnac.zago@gmail.com) 12 pl en 2 ch, ⚡ 14€, draps 3€, 🍽 5€, 🍽 20€ // Chambres, 🛏 45€, 👥👥 60€, 👥👥👥 80€ (linge+ 🍽 inclus) // 💧, alimentation-dépannage, LL 3€, ouv tte l'année // Boutique de produits régionaux, ouv tous les après-midis *(en contrebas de la bastide, porte bleue-vert attenante au magasin de produits régionaux)*

4 🏴 📶 🏴 Chambre d'hôtes Carpe Diem

Micheline et Claude Bertin, 2 quartier Bitalis, 32250 Montréal du Gers (05-62-28-37-32 & 06-88-49-57-19 ✉ mimibertin@wanadoo.fr) 3 ch, ⚡ 55€, 👥👥 69€, 👥👥👥 90€, DP 🛏 78€, 👥👥 115€, 👥👥👥 159€, LL 2.50€, SL 2.50€, ouv 1er avr au 10 oct, 🕐 14h30, HS sur résa *(à l'entrée du village tourner à droite à la gendarmerie, prendre le sens interdit, c'est la 1ère maison à gauche)*

5 🏴 🅿️ 📶 Chambre d'hôtes Victorian Lodge

14 rue Aurensan, 32250 Montréal-du-Gers (07-71-73-91-73 & 05-62-29-42-35) 5 ch, 🛏 45€, 👥👥 80-100€ // 4 ch annexe, 🛏 35€, 👥👥 70€ // poss DP au restaurant L'Escale, ouv tte l'année

6 Restauration :

- 🏴 Restaurant-Bar-Brasserie l'Escale, 4 place de l'Hôtel de Ville (07-71-73-91-73 & 05-62-29-59-05) 🍽 13-27€, fermé dim soir et lun BS (sauf pour DP du Victorian Lodge)

-Café des Arcades, 7 place de l'Hôtel de Ville, Snacking, pique-nique poss sur place avec consommations, ouv 7/7 de 7h30 à 21h30 HS, ouv 7/7 de 14h à 16h BS

-Restaurant le MontResto, quartier du pont (05-65-28-81-85) 🍽 14.90-19.90€ midi semaine, 24.90-29.90€ week-end, HS fermé lun soir et mar, BS fermé soir dim et jeu et mar midi et soir

-Snack Mon Atelier, Saint-Orens (05-62-28-81-53) wraps, salades, desserts, produits bio et locaux, fermé sam-dim BS, fermé dim HS, ouv soir midi, soir sur résa

7 Ravitaillement :

- Boucherie-Charcuterie-Traiteur Cugini, ouv 7h (sauf mer 7h30), fermé dim après-midi, lun et mer après-midi

- Boulangerie-Salon de Thé Les Levains de Gascogne, sandwiches HS, fermé dim après-midi et lun

- Epicerie Proxi-Dépôt de pain sauf jeu, fermé dim après-midi

-Epicerie Avec plaisir local et responsable, 10 rue Aurensan, magasin associatif de produits locaux et bio, fruits/légumes, charcuterie, fromage, soupes, boissons, jul-aou fermé dim après-midi et lun, fermé entre 12h30 et 16h, BS fermé dim-lun, fermé entre 12h30 et 17h

8 📶 Office de tourisme, place de l'Hôtel de Ville (05-62-28-00-80 ✉ contact@tourisme-condom.com www.tourisme-condom.com) casiers pour sacs, bornes de rechargement téléphone, tablette, etc.

9 🏴 🅿️ 📶 🏴 Chambre d'hôtes-Gîte-Camping à la Ferme

Mme Lussagnet, Le Couloumé, 32250 Montréal-du-Gers (05-62-29-44-78 & 06-85-35-51-26 ✉ lecouloume@orange.fr) Chambres, 4 ch, 🛏 58€, 👥👥 60-70€ // Gîte, 5 pl en 2 ch, DP 🛏 50€ // 🏕 15€, 🚐 6€, caravane 🛏 14€ avec 💧, 👥👥👥👥 bungalows 4 pl 🛏 23€ // ⚡ 🅿️ 🍽 à partir de 20€ si crédenciale, 🍽, LL 3€, massages, ouv tte l'année, 🕐 15h *(prendre la D 29 vers Eauze sur 800 m)*

10 🏴 🅿️ 🏴 Chambre d'hôtes La Métairie du Clos Saint Louis

Elise Stouck, Arquizan, 32250 Montréal-du-Gers (✉ contact@lmdcsl.fr 06-09-99-43-72) 5 ch, 🛏 85-95€, 👥👥 125-135€, DP 🛏 105-115€, 👥👥 185-195€, 💧 10€, LL 5€, SL 5€, 🅿️ Montréal-du-Gers, massages, ouv 1er jan au 18 déc sur résa, 🕐 15h, fermé 6 jul au 25 aou *(prendre la variante de Séviac, 200 m après la villa gallo-romaine, au repère A, prendre à droite la petite route sur 1.7 km jusqu'à la D 31. Ensuite prendre la D 31 à droite sur 400 m)*

Après une bucolique traversée de la riche campagne lectouroise, vous allez pénétrer dans la première bastide gasconne. Montréal-du-Gers est bâtie sur un plan quadrillé, comme toutes les villes nouvelles, sauf que cette " nouvelle " cité affiche quand même l'âge respectable de 700 printemps.

Une bastide est une cité fondée de toutes pièces, dans les environs du XIIIe siècle, dans le but de repeupler une province et de lui donner une vigueur économique. Le terrain une fois choisi, on établissait un plan en damier, toutes les rues menant à la place centrale, et les lots étaient attribués aux futurs habitants. La bastide était dotée d'une charte et de franchises d'impôts le temps de son développement. 4 à 500 bastides virent ainsi le jour, essentiellement dans le sud du royaume de France.

Vous trouverez à Montréal, tassées par les ans, de jolies maisons à colombages et la place à arcades (les cornières) qui trône au centre de toute bastide. Ce qui lui vaut le titre envié de « un des plus beaux villages de France ».

Un kilomètre au sud, sur un diverticule du GR 65, se trouve un lieu de fouilles très important : la villa gallo-romaine de Séviac, datant du IVe siècle, avec de magnifiques fresques, une installation thermale et ses hypocaustes destinés au chauffage.

Au cours des lieues qui vont suivre avant Eauze, le chemin va utiliser à plusieurs reprises le tracé d'une ancienne voie ferrée qui fumait depuis Aire-sur-l'Adour jusqu'à Condom. Gros avantage pour les marcheurs par temps de cagnard : on avance souvent à l'ombre des frondaisons que la SNCF n'élague plus. Les voies ferrées servent désormais à la marche à pied, cruelle ironie de l'Histoire pour des emprises qui étaient censées permettre aux hommes d'aller plus vite...

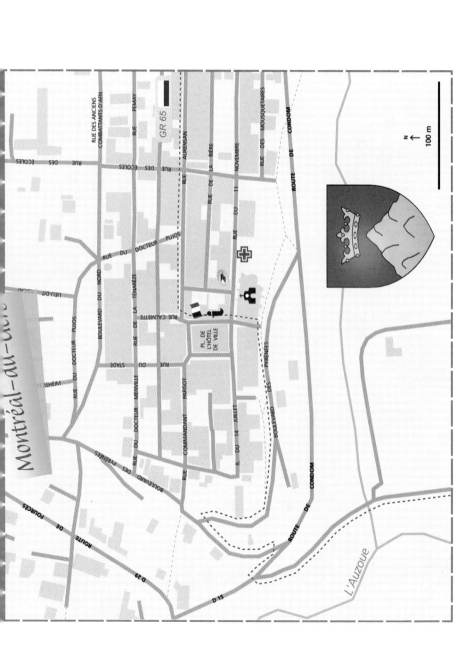

Montréal-au-...

RUE DES ANCIENS
COMBATTANTS D'AFN

RUE PEMAY

GR 65

RUE DES ÉCOLES

RUE DES ÉCOLES

RUE AURENSAN

RUE DE LA BIÈRE

RUE DU 11 NOVEMBRE

RUE DES MOUSQUETAIRES

ROUTE DE CONDOM

RUE DU DOCTEUR PUJOS

BOULEVARD DU NORD

RUE DE LA TÉNARÈZE

RUE CALMETTE

PL. DE
L'HÔTEL
DE VILLE

RUE DU STADE

RUE DU DOCTEUR MENVILLE

COMMANDANT PARISOT

RUE DU DOCTEUR PUJOS

LIEU-DIT MOURAI

...ISHEIM

R. DU 14 JUILLET

BOULEVARD DES PYRÉNÉES

BOULEVARD DES PYRÉNÉES

ROUTE DE CONDOM

ROUTE DE FOURCÈS

D 29

D 15

L'Auzoue

N

100 m

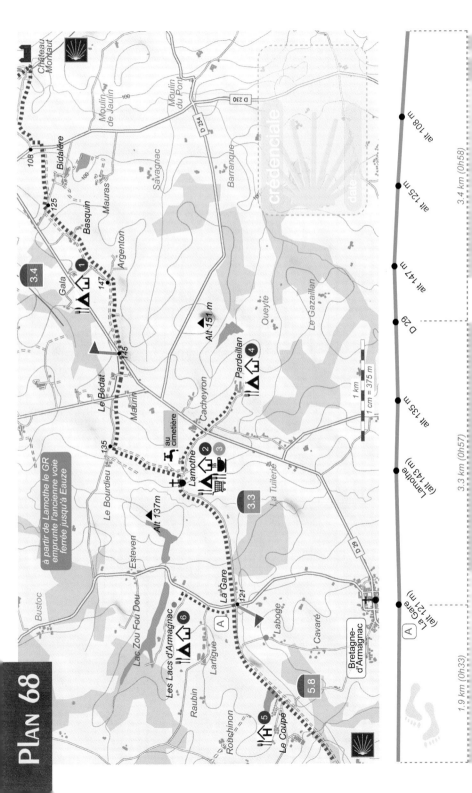

PLAN 68

à partir de Lamothe le GR emprunte l'ancienne voie ferrée jusqu'à Eauze

Château Monlaut

Moulin de Jaulin

Moulin du Pont

D 230

D 254

Bidalère

108

Basquin

125

Mauras

Savagnac

Barranque

Gala

3.4

147

Argenton

Alt 151 m

Oueyte

Le Gazailhan

145

Le Bédat

Matim

Pardeillan

4

Cacheyron

au cimetière

Le Bourdieu

135

Lamothe

2

3

La Tuilerie

Esteven

Alt 137m

3.3

Bustoc

Lac Zou Fou Dou

Les Lacs d'Armagnac

6

La Gare

121

D 29

Laboge

Cavaré

Raubin

Lartigue

A

Bretagne-d'Armagnac

Robichinon

5

Le Coupé

5.8

1 km
1 cm = 375 m

alt 108 m

alt 125 m

alt 147 m

D 29

alt 135 m

Lamothe (alt 143 m)

La Gare (alt 121 m)

A

3.4 km (0h58)

3.3 km (0h57)

1.9 km (0h33)

crédenciale

date

1 🏳️ Gîte-camping La Maisonnette
Sabrina Aymé, La Maisonnette, 32250 Montréal-du-Gers (06-76-54-11-00 ⊠ sabrinabourdalle@laposte.net) 4 pl en 2 ch, ♦ 15€ (draps inclus) // ⚠ ♦ 7€ (draps+wc inclus), tipi 4 pers ♦ 10€ (draps inclus) // ⊷ 5€, ⛺ 15€, 🚿 , 🅿 10€, LL 2€, SL 2€, ouv avr à nov, 🕐 15h (sur le GR)

2 Gîte Le Mille Bornes, Florence et Bernard, Lamothe, 32800 Cazeneuve (06-50-62-13-46 ⊠ gitemillebornes@gmail.com) 12 pl en ch et dortoir, ♦ 16€, ⊷ 5€, ⛺ 16€, ⚠ ♦ 5€ (douche incluse), 🚿 (ouverture en mars 2021)

3 Snack-Bar le Mille Bornes

4 🏳️ Gîte Le Petit Pardeillan, Sabine Most et Christophe Belou, Pardeillan, 32800 Cazeneuve ⊠ sabine.most@sfr.fr 06-09-40-70-61 & 06-21-76-82-69) Accueil réservé aux personnes à pied non-motorisés, 7 pl en 3 ch, ⚡ ♦ 25€, ♦♦ 50€, ⊷ 7€, DP ♦ 42€, ♦♦ 84€ // ⚠ ♦ 7€ (douche incluse) // 🚿 , 🅿 10€, draps 2€, LL 3€, 5€ Montréal-du-Gers, Larressingle ou Lamothe, massages, ouv 1er mai au 25 jun et 30 sep au 30 oct, 🕐 16h (prendre à gauche au cimetière sur 500 m, traverser la D 29, prendre en face au panneau Pardeilhan sur 500 m)

5 🏳️ Résidence Hôtelière Les Tournesols du Gers**
Florence et Michel Nguyen Dat, Le Coupé, 32800 Eauze (05-62-08-29-01 & 06-60-36-06-60 ⊠ lestournesolsdugers@free.fr) 18 ch, ♦♦ 52-56€, ♦♦♦ 78€, ♦♦♦♦ 104€, ♦♦♦♦♦ 130€, ⊷ 6€, ⛺ 14€, LL & SL, ouv 1er avr au 5 oct (après l'ancienne gare de Bretagne-d'Armagnac (repère A), rester sur le GR puis prendre la 3ème route à droite au panneau "les Tournesols à 200 m")

6 🏳️ Camping-Snack-Bar Les Lacs d'Armagnac****
Benoit et Stéphanie Van Den Wingaert, Le Gardera, 32800 Bretagne-d'Armagnac (06-46-23-69-71 ⊠ lacsdarmagnac@gmail.com) ⚠ ♦ 12€ // Chalets ou tentes lodges 4-5-6 pers, ♦♦♦♦ à partir de 55€ // ⊷ 7,5€, 🍽 au snack-bar, 🚿 , 🅿 , épicerie-dépannage, LL 4€, ouv tte l'année, 🕐 11h, fermé entre Noël et jour de l'An, fermé quelques jours fév (à l'ancienne gare de Bretagne-d'Armagnac (repère A) prendre la route à droite sur 500 m)

En passant à Lamothe, vous apercevrez 100 m à l'est une fière tour carrée du XIIIe siècle qui surveillait la voie romaine dont nous empruntons peu ou prou le tracé. Cette voie portait le nom de Cesarea, peu à peu transformé en "Ténarèze". La tour porte sur un flanc deux latrines, qu'on appelait en ce pays des "cagarets". On dit toujours en Occitanie qu'on va caguer quand le reste de la république va aux toilettes...

L'église Saint Vincent (patron des vignerons) offre au pèlerin une jolie Piéta de bois. L'endroit permet une petite pause à la casa voisine...

Un peu plus loin se trouve un lac à la curieuse appellation, le lac Zou Fou Dou. Comme on a été incapable de savoir l'origine de cet étrange vocable, à priori bien peu occitan, on en a imaginé une : un foudou, en patois gascon, est un simple d'esprit tout-à-fait inoffensif qui passe sa vie à sourire niaisement au vent qui court, contrairement au fou furieux qui veut taper sur les voisins. Mais quelquefois, il arrive que le foudou s'empare d'un flacon d'Armagnac et son cerveau ne supporte pas la dose. Il devient alors fada furieux et casse tout autour de lui, tant que s'il récidive trop souvent, il faut l'enfermer dans un asile spécialisé en foudoux bourrés. Ce qu'on appelle ici une maisou foudou. Les eaux du barrage ont recouvert l'ancienne "maisou foudoux" qui s'élevait en ce lieu. Le Français du nord qui a transcrit la toponymie locale ne pouvait pas savoir tout ça, et il a phonétiquement sinisé le nom de ce pauvre lac. Quelle misère linguistique...

Bretagne-d'Armagnac

Ménard

Hujard

Le Lan

D 931

Jaulin

Cournet

crédenciale

date

Cuherque

Alt 166 m

15

Mounissot

Faron

Broustet

Le Boutet

D10A

145

1

Moulin de Pouy

A

Repassac

La Cassagne

La Gélise

Soube

Prat

près de la mairie

Éauze

Château Millet

Château Esbérous

Larose

2 3 4 5 6 7 8 9 10 11 12 13 14

Tous services, tous commerces

Millet

La Tastote

Le Livé

Maison Neuve

Larroque

Escagnan

1 km

1 cm = 375 m

Le Cascarret

4.6 km (1h19)

alt 145 m

A

Éauze
(alt 161 m)

ALLER VERS...
c'est avancer

1 🏕️ 🏨 ➡️ 🚲 ᵃⁿᶜᵛ 🚶

Camping municipal-Restaurant Le Moulin du Pouy, allée Jean Desque, 32800 Eauze (09-50-75-76-58 & 06-60-95-45-71 ✉️ aumoulindupouy@gmail.com) camping 🏕️ ⚡ 6€, LL, ouv tte l'année // Resto, 🛏️ ⚡ 5€, |◎| ⚡ 10-14.50€ (midi), |◎| 17.50€ (soir), fermé lun

2 🚶 🚲 ᵃⁿᶜᵛ 🚶 ♿ 🏠 Accueil Pèlerins Béthanie, Pauline et Marcel (pèlerins), 34 avenue de Sauboires, 32800 Eauze (07-87-72-07-82) 8 pl. part libre aux frais, préparation en commun du |◎| (sauf dim) ou 🍴, poss prière en commun, résa 48h à l'avance uniquement, ouv tte l'année, oct à avr prévenir à l'avance *(600 m de l'église)*

3 🚶 ♿ Gîte d'étape communal

2 rue Félix Soules, 32800 Eauze (05-62-09-85-62) (groupes max 15 pers) 23 pl, 👤 11€, 🍴 ouv avr à oct, accueil Office de Tourisme

4 🚲 ♿ 🏠 Gîte l'Elus' Halte, Arnaud Lanté, 19 rue Carbonas, 32800 Eauze (05-62-09-92-95 & 06-83-40-19-64 ✉️ lelushalte@orange.fr) 8 pl en 3 ch, 👤 15€ (draps inclus), 🍴 + 5€ chauffage de nov à mars, ouv tte l'année, 🕐 14h

5 🚲 ⚡ 🇬🇧 🚲 ᵃⁿᶜᵛ 🚶 ♿ 🏠 Chambre d'hôtes-Gîte Chez Nadine

Nadine et Francis Corlaiti, 43-45 avenue de Sauboires, 32800 Eauze (06-68-94-82-46 & 06-50-09-60-42 ✉️ francis.corlaiti@orange.fr) Chambres, 2 ch, DP 👤 50€, 👥 100€ // Gîte, 9 pl en 4 ch, DP 👤 40€ (linge inclus) // △ 👤 8€ (🍴 inclus) // |◎|, LL& SL, 🔌 si difficultés, ouv tte l'année

6 🚲 ᵃⁿᶜᵛ 🚶 ♿ 🏠 Gîte-Chambre d'hôtes En Chemin, Muriel Jenny, 15 allée du Fossé Neuf, 32800 Eauze (06-63-08-21-91 ✉️ gite.enchemin@gmail.com) Gîte, 9 pl en 2 dortoirs, ⚡ 18€, DP 👤 40€ (draps inclus) // Chambres, 2 ch, ⚡ 28€, 👤 52€, DP 👤 50€, 👥 96€ // LL 2€, SL 3€, 🔌 si difficultés, ouv avr à oct, 🕐 15h

7 🚶 ♿ 🇬🇧 🚲 ᵃⁿᶜᵛ 🚶 📧 @

Gîte-Chambre d'hôtes Au Pousse Pèlerins-La Grange de Marie-France

Marie-France Dussans, 4 avenue de la Ténarèze, 32800 Eauze (06-61-24-48-04 ✉️ lagrangedemariefrance@gmail.com) 14 pl en ch 2 pers, DP 👤 40€, draps 3€ // DP 👤 80€, 👥 110€ (sanitaires privatifs+linge inclus) // |◎| du terroir, LL 3€, SL 3€, ouv tte l'année *(sur le GR, à l'entrée du centre-ville)*

8 🚲 ⚡ 🇬🇧 🚲 ᵃⁿᶜᵛ 🚶 ♿ 🏠 Gîte-Chambre d'hôtes Lou Parpalhou

Laurence et Patrice Castex, 13 rue du Lac, 32800 Eauze (✉️ gitecastex@orange.fr 05-62-09-72-84) Gîte, 1 ch 4 pl, 👤 18€, 🛏️ 5€ (bio), draps 3€ // 3 ch, 👤 50€, 👥 65€, 👨‍👩‍👧 87€, 👨‍👩‍👧‍👦 110€ // 🍴, LL & SL avec part, ouv avr à oct, 🕐 15h *(en centre-ville, face à la chapelle du Pèlerin)*

9 🚲 ᵃⁿᶜᵛ 🏠 Chambre d'hôtes Le Temps d'une P'Eauze, Michèle Sanz, 60 bis avenue des Pyrénées, 32800 Eauze (✉️ letempsdunepeauze@gmail.com 06-30-49-15-98 & 05-62-03-36-64) 4 ch, 👤 50€, 👥 65€, 👨‍👩‍👧 85€, 👨‍👩‍👧‍👦 105€, DP 👤 70€, 👥 105€, 👨‍👩‍👧 145€, 👨‍👩‍👧‍👦 185€, 🍴 inclus, LL 2€, SL 2€, ouv tte l'année

10 🏨 🍴 🚲 ᵃⁿᶜᵛ Hôtel-Restaurant Henri IV

1 place Saint-Taurin, 32800 Eauze (✉️ contact.henri4.eauze@gmail.com 05-62-08-45-40) 10 ch, 👤 85€, 👥 90-100€, 👨‍👩‍👧 110-115€, 🛏️ 11€, 🍴 15€ (midi semaine) à 32€ (soir week-end), hôtel ouv 7/7 sur résa, resto fermé lun midi, sam et dim soir, 🕐 14h *(en centre-village, petite place derrière la cathédrale)*

11 🍴 Restauration :

- 🚶 Pizzeria La Trattoria, 39 rue Carbonas (05-62-09-96-11) 5-9€, fermé dim midi, lun et mardi midi

-Pizz'Appolinaire, 11 boulevard du général De Gaulle (05-62-09-93-33) |◎| 9€ (midi), fermé lun-mar

-Café-Restaurant Loft Café, 7 place d'Armagnac (05-62-09-90-76) |◎| 15-32€, fermé lun-mar

- 🚶 Bar-Brasserie Le Divan, 10 boulevard du général De Gaulle (05-62-09-82-63) |◎| 13.50€ (midi semaine), brasserie fermée le soir et dim, bar ouv 7/7

-Restaurant La Vie en Rose, 22 rue Saint July (05-62-09-83-29) |◎| 15-46€, fermé mar soir et mer, fermé vacances Toussaint et 15 jours en jun

- 🚶 Bar du Marché, 2 boulevard du général Ballon (06-19-98-20-77) tapas, assiettes, ouv jeu 7h à 15h et 18h à 2h, les ven-sam soirs 18h à 2h

12 🚲 🛈 Office de tourisme 2 rue Félix Soules (05-62-09-85-62 ✉️ info.tourisme@grand-armagnac.com http://www.grand-armagnac.com)

13 🚲 Boutique La Terre d'Hu

18 rue Saint-July (05-62-69-85-96 ✉️ laterredhu@orange.fr) accessoires de rando, bâtons de marche, chaussettes.... ouv mardi à sam 9h30 à 12h30 et 14h à 19h, ouv lun 14h à 19h *(face à la mairie)*

14 Laverie automatique, 3 boulevard Saint Blancat, laverie libre-service, ouv tte l'année 7h à 21h

15 🇬🇧 🐴 🏠 Gîte-Ferme équestre EquiEauze

Sylvia Castanier et Eric Lebas, route de Condom, 32800 Eauze (06-99-82-90-82 ✉️ equieauze@orange.fr) 12 pl en 3 ch 4 pers, 👤 35€, 👥 65€, 👨‍👩‍👧 90€, 👨‍👩‍👧‍👦 120€ (🍴 inclus), 🛏️ 25€, 🍴, 🍴 5€, 🐴 ânes et chevaux 9€ (paddock+foin), ouv mai à déc, 🕐 16h, sur résa 🐴 *(au repère A prendre à gauche et rejoindre la D 931 puis prendre en face vers la ferme équestre)*

Vous arriverez à Éauze à pied, là où avant-guerre fumaient de solides locomotives à vapeur... Revanche de la lenteur sur la vitesse... Bien fait !

Faites attention tout d'abord à la prononciation du nom de la cité et entraînez-vous à bien articuler avant d'arriver au boulevard circulaire : sous peine de passer pour des Martiens mal dégrossis, prononcez bien avec deux syllabes "é-ôze" et non pas "ôze". Le nom provient de la tribu gauloise des Eluzates, et la ville, Elusa, fut la capitale de la province romaine de Novempopulanie.

Le centre de la cité a pieusement conservé son habitat médiéval et ses nombreuses demeures à colombages, dominées par la masse de la cathédrale Saint-Luperc, une belle église gothique à une seule nef. Sur la place centrale vous apercevrez notamment la superbe demeure de Jeanne d'Albret, mère du roi Henri IV et intransigeante prosélyte de la religion réformée. Éauze fut d'ailleurs une place de sûreté protestante au moment de l'Edit de Nantes.

Éauze est la capitale d'un riche terroir dont les saveurs font saliver les gourmets du monde entier. Imaginez, imaginez, milliediou, des pruneaux fourrés au foie-gras et la glotte du pèlerin en pleine extase... Car la terre du Gers nourrit des volailles, oies et canards, qui donnent aux repas un parfum de paradis sur terre. Tant pis pour les végétariens qui sont bien les seuls à perdre des kilos dans le secteur... Quant aux végétaliens, ils doivent avoir bien des péchés à se faire absoudre pour traverser le Gers en broutant... Alors remettons les choses dans l'ordre du monde et la vérité dans sa casserole : les oies du Gers sont exclusivement nourries avec du maïs qui, chacun en conviendra, est un aliment on ne peut plus végétal. Les oies, éduquées par le Bon Dieu à cette tâche depuis la Genèse, transforment alors ce maïs au goût totalement insipide en un aliment propre à imaginer les délices de l'Eden, donc à encourager la piété. On peut donc énoncer, sans risque d'être contredit, que le foie-gras du Gers, directement issu du maïs, est le plus végétarien des aliments et un excellent moyen d'arriver au Ciel. CQFD...

Les vignes que vous verrez courir au long des pentes y donnent, outre un vin aux accents de soleil, le célèbre Armagnac, dont vous avez certainement depuis quelques jours goûté le charme et le danger. Et puis nous supputons que vous avez siroté en apéritif le Floc de Gascogne, croisement d'Armagnac et de moût de raisin, tellement bon qu'on passerait presque tout le repas à prendre uniquement l'apéritif...

Les férus d'Histoire, après avoir digéré toutes ces bonnes choses, visiteront le musée archéologique où est exposé un trésor romain découvert dans les environs.

Éauze - cathédrale

Messes : dim 10h30, mer 18h avec bénédiction des pèlerins (l'hiver au presbytère)

Adoration jeu 17h à 18 h (l'hiver au presbytère)

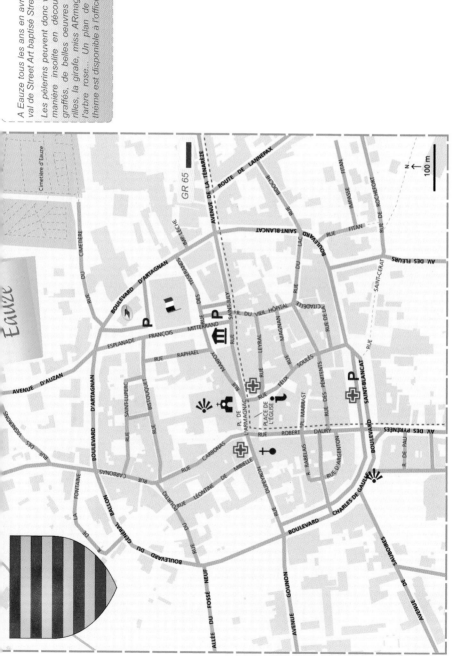

Eauze

A Eauze tous les ans en avril a lieu un festival de Street Art baptisé Street'ARt magnac.
Les pèlerins peuvent donc visiter la ville de manière insolite en découvrant les murs graffés, de belles oeuvres comme les gorilles, la girafe, miss ARmagnac, la baleine, l'arbre rose... Un plan de la ville sur ce theme est disponible à l'office de tourisme.

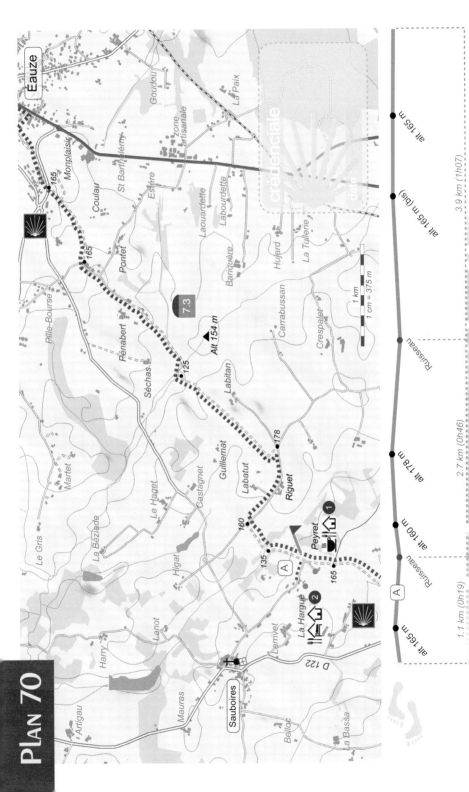

PLAN 70

Éauze

Monplaisir
Goudou
La Paix
zone artisanale
St Barthélémy
Coulau
Estère
Laouardette
165
Labourdette
165
Pontet
Bariquère
Hujard
La Tullerie
Rénabert
Pille-Bourse
7.3
Carrabussan
Alt 154 m
Crespalet
Séchas
125
Labitan
178
Martet
Guillemat
Labatut
Riguet
Le Gris
Le Haget
Castagnet
160
La Béziade
Higat
135
A
Peyret
1
165
La Hargue
2
Harry
Lanot
Larrivet
Sauboires
Mauras
D 122
Belloc
La Bassa
Artigau

1 cm = 375 m
1 km

crédenciale

alt 165 m
alt 165 m (bis)
Ruisseau
alt 178 m
alt 160 m
Ruisseau
A
alt 165 m

3.9 km (1h07)
2.7 km (0h46)
1.1 km (0h19)

❶ 📶 @ 📶 Le Chalet du Bonheur

Alexandra et Elie (pèlerins). 32370 Sauboires-Manciet (06-29-75-72-84) 6 pl en 3 ch, nuit+ 🍽+ 🛏 part libre aux frais (draps inclus), produits du jardin, poss ▲, ouv tte l'année, résa au plus tôt 48h à l'avance // Possibilité pause pique-nique midi, café et rafraichissements *(150 m hors GR, entre Peyret et La Hargue)*

❷ 📶 📶 📶 Chambre d'hôtes-Gîte La Hargue

Eric Texier. La Hargue, 32370 Sauboires-Manciet (✉ eric.texier0449@orange.fr 05-62-08-50-05 & 06-65-54-55-89) Chambre, 2 ch, 🚹 55€, 🚹🚹 80€, DP 🚹 72€, 🚹🚹 114€ // Gîte, dortoir 4 pl 🚹 19€, DP 🚹 41€ // 3 ch 2-3 pl, 🚹 31-41€, 🚹🚹 50-62€, 🚹🚹🚹 63€, DP 🚹 53-63€, 🚹🚹 96-106€, 🚹🚹🚹 129€, 🛏 5€ (draps inclus) // 🍽 19€, LL 3€, SL 3€, 🚲 Eauze ou Manciet, ouv mars à nov, fermé 1er au 15 aoû, 🕙 15h *(au lieu-dit Peyret (repère A), suivre à droite les panneaux "La Hargue" sur 300 m puis prendre le petit chemin à gauche)*

✧ *Ce Plan est une douce et belle promenade en Gascogne jardinée. Les Hommes se sont établis en ce terroir en même temps que les oies, pour les raisons que l'on sait. Ils ont certes défriché, essarté, mais ont également partagé l'espace avec la Nature. La campagne est harmonieusement pointillée de vignobles, tapissée de forêts et drapée de cultures.*

La terre est riche, quel que soit l'usage qu'on en fait. Elle donnera généreusement du froment si on l'ensemence. Elle produira le jus de la treille si on taille la vigne sauvageonne, elle élèvera de majestueux fûts de chêne si on cultive la patience.

La ressource en eau est assurée par les nombreuses rivières et par de petits barrages placés en travers de certaines vallées, qui conservent les pluies d'hiver pour assurer l'irrigation durant les mois d'été.

Regardez autour de vous, vous êtes dans l'exemple parfait d'une campagne vivante, où les exploitations agricoles se dressent tous les kilomètres, pratiquant une polyculture qui assure un revenu décent à ceux qui savent raison garder. Ce n'est pas pour rien que fut tourné ici le film « Le Bonheur est dans le Pré ».

Le pèlerin qui traversait la Gascogne, voici quelques siècles, devait certainement voir un paysage agricole identique, avec sans doute quelques praires de plus pour assurer le pâturage des chevaux de labour.

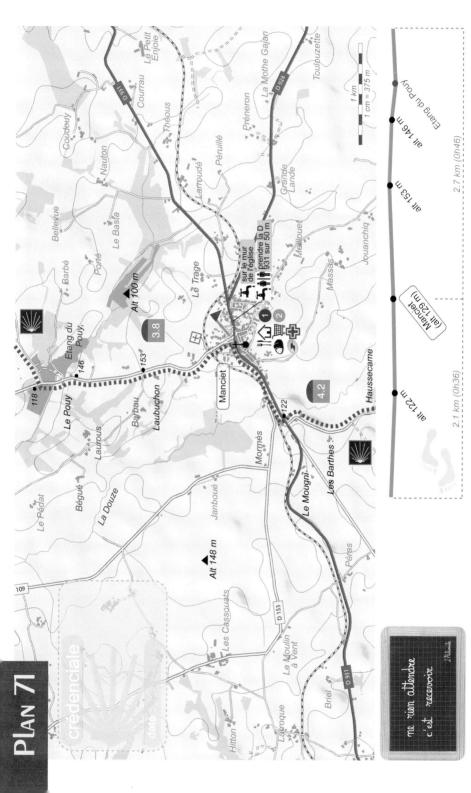

PLAN 71

crédenciale

date

Le Petit Enjoie

Courrau

D 931

Théous

Coubedy

Nauton

Péruillé

Préneron

La Mothe Gajan

D 924

Toulouzette

Bellevue

Barbé

Porté

Le Basta

Le Pouy

Le Trage

sur le mur de l'église

prendre la D 931 sur 50 m

Grande Lande

Meillouet

Etang du Pouy.

146

153

Manciet

3.8

Massas

Jouanchia

1 km = 375 m

alt 146 m

Etang du Pouy

alt 153 m

118

Le Pouy

Laurous

Barbau

Laubuchon

Le Pédat

Béguè

La Douze

Janboué

Mormès

Alt 100 m

122

4.2

Haussecame

Les Barthes

Le Mougni

Péiras

alt 122 m

Manciet (alt 129 m)

2.1 km (0h36)

2.7 km (0h46)

109

Les Cassouats

Alt 148 m

D 153

Laroque

Le Moulin à Vent

Hitton

Briel

D 931

ne rien attendre
c'est recevoir

J'Albert

1 🏳️🏴 (🏨) Gîte le Chemin Enchantant

Marie-Laurence Taglang, rue des Remparts, 32370 Manciet (06-68-87-78-24 & 09-83-41-46-13 ✉ lecheminenchantant@gmail.com) 13 pl en 5 ch, 🛏 18€, DP 🍴 40€, 🍴 6€, 🛏 6€, draps 3€, ouv avr à oct, ⏰ 15h

2 Ravitaillement :

-Epicerie-Dépôt de pain Proxi, fermé lun après-midi, mer après-midi, sam après-midi; dim ouv 8h30 à 10h

-Epicerie Lou P'tit Mercat (05-62-08-15-08) dépôt de pain, fruits, légumes, fromages, charcuteries, boissons, HS fermé sam après-midi et dim après-midi, BS fermé après-midi les mar-sam-dim, ouv seulement le matin jan-fév-mars

Manciet eut au Moyen-âge un hospital pour pèlerins, tenu par les Templiers, mais auxquels l'ordre gascon de Saint Jacques de la Foi et de la Paix s'opposa pour la gestion du lieu. Au final, l'ordre espagnol de Saint Jacques de l'Epée Rouge s'empara de l'hospital...

Déjà en certains endroits on se querellait au sujet des marcheurs qui allaient vers Compostelle, ce qui expliquerait certaines batailles contemporaines entre certains hébergeants pour accaparer les pèlerins...

✠ **Manciet**
Messe 18h les 2ème et 4ème sam du mois

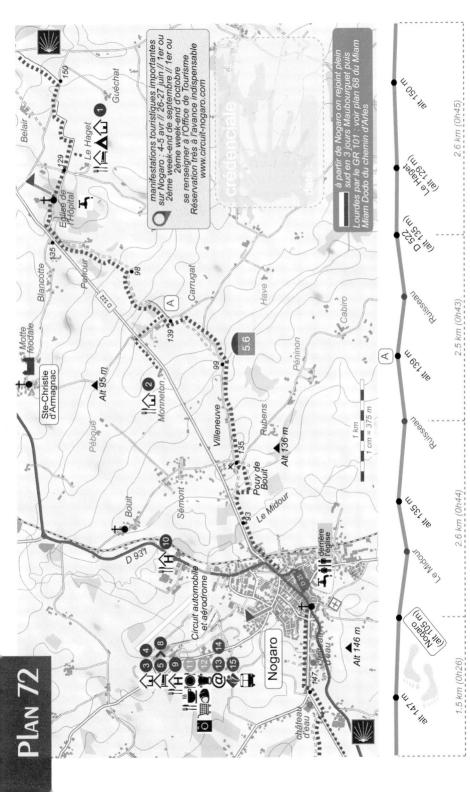

Plan 72

manifestations touristiques importantes
sur Nogaro : 4-5 avr // 26-27 juin // 1er ou 2ème week-end de septembre // 1er ou 2ème week-end d'octobre
se renseigner à l'Office de Tourisme
Réservation très à l'avance indispensable
www.circuit-nogaro.com

à partir de Nogaro on rejoint plein sud en 3 jours Maubourguet puis Lourdes par le GR 101 : voir plan 68 du Miam Miam Dodo du chemin d'Arles

crédenciale

date

Belair

Guéchat

150

Le Haget

Église de l'Hôpital

129

135

Perfour

Blancotte

Motte féodale

Ste-Christie d'Armagnac

Pébqué

D 522

98

Carrugat

Have

139

Monneton

Alt 95 m

99

Villeneuve

135

Péninon

Cabiro

5.6

Rubens

Alt 136 m

Pouy de Bouit

Le Midour

93

Bouit

Sémont

D 937

10

Circuit automobile et aérodrome

3 4
5 8
9
11 12 13 14
15

Nogaro

Alt 146 m

château d'eau

château d'eau

147

1 km
1 cm = 375 m

alt 150 m — 2.6 km (0h45) — Le Haget (alt 129 m) — D 522 (alt 135 m) — Ruisseau — 2.5 km (0h43) — alt 139 m — Ruisseau — 2.6 km (0h44) — alt 135 m — Le Midour — Nogaro (alt 105 m) — 1.5 km (0h26) — alt 147 m

PLAN 12

1 Le Relais du Haget, Stéphanie Ducos, Le Haget, 32110 Cravencères (05-62-08-54-02 & 06-11-66-13-98 ✉ stephanie.brud@wanadoo.fr) 2 gîtes 5 pl, ♦ 15€, DP ♦ 35€, draps 3,50€ // Cabane dans les arbres, ♦ 8€, DP ♦ 28€ // 1 tente aménagée 2 pl ♦ 14€, DP 4 pers, ♦ 64€, DP ♦ 99€ // ▲ ♦ 6€, DP ♦ 26€ // ♦ 17€, épicerie-dépannage, 30€, ♦ 2€ // ♦ 5€, Manciet si difficultés, ouv avr à oct — Gîte d'étape-Chambre d'hôtes-Camping-Ferme équestre 135-150€ (draps inclus) // Chambres 2-4 pers, ♦ 6€, LL 3,50€, SL 3,50€ ♦

2 ♂♂♂♂ — Gîte de la Source
Monneton, 32370 Sainte-Christie d'Armagnac (05-62-69-04-45 & 07-83-98-60-49 ✉ gitedelasource.gers@orange.fr) 17 pl en dortoir 4 pers et 2 ch 2-3 pers, en dortoir ♦ 15€, en ch ♦ 25€, ♦ 45€, DP dortoir ♦ 35€, DP ch ♦ 65€, ♦ 90€, draps 5€, LL 4€, ouv toute l'année (au repère A, prendre à droite vers la D 522 sur 400 m, puis la suivre à gauche sur 360 m)

3 — Gîte d'étape Communal et Associatif
avenue des Sports, 32110 Nogaro ✉ gitedupiedleve@gmail.com) 15 pl en ch et dortoir, en ch 31-59-34-72) 26 pl en ch et dortoir, ♦ 20€, ♦ 31€, en dortoir ♦ 12,50€, ♦ 3,50€, ♦ , draps 1,50€, LL 4€, SL 4€, ouv 15 avr au 15 oct, ♦ 14 à 19h

4 — Gîte du Pied Levé, Sylvie Durey, 7 avenue de Daniate, 32110 Nogaro (06-71-23-73-26 ✉ gitedupiedleve@gmail.com) 15 pl en ch et dortoir, en ch ♦ 20€ en dortoir ♦ 15€, ♦ 5€, ♦ // ▲ ♦ 7€ // LL 2€, ouv 15 mars au 1er nov

5 — @ — Chambre d'hôtes, Chantal Huck, 9 bis avenue du docteur Couécou, 32110 Nogaro (06-32-94-44-56 ✉ maya.paya@orange.fr) 2 ch, ♦ 30€, ♦ 46€, 60€, LL 4€, ouv tte l'année (à l'église tout droit sur 200 m puis 3ème à gauche)

6 — Chambre d'hôtes, Anne-Marie Grosjean, 6 chemin Estalens, 32110 Nogaro (05-62-09-16-31 & 06-87-76-11-68 ✉ grosjean.anne-marie@orange.fr) 3 ch 3-4 pers, 28€, ouv avr à oct, ♦ 15h30

7 — @ — Chambre d'hôtes, Marie-Claire Baul, 1 rue des Mousquetaires, 32110 Nogaro (05-62-69-07-92 & 06-77-78-86-34 ✉ marie-claire.baul@orange.fr) 2 ch, ♦ 29€, ♦ 42€, LL 4€, ouv tte l'année (à l'église continuer sur le GR jusqu'au stop, tourner à droite la rue des Fossés sur 150 m, puis première à gauche)

8 — Chambre d'hôtes, Mr Acacio, 12 rue Nationale, 32110 Nogaro (06-82-24-67-35 ✉ acacio.manuel@wanadoo.fr) 2 ch ♦ 32€, ♦ 60€, ♦ 90€, ouv tte l'année, ♦ 15h

9 — @ — Hôtel-Restaurant Le Commerce**
2 place des Cordeliers, 32110 Nogaro (✉ hotelrestaurant-lecommerce@orange.fr 05-62-09-00-95) 14 ch, ♦ 61€, ♦ 71-89€, ♦ 10€, ♦ à partir 13,80€, DP ♦ 85€, ♦ 118-137€, ouv tte l'année, resto fermé dim soir

10 — Logis — ANCV — Hôtel-Restaurant Solenca***, Gérard Ducès, avenue Daniate, 32110 Nogaro (05-62-09-09-08 ✉ info@solenca.com) 49 ch, 85-95€, DP ♦ 118-150€, ♦ 19,50-53,90€, ♦ 13€, blanchisserie, sauna, massages sur résa, ouv 7/7 tte l'année (prendre la D 931 vers Auch sur 1 km)

11 Restauration :
- Restaurant-pizzeria Chez Quentin, avenue du général Leclerc (06-37-88-13-94) fermé lun soir, mer soir et dim
- Brasserie le Progrès, place Jeanne d'Arc (05-62-09-00-27) ♦ 12,50-15€ (midi sauf dim et jours fériés), fermé lun soir
- Café du Commerce, place Jeanne d'Arc (05-62-09-03-14) ouv 7/7 mars à oct, fermé mardi soir BS
- Brasserie des Cordeliers, 1 place des Cordeliers (05-62-69-09-27) ouv 7/7 midi ; soir jeu à sam
- Snack O Folie's Burger, 19 bis avenue du Midour (06-50-37-34-57) ♦ 7,80€, burgers, salades, paninis, kebabs, fermé lun-mar
- Pizzeria di Roma, 82 rue Nationale (05-62-03-73-44) ♦ 8,50-24€, pizzas, salades, viandes, pâtes, sur place ou à emporter, fermé lun et mer midis, fermé 1 semaine après le 15 août
- Pizzeria Kiki, 3 avenue de l'Autodrome (07-84-01-10-49) ♦ plat du jour 8€ (midi), pizzas, ouv 7/7 le soir jul-aou, BS fermé lun, sam midi et dim midi
- Pizzeria Chez KTY, 54 rue Nationale (06-07-25-03-66) ♦ pizzas à emporter, ouv seulement le soir, fermé lun mars à oct, fermé dim-lun BS

12 Ravitaillement :
- Supermarché Carrefour Market, fermé dim après-midi
- Supérette Spar, fermé dim après-midi
- Boulangerie Aloïs et Mallaury, fermé lun
- Boulangerie Rémy, fermé jeu
- Boulangerie Pomponette, fermé mar après-midi et mer
- Boulangerie Secrets de Pain, ouv 7/7 6h30 à 20h
- Boucherie-charcuterie Cugini, fermé dim après-midi et lun
- Boucherie-charcuterie Tarbe, fermé dim-lun
- Laveries, rue Nationale et 3 avenue de l'Autodrome, ouv 7/7

13 @ Point Internet au CLAN 23 avenue de Daniate (à côté du gîte d'étape) (05-62-69-02-20) ouv lun à jeu 10h à 12h et 14h à 18h30, ven 10h à 12h et 14h à 7h

14 Médiathèque de Nogaro, 1 place de la Mairie (05-62-09-04-36) ouv mer 9h30 à 12h30 et 14h à 18h30, ven 16h à 18h, sam 9h30 à 12h30

15 Office de tourisme 77 rue Nationale, (✉ info@nogaro-tourisme.fr 05-62-09-13-30 www.nogaro-tourisme.fr)

Les collines deviennent déjà plus douces, le paysage s'apaise lentement, la transition vers la plaine des Landes se profile. Dommage, on s'habituait aux sauts de puce de colline en village…

Avant d'arriver à Nogaro, vous passerez près de l'église de l'Hôpital, dont le nom est encore la preuve du passage des pèlerins sur cet itinéraire au Moyen-âge.

Vous marcherez hélas au large d'un village exceptionnel, Sainte-Christie-d'Armagnac, vers lequel il vous faudra revenir un jour. Sainte-Christie est bâti sur une motte féodale et on y entre en franchissant la porte d'une maison-forte, ancienne commanderie templière, dont le rempart est en terre battue. Personne n'a rien touché ici depuis une dizaine de siècles…

Nogaro était autrefois un grand marché au carrefour des routes de Toulouse, Eauze, Bayonne et Auch. On y échangeait tous les produits venus du terroir, des Pyrénées ou de l'océan. La production principale, très prisée des Anglais, était le vin. Vous ne manquerez pas de goûter le fleuron local, le vin des côtes de Saint-Mont, un nectar minéral au goût unique qui vaut toutes les publicités du monde… Si le vendeur vous annonce avec aplomb qu'il faut le laisser vieillir au moins 30 ans, ne le croyez pas, et courez vite acheter un tire-bouchon… Consommez-en avec modération, mais pas trop quand même, car le lendemain il est déjà moins bon. Et quand vous faites pipi, ayez une pensée émue et respectueuse pour le vigneron qui a pris une année de sa vie pour réussir cette merveille.

Le nom de la cité de Nogaro provient du vocable latin nogarolium, qui signifie noyeraie. D'ailleurs son blason se lit « D'or aux trois noyers de sinople ». Mais la commune est plus connue de nos jours pour son circuit automobile-aérodrome, tout près du gîte d'étape communal.

Nogaro possède une belle église de pierre et de briques, la collégiale Saint Nicolas, qui abrite les reliques de saint Austinde, un évêque d'Auch qui implanta là aux alentours de l'an 1000 la première communauté monastique.

À partir de Nogaro les maisons vont changer de style en l'espace d'une journée de marche. La terre glaise et les chênes des colombages vont remplacer complètement la pierre blanche. C'est le style landais qui s'impose pour deux à trois journées de marche, avant de retrouver les rudes logis béarnais un peu plus loin

Nogaro
Messe dim 10h, Eglise Saint-Nicolas, Messe lun à ven 18h à l'Aumônerie Tivoli (avenue des Pyrénées)

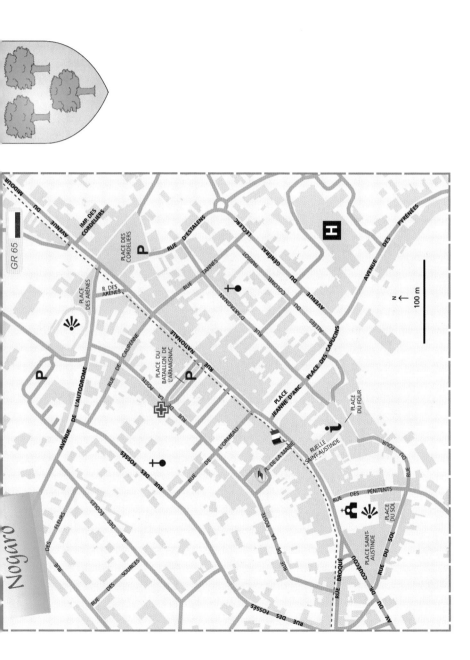

Nogaro

GR 65

IMP. DES CORDELIERS

PLACE DES CORDELIERS

P

RUE D'ESTALENS

AVENUE DU MIDOUR

R. DES ARÈNES

PLACE DES ARÈNES

RUE LECLERC

RUE TANNES

RUE D'ARTAGNAN

COLONEL PROSOT

AVENUE DU GÉNÉRAL

AVENUE DES PYRÉNÉES

H

N
100 m

AVENUE DE L'AUTODROME

P

RUE DE CALUPENNE

RUE NATIONALE

PLACE DU BATAILLON DE L'ARMAGNAC

RUE DE LA POSTE

P

ALLÉES DU COLONEL

PLACE DES CAPUCINS

RUE DES FLEURS

RUE DES ÉCOLES

RUE DES FOSSÉS

RUE DES SOURCES

RUE DE L'ORMEAU

PL. DE LA MAIRIE

PLACE JEANNE D'ARC

PLACE DU FOUR

RUE DE LA POSTE

RUELLE SAINT-AUSTINDE

RUE DU FOUR

RUE

RUE DES PÉNITENTS

RUE DES FOSSÉS

RUE BROQUÉ

AV. DU COCCON

PLACE SAINT-AUSTINDE

PLACE DU SOL

RUE DU SOL

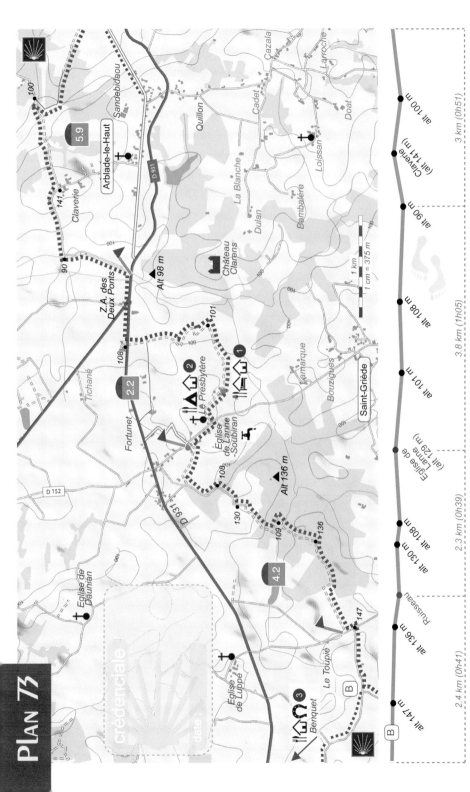

PLAN 73

5.9 Arblade-le-Haut

Sandebidaou
Claverie
100'
141'
90'
Z.A. des Deux Ponts
Alt 98 m
D 931
Quillon
Cazala
Cadet
Laroche
Doat
Loissan
La Blanche
Dulan
Château Clarens
Bambalère

2.2 Fortunet
Tichané
108'
101'
100'
Lamarque
Bouzigues

1 ⌂
2 ⌂
Le Presbytère
Eglise de Lanne-Soubiran

Saint-Griède

Eglise de Daunian
D 152
D 136
108'
130'
109'
136'
Alt 136 m

4.2

Eglise de Luppé
crédenciale
date :

3 ⌂
Benquet
Le Toupié
147'
B

1 cm = 375 m
1 km

---

alt 100 m
Claverie (alt 141 m)
alt 90 m
alt 108 m
alt 101 m
Eglise de Lanne (alt 129 m)
alt 108 m
alt 130 m
Ruisseau
alt 136 m
alt 147 m
B

3 km (0h51)   3.8 km (1h05)   2.3 km (0h39)   2.4 km (0h41)

PLAN 7/

1 🏴 📶 🛏 Gîte d'étape-Chambres L'Âne Soubiran
Christian et Colette Huberty, 405 chemin de Labarbe, 32110 Lanne-Soubiran (06-66-29-44-55 ✉ l.ane.soubiran@gmail.com) 2 gîtes 5-6 pl, 16€, 15€, 5€, 36€, DP 36€, // Chambres, 3 ch, DP 50€, 85€, 110€ (linge inclus) // 6€, LL 2€, SL 2€, 8€ (douche+), ouv tte l'année *(sur le GR, 1ère maison à l'entrée de Lanne-Soubiran)*

2 🏴 📶 @ Gîte d'étape Le Presbytère
Marinette Piret (pèlerine), place de l'Eglise, 32110 Lanne-Soubiran (05-62-09-70-24 & 06-43-34-99-45 ✉ marinette.piret@gmail.com) 12 pl en dortoirs 3-4-5 pers, 15€, DP 36€, 5€, 16€, draps 3€ // 1 ch 2 pers, 30€, 50€, DP 50€, 90€ (linge inclus) // 5€, réchauffer, 5€, épicerie-dépannage, LL 3€, SL 3€, ouv mi-mars à fin oct, 15h *(sur le GR, à côté de l'église)*

3 🏴 @ Gîte de groupe-Ferme équestre du Benquet, Paule Perron, Domaine de Benquet, route d'Aire (D 32), 32460 Le Houga (05-62-08-96-11 ✉ benquet32@orange.fr) 24 pl en 6 ch, 80€, supp 30€, 10€, 38€, DP 88€, 176€, 15€, 15€, & SL avec part, 🏇 église de Luppé (ce Plan) ou église de Lelin-Lapujolle (Plan 74), (box+enclos+3 repas) 22-50€, ouv tte l'année *(au repère B continuer tout droit la route sur 1.6 km jusqu'à l'église de Violles. Prendre à droite la D 169 plein nord sur 700 m jusqu'à rencontrer la route nationale D 931. Traverser et prendre en face la D 169 sur 800 m, puis à gauche la route vers Le Benquet sur 2.9 km)*

D'ici à Aire-sur-l'Adour, où vous arriverez bientôt, vous allez traverser un étrange terroir, d'où les villages, au sens où nous l'entendons, ont disparu. On a créé des communes à la Révolution, à partir d'éléments épars de hameaux totalement dispersés sur un même territoire. Mais il n'y a pas de village... Arblade-le-Haut, Lanne-Soubiran ne sont que des entités administratives. L'église, enfin l'une des églises d'Arblade, est dans un coin, la mairie en pleine brousse à 2 km, et les habitants égaillés au milieu des bois.

Ce sera d'ailleurs une étape très boisée, sur laquelle vous découvrirez les premières palombières. Pour ceux que la chasse intéresse, ce sont des cabanes perchées en haut des arbres, à la limite de la canopée gasconne, vers lesquelles on grimpe avec une échelle. Sujets au vertige s'abstenir...

Les cheminements d'accès au bas des arbres, les emplacements des véhicules sont camouflés sous des tunnels de fougères afin de ne pas attirer l'attention des oiseaux. Les palombières elles-mêmes sont camouflées et les ouvertures réduites. Radios et téléphones portables interdits bien sûr...

La palombe n'est autre que le pigeon ramier, qui s'appelle paloma en occitan comme en castillan.

Le chasseur installe de ci de là, autour de sa cache, des appeaux, qui sont des tourterelles apprivoisées, et les fait s'agiter en tirant sur des ficelles, afin que les palombes sauvages aient envie de se poser sur une branche voisine. Et Pan...

Une fois installé dans les cabanes, qui sont dotées de tout le confort, le chasseur attend que passent les vols de palombes. Quand elles ne passent pas, ou bien trop haut, il noie son chagrin et pense au congé qu'il a posé pour rien. Quand elles passent, ses yeux brillent en pensant aux petits pois qui vont accompagner le gibier.

Désolé pour ceux qui exercent la chasse...

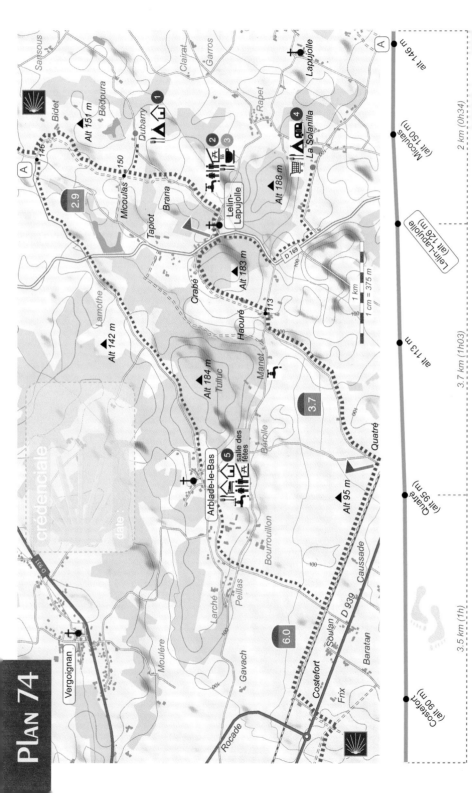

PLAN 74

Cette étape va se terminer sur la grande plaine de l'Adour et ses immenses vergers. Vous regretterez très fort la douce solitude de l'Aubrac... La terre est ici un élément essentiel de l'économie, et les vagabonds que nous sommes se doivent de traverser sans ronchonner.

Notez une corvée tombée en désuétude mais qui perdurait encore au début du XXe siècle : chaque agriculteur d'Arblade-le-Bas qui possédait une paire de bœufs devait assurer chaque année le transport de 5 charrettes de gravier prs à Barcelonne-du-Gers, ceci afin d'entretenir les chemins de la commune.

PLAN 74

① 🚶‍♀️ 🐕🐕🐕 🍷 ⓘ 🇬🇧 ♿ Gite d'étape La Grange à Dubarry
Véronique et Philippe Biérent, 32400 Lelin-Lapujolle (06-27-35-84-13 & 09-72-39-87-16 ✉ lagrangeadubarry@gmail.com) 12 pl, ch 2 pers et dortoirs 4-6 pers, 🛏 16€, DP 👤 35€, 🍴 5€, 🍽 14€, 👤 16€ // △ 👤 8€ // 🛏🛏 👤 8€ // draps 4€, LL 4€, ouv 1er avr à mi-nov, ⊕ 14h30, sur résa BS *(près de Micoulas, à la pierre marquée "Gite Dubarry", prendre le chemin à gauche sur 300 m)*

② Tables pique-nique, toilettes et point d'eau, au village

③ Snack Le Pacha Mama (06-84-84-87-29) sandwiches, café, thé, boissons, gâteaux, ouv fin avr à fin oct 9h à 14h

④ 🚶 ♿ 🌳 🚲 📶 ⓘ ♿ 🚐🐈 Camping La Solanilla***
Mireille Sarrato, hameau de la Hount, 32400 Lelin-Lapujolle (05-62-69-64-09 & 06-12-11-13-70 ✉ info@campinglasolanilla.com) camping 👥 17-20€ // gites 4-6 pers 80-120€ // mobil-homes 4-6 pers 65-105€ // bambis 👥👥👥 45-60€ // 🚐 5€, 🛏🛏 👥 , snack-restauration, épicerie-dépannage, draps 8€, LL 3€, SL 3€, 🏪 mairie (sauf jul-aou), ouv tte l'année *(à Lelin suivre la D 169 sur 1.3 km puis prendre à gauche sur 600 m)*

⑤ 🇬🇧 📶 @ ⓘ Gite-Chambre d'hôtes Belardine
Véronique Mariotti (pèlerine), Bélardine, 32720 Arblade-le-Bas (07-89-57-33-30 ✉ gite@belardine.fr) Gite, 2 dortoirs 4-5 pers, 👤 20€ inclus), draps 2 € // Chambre, 58€ // 🍽 13€, 🛏🛏 👥 , LL 3€, 🏪 sur le GR, rééquilibrage musculaire, ouv mars à nov, ⊕ 14h30, sur résa BS *(au repère A (maison Castin) prendre la route complètement à droite jusqu'à Arblade-le-Bas. Raccourci vers Barcelonne-du-Gers le lendemain)*

PLAN 75

crédenciale

date

Nicole

Latchoune

Barcelonne du-Gers

Roth

La Sarrade

Bellevie

Aérodrome

D 650

La Salique

Casamont

Alt 78 m

2.3

D 931

Aire-sur l'Adour

zone artisanale

L'Adour

Pétépau

Saligon

Le Saligat

Le Bos

Basilique Ste-Quitterie

Alt 149 m

150

Tous services, tous commerces

Hours de la Lanne

Barbot

D 39

lac du Lourden

Cappn

Lestage

Ferrande

Bachen

Pétruch

1 km

1 cm = 375 m

2.5 km (0h43)

Barcelonne du-Gers (alt 82 m)

2.3 km (0h39)

Aire-sur l'Adour (alt 81 m)

1 km (0h17)

Ste-Quitterie (alt 125 m)

PLAN 12

1 🚶 Gîte d'étape-Chambre d'hôtes Bastide et Hospitalet du Cosset, Florence et Freddy Fior, 11 place de la Garlande, 32720 Barcelonne-du-Gers (✉ info@bastideducosset.com ☎ 06-33-80-50-95) Gîte, 14 pl en ch 2-4 pers ✛ 17€, ⬥ 4€, DP ✛ 34€, draps 2€, // 5 ch à partir de 78€ // ⦿ 13€, 🍴, LL 3€, SL 3€, si difficiles, ouv tte l'année, 🕒 15h *(arrêt de bus devant la maison)*

2 🚶 Chambre d'hôtes, Françoise Berdoulet (pèlerine), 1 lotissement du Moulia, 32720 Barcelonne-du-Gers (✉ framboiz.montaigne@orange.fr ☎ 05-62-09-47-88 & 06-73-89-04-77) 2 ch, ✛ 20€, DP ✛ 34€, loc draps, LL, 🍴, Aire-sur-l'Adour, poss massages, ouv tte l'année, 🕒 16h *(au panneau "Bienvenue à Barcelonne-du-Gers"), prendre le chemin du Rot sur 20 m, traverser à gauche le canal et prendre la 1ère rue à droite (lotissement), la maison est au bout)*

3 Restaurant l'Auberge du Moulin, 10 boulevard du Midi (05-62-03-26-43) ⦿ 14€, ouv midi lun à ven

4 Ravitaillement :
- Carrefour Market, route Aire-Barcelonne, fermé dim après-midi
- Epicerie Ô Marché Fermier-Ô 4 saisons, fermé lun et dim après-midi
- Epicerie Bio Lutscrampo, fermé dim
- Pâtisserie Aux Saveurs Sucrées, fermé dim après-midi et lun
- Boulangerie Au Bon Pain de chez Nico, fermé dim après-midi et mer
- Boucherie Du Village, dépôt de pain le mercredi, épicerie-dépannage, fermé dim
- Le Petit Casino, 5 rue Henri Labeyrie, Aire, fermé dim après-midi mai à aou, BS fermé dim après-midi et lun
- Leclerc, 1668 chemin de Perrot, fermé dim après-midi

5 Accueil Spirituel paroisse Sainte-Quitterie, cathédrale Saint-Jean-Baptiste (ville basse) (05-58-71-64-87) accueil 15 avr au 15 oct 15h à 18h - Bénédiction des pèlerins après la messe à 18h mar à ven, 18h30 sam

6 Gîte Hospitalet Saint Jacques, André et Odile (pèlerins), 21 rue Félix Despagnet, 40800 Aire-sur-l'Adour (05-58-52-31-68) 6 pl en 2 ch, ✛ 14€, ⬥ 4.50€, ⦿ 11.50€, DP 30€ // ✛ 5€ // 🍴, soin des pieds, ouv mars à oct, 🕒 14h à 18h, accueil pèlerins et randonneurs à pied portant leur sac, sans véhicule ni transport de bagages *(sur le GR, en montant la côte vers l'église Sainte Quitterie)*

7 Centre de Loisirs, quartier de la Plaine, 40800 Aire-sur-l'Adour (05-58-71-61-63 ✉ directeur.alale@orange.fr) 28 pl, ✛ 14.20€, 🍴, ⦿ 9€ (sur résa 3 jours avant), ▶ 3€, draps 3€, ouv toute l'année, 🕒 jusqu'à 18h, accueil fermé sam-dim, sur résa 5 jul au 15 aou

8 Gîte d'étape la Chapelle des Ursulines, Fabienne et Didier Jouaret, 40 rue Félix Despagnet, 40800 Aire-sur-l'Adour (06-70-49-65-26 & 09-79-27-09-01 ✉ chapelle-ursulines@outlook.com) 20 pl en ch et dortoir, en dortoir 15-20€, DP ✛ 34-39€, en ch ✛ 25€, DP ✛ 44, ⬥ 5€, draps 3€, LL 3€, SL 3€, à l'arrivée du bus, ouv avr à oct, 🕒 15h *(sur le GR, ancienne chapelle face à l'église Sainte Quitterie)*

9 Gîte La Maison des Pèlerins, Isabelle et Alejandro (pèlerins) (07-80-04-11-40 & 07-80-39-36-58 ✉ lamaisondespelerins@gmail.com) Accueil réservé aux pèlerins, 15 pl en ch 2-3 pers et dortoirs 4-6 pers, en dortoir ✛ 15.50€, ⦿ 14€ (poss végétarien), 🍴, en ch DP ✛ 73€, 109.50€, ⬥ 5.50€, draps 1.50€, LL 3€, SL 3€, ouv mars à oct, 🕒 14h30, sur résa BS // Vente matériel basique de randonnée (chaussettes, bâtons, ponchos, etc...) *(près du parking de la halle hexagonale, centre ville, à 100 m du GR)*

10 Gîte Au Gré de l'Adour**, Christine Lavie, 24 route de Duhort, 40800 Aire-sur-l'Adour (06-32-96-58-96 ✉ duhort40@orange.fr) 2 ch 2 pers et 1 ch 1 pers, ✛ 23€ (inclus), DP ✛ 35€ (linge inclus), ⬥ 6€, LL 3€, SL 3€, ouv tte l'année *(à l'office de tourisme prendre quai des Graverots, puis remonter à gauche la rue de Jaunet, puis à droite route de Duhort)*

11 Gîte-Accueil pèlerin Au Passage de l'Adour, Anne-Pascale et Philippe Babut (pèlerins), 30 rue Césaire Daugé, 40800 Aire-sur-l'Adour (05-58-45-34-51 & 06-51-43-68-18 ✉ aupassagedeladour@gmail.com) 6 pl en ch 2-4 pers, ✛ 23-24€, DP sur résa, 🍴, ⬥ 5.50€ (sur résa), LL 3€, SL 3€, ouv 15 avr au 15 oct *(après le pont sur l'Adour, prendre à droite sur 300 m)*

12 Chambres-Gîte de la Paix, Maryse Laffont, 7 rue Carnot, 40800 Aire-sur-l'Adour (✉ hoteldelapaix.40@wanadoo.fr 05-58-71-60-70 & 06-81-39-50-02) Chambres, 8 ch, ✛ 18€ (inclus) // Gîte, dortoir 8 pl, ✛ 15€ (+ draps inclus), 🍴 // LL, SL, ouv tte l'année, fermé dim

13 Chambre d'hôtes Le Mas Pascale Bertho, 17 rue du Château, 40800 Aire-sur-l'Adour (05-58-71-91-26 & 06-15-44-36-82 ✉ pascale.bertho757@orange.fr) 5 ch, ✛ 90-155€, DP 90€, 122-124€, 174€, 232€, ouv tte l'année, 🕒 15h *(à 50 m du GR)*

14 Hôtel-Restaurant Chez L'Ahumat* Mr et Mme Labrouche, 2 rue Pierre Mendès-France, 40800 Aire-sur-l'Adour (05-58-71-82-61 ✉ chez.lahumat@orange.fr) 12 ch, ✛ 38-49€, 45-55€, ⬥ 6.80€, DP ✛ 55-65€, 78-88€, 105-125€, resto fermé mar soir et mer, hôtel ouv 7/7, fermé 10 jours en mars et 2 semaines en jul

Suite Aire-sur-l'Adour page suivante .../..

⓯ 🚗 ♿ 🚇 ✳ 🦮 N'Atura Hôtel

28 avenue du 4 Septembre, 40800 Aire-sur-l'Adour (✉ naturahotel@yahoo.fr 05-58-71-66-17) 31 ch, ♦ 59€, ♦ 68€, ♦♦ 79€, DP ♦ 83€, ♦♦♦ 154€, 🍴 9,50€, LL+SL 12€, yoga sur résa, ouv 7/7

⓰ 🚇 ✳ Hôtel-Restaurant Les Platanes**

2-4 place de la Liberté, 40800 Aire-sur-l'Adour (lesplatanes.aire@gmail.com 05-58-45-87-27) 9 ch, ♦ 42-52€, ♦♦ 57-77€, 🍴 8,50€, 🍴 21-29€, DP ♦ 77€, ♦♦ 130€, hôtel fermé dim soir, resto fermé dim soir et lun soir, ouv tte l'année, ⏰ 14h

⓱ 🛜 @ Médiathèque passage des Cultures (05-58-51-34-04), Cybercafé, ouv mardi 9h à 13h et 15h à 19h, mer 10h à 18h, jeu 14h à 18h, ven 15h à 19h, sam 9h à 17h

⓲ 🛜 Office de tourisme place du 19 mars 1962 (05-58-71-64-70) www.tourisme-aire-eugenie.fr ✉ accueil-aire@tourisme-aire-eugenie.fr)

⓳ Bus, arrêt place de la Liberté, ligne Mont-de-Marsan-Tarbes-Auch // arrêt à l'Office de Tourisme ligne Pau-Mont-de-Marsan-Agen - Horaires : voir site office de tourisme

Avant d'entrer dans Aire, et le département des Landes, vous traverserez l'ancienne bastide de Barcelonne-du-Gers, datant du XIVe siècle. Ensuite le GR 65 tentera de vous emmener jusqu'au centre en évitant les anachronismes de notre monde moderne par rapport à cet antique chemin. Mais bon, une ville reste une ville : c'est plein de routes, de voitures automobiles et de maisons... Rassurez-vous, vous allez bientôt retrouver le bonheur du silence, car un champ de maïs landais ne parle pas...

En attendant, profitez bien des monuments que vous offre la cité. Il y aura la curieuse "cathédrale" Saint Jean-Baptiste, bien mal nommée, puisque l'évêché se trouve à Dax. Puis le palais épiscopal, abritant aujourd'hui l'hôtel de ville. Et deux anciens hospitaux qui accueillaient les pèlerins, mais qui ont disparu...

Et vous ne pourrez manquer, dans les hauts de la ville, la majestueuse église Sainte Quitterie, inscrite au Patrimoine mondial de l'Unesco, avec son clocher-porche et le patchwork de ses murs alternant la pierre et la brique selon les reconstructions. Cette église fut construite sur l'emplacement, et sans doute avec ces mêmes pierres, d'un temple romain dédié au dieu Mars.

Entrez-y et admirez l'élévation de la nef ogivale. Vous découvrirez dans la crypte le tombeau émouvant, tout de marbre blanc, de la jeune Quitterie, décapitée en 476 et dont le culte est très vivant en Gascogne. La jeune Quitterie. La vénération des reliques de la jeune sainte était une étape obligée des pèlerins du Moyen-âge.

Barcelonne-du-Gers

Messe 18h les 2ème et 4ème sam du mois

Aire-sur-l'Adour

Du 15 avr au 15 oct : Messe dim 10h30 (à la cathédrale ou à l'église Sainte Quitterie selon information affichée) - Messe sam 18h30

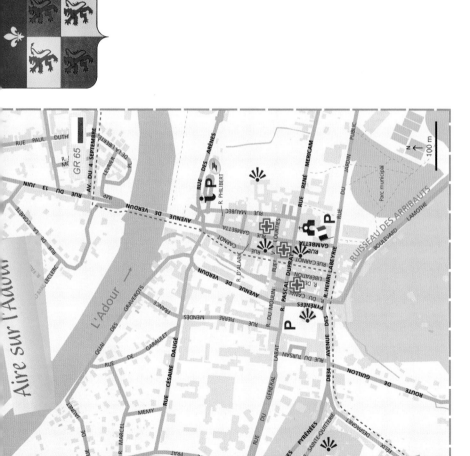

Aire sur l'Adour

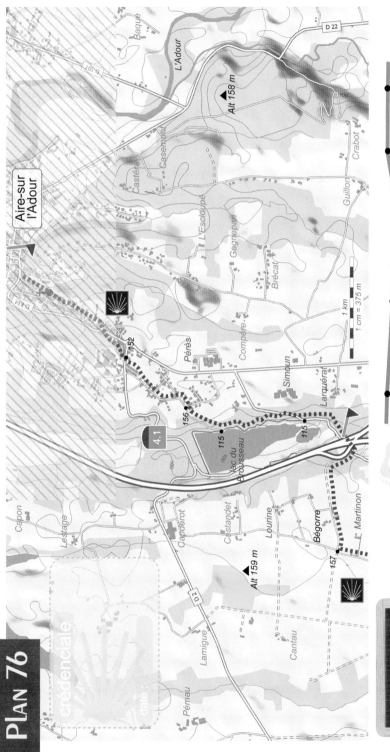

PLAN 76

crédenciale

date :

Aire-sur-l'Adour

Capon

Lestage

Baque

L'Adour

D 22

Alt 158 m

Casemajou

Castéra

L'Escloupé

Crabot

Guillon

Gagnepan

Brécat

Compère

Pérès

152

156

4.1

115

Lac du Brousseau

Simoun

Larquérat

115

Capdérot

Castandet

Lourine

Cantau

Lamigue

Pémau

D 2

Alt 159 m

Bégorre

Martinon

157

1 cm = 375 m

1 km

ton seul devoir
c'est d'être heureux
J. Valmont

alt 152 m

3.1 km (0h53)

alt 156 m

Lac du Brousseau (alt 115 m)

alt 115 m

Autoroute A 65 (alt 120 m)

1.4 km (0h24)

alt 157 m

A peine monté sur les hauteurs de Aire, vous vous oublierez le tumulte et profiterez de nouveau du calme de la nature en longeant les rives du lac du Brousseau, créé pour réguler le niveau de l'Adour. Ensuite vous passerez sous l'autoroute A 65 et entrerez dans un nouveau terroir.

Mais ce terroir pourra vous paraître bien piètre, tout plat, maïs et bois de pins, bois de pins et maïs, après la richesse gasconne Rassurez-vous, ce n'est que l'affaire de trois ou quatre lieues avant de quitter l'usine agricole... Et pensez (bis repetita placent) que c'est le maïs qui nourrit les oies, et les oies qui donnent le foie-gras !

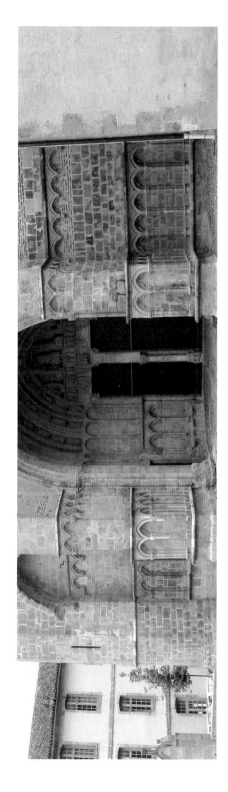

crédenciale

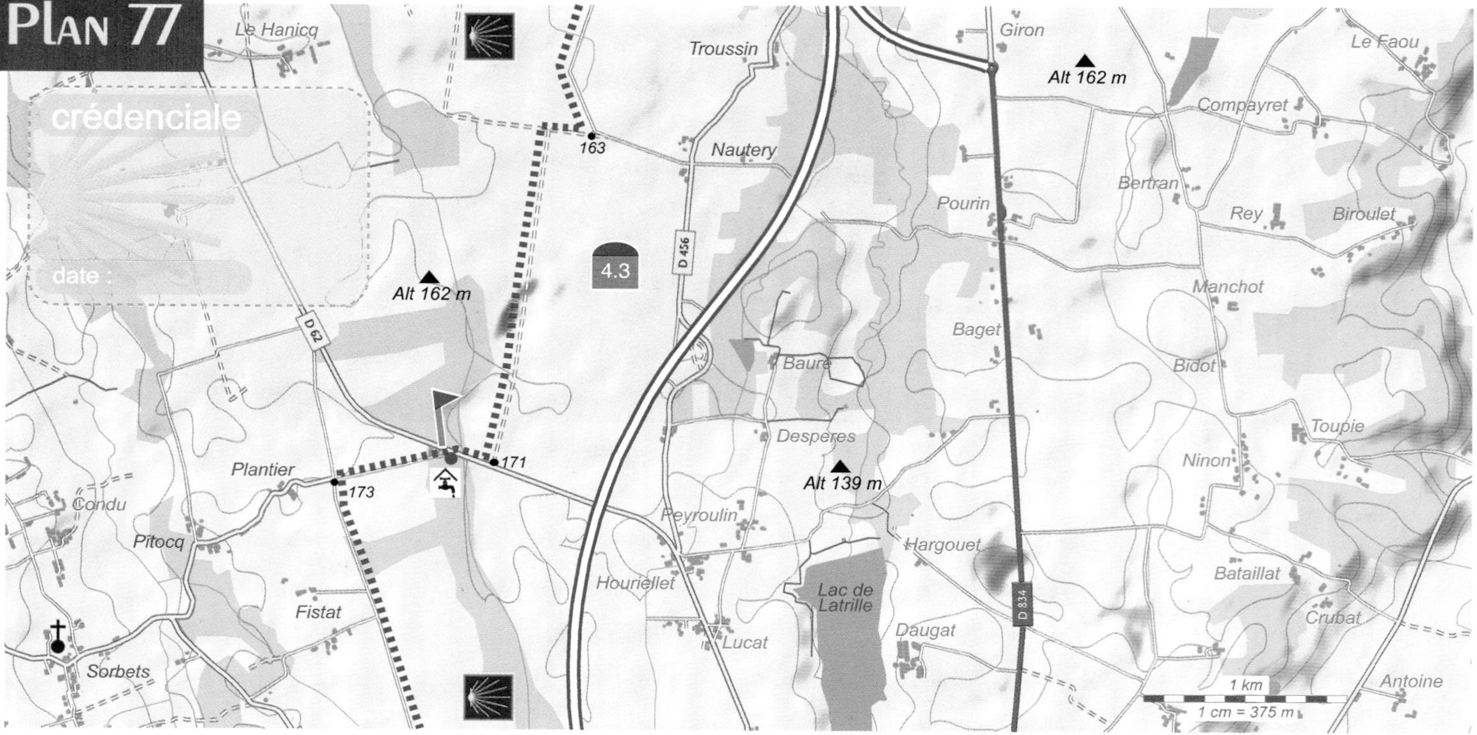

date :

Le Hanicq

D 62

Alt 162 m

163

171

173

4.3

D 456

Troussin

Nautery

Baure

Despères

Alt 139 m

Peyroulin

Hourtellet

Lucat

Lac de Latrille

Daugat

Hargouet

D 834

Pourin

Baget

Giron

Alt 162 m

Compayret

Bertran

Rey

Manchot

Bidot

Ninor

Batallat

Crubat

Le Faou

Biroulet

Toupie

Antoine

Plantier

Fistat

Pitocq

Condu

Sorbets

1 cm = 375 m

1 km

alt 163 m

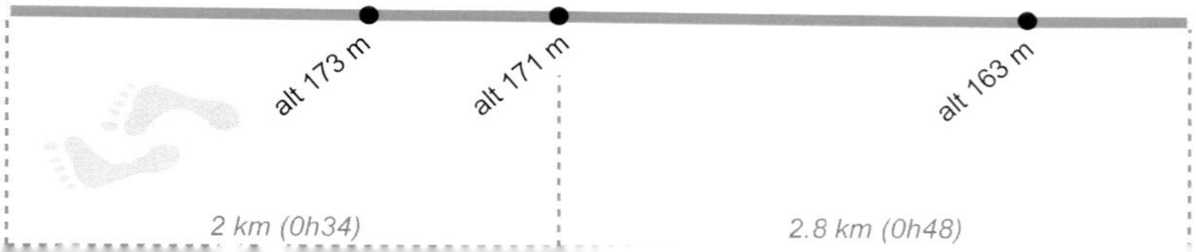

alt 171 m

alt 173 m

2,8 km (0h48)

2 km (0h34)

Aïe, aïe, il va être difficile de vous parler d'Histoire sur ce Plan-ci. Espérons au moins que vous n'êtes pas maïsophobes. Sachez que 9 exploitations sur 10, dans les Landes, cultivent le maïs, qui occupe 70% de la surface agricole. Cependant asperges et kiwis commencent à prendre leur place pour parer à une trop grande dépendance. Concernant le maïs, le climat est adapté, le sol profond et humide, et la valorisation facile puisqu'il suffit d'élever des palmipèdes pour trouver un débouché.

Les Landes étaient au Moyen-âge une grande frayeur pour le pèlerin. Cette région était un immense marécage infesté de moustiques, où sévissait la malaria. sans oublier les sables mouvants à l'approche des cours d'eau. Il a fallu attendre les grands travaux du XIXe siècle pour que soient assainis les marais et plantée la forêt de pins qui a enfin apporté la prospérité aux Landais.

En contrepartie, on a décimé une espèce animale devenue rarissime, le moustique des Landes, le seul moustique aux yeux verts, dont il subsiste seulement quelques couples. Ah c'est certain qu'aujourd'hui les associations de protection animale ne toléreraient pas pareil scandale !

PLAN 78

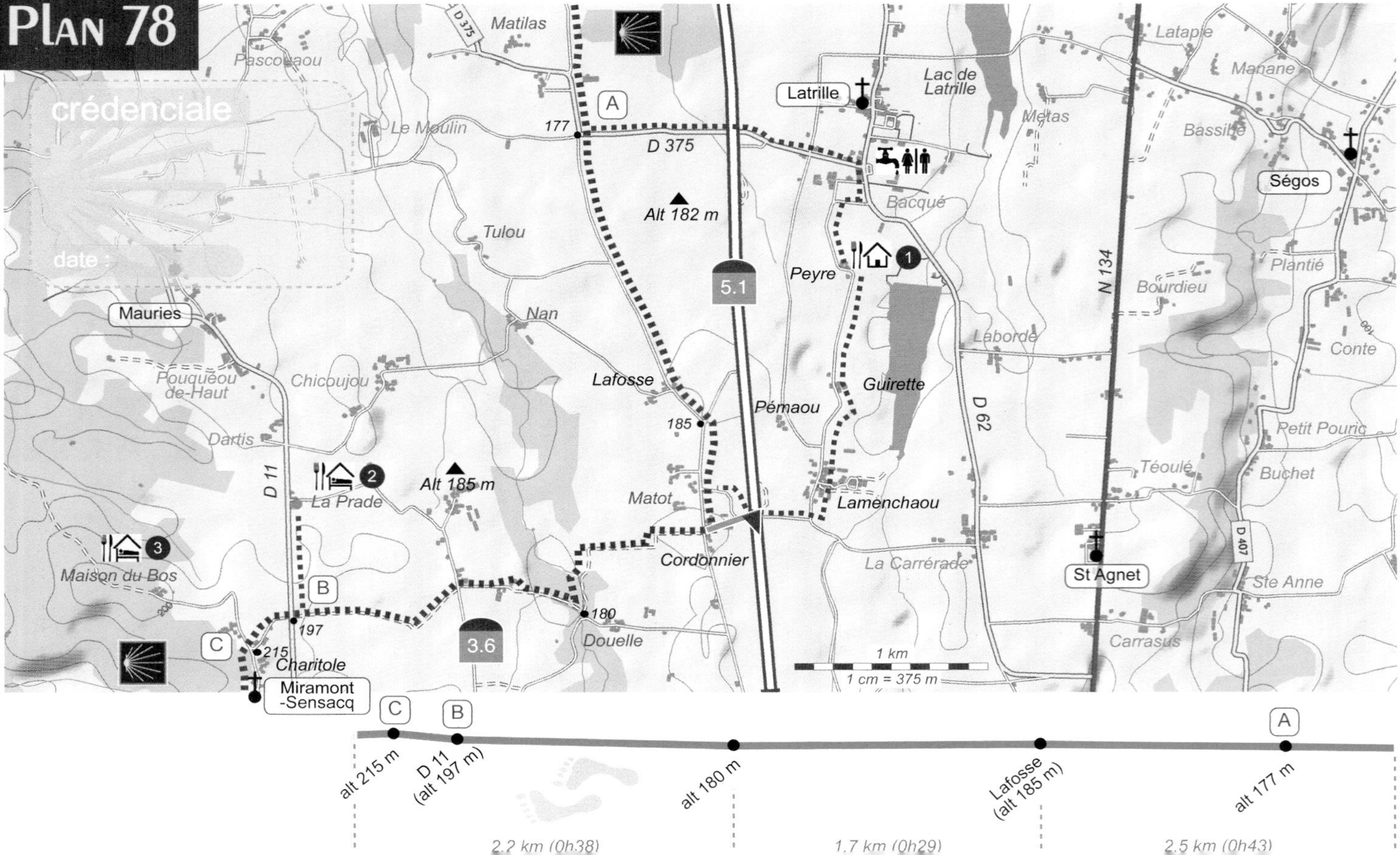

crédenciale

date

Matilas
D 375
Le Moulin
Tulou
Nan
Pascouaou
Chicpujou
Dadis
Pouquiéou-de-Haut
Mauries
Maison-du-Bos

Latrille
D 375
Alt 182 m
177
Lafosse
185
Matot
Cordonnier
180
Douelle
3.6
La Prade
Alt 185 m
2
D 11
Charitole
197
215
Miramont-Sensacq
C

5.1
Peyre
Pémaou
Guirette
Lamenchaou
La Carrérade
Bacqué
Lac de Latrille
D 62

Ségos
Marane
Plantié
Conte
Petit Pourrit
Lataple
Bassit
Bourdieu
Téoulé
Ste Anne
Buchet
N 134
Métas
Laborde
St Agnet
Carrasus
D 407

1 km
1 cm = 375 m

A
alt 177 m
2.5 km (0h43)

Lafosse
(alt 185 m)
1.7 km (0h29)

alt 180 m

2.2 km (0h38)

B
D 11
(alt 197 m)

C
alt 215 m

1  Gîte Les Marcheurs de Latrille

Amandine Martocq et Jean-Baptiste Bézecourt, Peyre, 589 chemin de Lamenchaou, 40800 Latrille (06-45-37-10-80 & 06-48-34-60-77 ✉ amandine.martocq@gmail.com) 4 pl en 2 ch, ♦ 25€ (💧+linge inclus), DP ♦ 37€, 🛏️, ouv avr à oct. 🕐 15h *(au croisement du GR 65 et de la D 375 (repère A) prendre à gauche vers Latrille sur 1.5 km jusqu'à la D 62, prendre à droite sur 100 m puis à droite sur 400 m)*

2  Chambre d'hôtes La Prade

Sandrine Champagne, 1294 route de Tursan, 40320 Miramont-Sensacq (05-47-31-01-88 & 06-07-75-74-30 ✉ la.prade40@orange.fr) 3 ch, DP ♦ 78€, ♦♦ 102€, ♦♦♦ 135€, ♦♦♦♦ 164€, 🍽️ 7€, LL 3€, SL 3€, 🚌 Miramont-Sensacq, ouv tte l'année *(au croisement avec la D 11 (repère B) prendre à droite sur 450 m)*

3 🅿️ 🚲🚲🚲🚲  Chambre d'hôtes La Maison du Bos★★★★

Corinne Favre, La Maison du Bos, 378 chemin Dubos, 40320 Miramont-Sensacq (05-58-79-93-18 & 06-42-79-84-26 ✉ info@maisondubos.com) 5 ch, ♦ 70€, DP ⚡ 85€, ♦♦ 115€, ♦♦♦ 165€, ouv tte l'année, 🕐 14h *(au repère C, 250 m après avoir croisé la D 11, prendre à droite sur 700 m)*

Beh là non plus, ça ne va pas être facile de vous entretenir… Alors faute de merles, attrapons des grives…

Nous évoquons depuis le début de votre Chemin le bâti, l'architecture vernaculaire, le petit patrimoine, tout ce qui fait la beauté de notre campagne et de nos villages. Comme partout ailleurs, les habitants de ce terroir ont construit leurs maisons avec les matériaux qu'ils trouvaient sur place.

Dans les landes sableuses, où pousse le chêne, les maisons étaient assemblées en colombages, c'est-à-dire une structure en poutres de bois auto-porteuse, reliées entre elles par tenons, mortaises et chevilles. Dans les intervalles entre les poutres, on tassait de l'argile mêlée à de la paille. Allez donc demander aujourd'hui à un artisan, avec la garantie décennale obligatoire, de vous coller du torchis…

Près des anciens cours de rivières, on trouve mélangés à la terre quantité de galets ronds. Collés avec du mortier de chaux, ces galets font d'excellents murs porteurs. Afin d'améliorer l'esthétique, les maçons inclinaient quelquefois les galets alternativement à gauche ou à droite, en arête de poisson. Vous allez retrouver ces deux types de constructions pendant quelques jours.

Ensuite, après cette courte pénitence en plaine landaise, vous pourrez entrer en Béarn, avec de vraies collines en hauteur; une montée d'un côté et une descente de l'autre. Mais comme vous marchez depuis le Puy-en-Velay, voire de plus loin encore, ces collines béarnaises ne seront pour vous que d'aimables marchepieds qui vous prépareront les mollets pour le franchissement des Pyrénées.

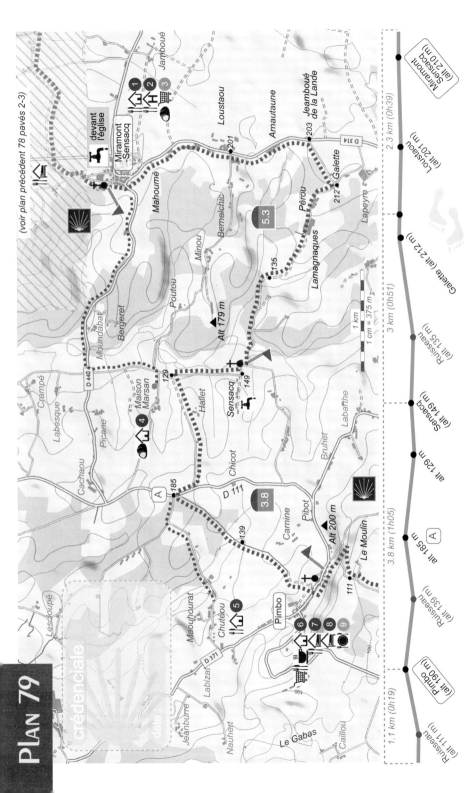

PLAN 79

crédenciale

date :

(voir plan précédent 78 pavés 2-3)

Miramont-Sensacq (alt 210 m) — 2.3 km (0h39)

Loustiau (alt 201 m) — 3 km (0h51)

Galette (alt 212 m)

Ruisseau (alt 135 m)

Sensacq (alt 149 m)

alt 129 m

alt 185 m — 3.8 km (1h05)

Ruisseau (alt 139 m)

Pimbo (alt 190 m) — 1.1 km (0h19)

Ruisseau (alt 111 m)

1 cm = 375 m
1 km

devant l'église

Miramont-Sensacq

Jamboué de la Lande

Loustaou

Arnautaune

Galette

Pérou

Lamagnaques

Lapeyre

Labarthe

Bruhet

Sensacq

Malhoumé

Bernalchic

Minou

Poutou

Bergeret

Moundabat

Crampé

Labesque

Picane

Cachaou

Maison Marsan

Hallet

Chicot

Pibot

Carmine

Le Moulin

Pimbo

Maouhourat

Chutéou

Labizat

Jeanburre

Nauhèrt

Le Gabas

Caillou

Lesdoupé

D 440

D 111

D 371

D 314

203

201

135

212

149

129

185

139

111

Alt 179 m

Alt 200 m

1 **2** **3**

4

5

6 **7** **8** **9**

5.3

3.8

1 🏁 📶 (🐕) Gîte d'étape communal, 40320 Miramont-Sensacq (05-58-79-94-06 avr à oct & 05-58-79-91-23 mairie BS) accueil par la Société Landaise des Amis de Saint-Jacques, 20 pl. ‡ 13€, 🛏+🍽 libre part aux frais, pris en commun (avr à oct), ouv toute l'année

2 📶 (🐕) Hôtel La Maison d'Hélène, 40320 Miramont-Sensacq (05-58-79-90-65) 7 ch, DP ❖ ‡42€, fermé week-end (sous réserve), ⏰ 14h30 (centre du village)

3 Ravitaillement :

- Boulangerie-Epicerie-dépannage Ducousso, sandwiches, snack, pizzas mar et jeu soir, boissons chaudes, fermé dim après-midi et lun, ouv 7h30 à 13h et 17h à 19h30, mar et jeu jusqu'à 21h

-Boulangerie-dépannage Theux, fermé lun après-midi

4 🍴📶 🥾 Accueil à la Ferme de Marsan-Aire de pique-nique
Bernard Darmaudery, quartier Bestit, 40320 Miramont-Sensacq (05-58-79-94-93 ✉ contact@lafermedemarsan.com) Gîte, 10 pl en dortoirs, ‡ 14.50€ // 6 ch en gîte de séjour (selon locations en jul-aou), ‡ ‡ 40€ // 🛏 3.50€, 🍴 🥤 LL & SL avec part, 🥖 Miramont // Aire de pique-nique le midi avec épicerie (produits de la ferme), dépôt de pain, ⏰ 14h30 (à Miramont-Sensacq, prendre la D 440 vers Sensacq et suivre les panneaux sur 3 km. Le lendemain, on retrouve le GR à 300 m au point coté 129)

5 📶 (🐕) Ferme de Nordland-Les Gîtes Gourmands
Mr et Mme Passicos, 400 route du petit Bas, 40320 Pimbo (05-58-44-49-80 & 06-75-97-34-23 ✉ earl.nordland@orange.fr) 8 pl en 3 ch, ‡ 22€ (draps inclus), 🛏 6€, DP ‡44€ (repas gastronomique), 🍴 (vente produits de la ferme), LL 2€, SL 2€, 🥤 si difficultés, ⏰ 14h (quitter le GR au repère A, suivre la D 11 plein nord sur 50 m, prendre à gauche une petite route sur 250 m, puis encore à gauche vers Chutéou-Nordland sur 900 m)

6 🏁 📶 (🐕) Gîte d'étape communal*-Centre d'accueil-Aire de pique-nique 325 rue de la Bastide, 40320 Pimbo (05-58-44-46-57 ✉ gitedepimbo@hotmail.fr) Gîte, 21 pl, ‡ 17€ (🛏 inclus) // Chambres, 2 ch, ‡ 30€, ‡‡ 55€ (🛏 inclus), 🍴 ❖ 12€ // 🥖 , dépôt de pain, épicerie et vente produits locaux, glaces, aire de pique-nique, restauration, bar, ouv avr à oct (à côté de l'église)

7 📶 (🐕) 🎧 Chambre d'hôtes, Irène Theux (pèlerine), Maison Couhet, 475 rue de la Bastide, 40320 Pimbo, (05-58-44-49-59 & 06-84-98-21-64 ✉ stheux@gmail.com) 3 ch, DP ‡ 45€, 🛏 80€, ‡‡ 120€, LL 3€, 🥤 si difficultés, ouv avr à oct, ⏰ 15h (en bas de l'église)

8 (🐕) 🎧 Chambre d'hôtes Andréa
André Passicos, 20 rue de la Bastide, 40320 Pimbo (✉ dany.manara@gmail.com 06-88-49-93-94) 1 ch, ‡ 40€, ‡‡ 60€, ouv tte l'année

9 Restaurant Le Pimbo Gourmand, (05-58-44-46-57) 🍴 12-14€, Snack-saladerie, ouv 7/7 midi et soir HS

🧭

Quand on voit les curieux zig-zags du GR 65, on se dit que le pèlerin des temps anciens, à moins d'être bien saoul (on est dans le vignoble du Tursan) aurait certainement marché plus droit. Mais voilà, les chemins qui existaient au début du XXe siècle ont quasiment tous été absorbés, labourés, achetés. Les autres ont été goudronnés. Voilà pourquoi les créateurs du Chemin ont eu bien de la misère, dans les années 1970, pour recréer un itinéraire qui soit à peu près cohérent avec l'Histoire du pèlerinage...

À Sensacq il n'y a guère que l'église pour marquer l'endroit, mais elle date du XIIe siècle et est placée sous le vocable de saint Jacques. Elle possède un mur clocher, et des fonts baptismaux carolingiens par immersion. Elle n'est pas couverte par une voûte mais par une charpente en carène de bateau.

Une petite lieue vous sépare encore du premier village de style véritablement béarnais, Pimbo, perché sur sa hauteur. Admirez avec l'œil du pèlerin, qui a déjà vu tant d'architecture depuis le départ du chemin, l'harmonie des maisons, la beauté des pierres blondes ou grises, et les toits à quatre pentes.

L'église de Pimbo, appelée "collégiale " Saint Barthélemy, car y siégeaient avant la Révolution neuf chanoines, date du VIIIe siècle. Le portail est bien abîmé mais après tant d'années ça peut se comprendre... On y aperçoit cependant de curieuses sculptures de personnages enlacés dans des positions qui relèvent plus du Kama-Soutra que du Catéchisme Romain... Que chacun se fasse sa religion sur ces esbaudissements...

Encore une lieue et quelques portées d'arbalète et vous entrerez sur la place d'Arzacq. Mais d'ici là, entre les arbres, sur une crête plus haute que les autres, vous aurez peut-être aperçu, dans le lointain, la redoutable muraille des Pyrénées qui bouche l'horizon avec des montagnes très beaucoup pointues. Dans une semaine, que diable, vous serez à ses pieds; et à pied !

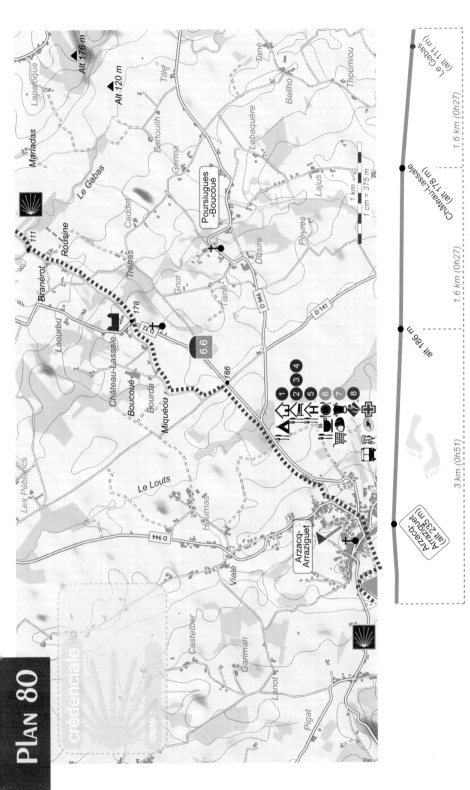

PLAN 80

crédenciale

date :

Map labels

Marladas
Lapaloque
Alt 176 m
Alt 120 m
Le Gabas
Tillet
Barfouilh
Germa
Thoumiou
Tané
Bailho
Labaquère
Poursiugues-Boucoué
Caddet
Branérot
Rousine
111
Trepas
Gnot
Tisné
Dusire
Lajus
Peyres
Laourba
178
Château-Lassale
D 92
D 946
D 141
Boucoué
Bourda
Micouéou
186
6.6
Les Péblancs
Le Louts
Houmas
D 944
Viale
Castetber
Garimat
Lanot
Pigat
Arzacq-Arraziguet

1 cm = 375 m
1 km

Elevation profile

Arzacq-Arraziguet (alt 228 m) — 3 km (0h51) — alt 186 m — 1.6 km (0h27) — Château-Lassale (alt 178 m) — 1.6 km (0h27) — Le Gabas (alt 111 m)

PLAN OU

① ♿ [logo] 🅿 [icons]

Centre d'accueil-Gîte d'étape communal-espace Camping
Mme Desclaux & Mr Lacassagne, 20 place du Marcadieu, 64410 Arzacq-Arraziguet (05-59-04-41-41 ✉ centreaccueil@arzacq.com) 31 pl, dortoir 🛏13€, DP 🍴29€, ch individuelle 🍴25€, DP 🍴40€, 🍴39€, 🛏68€, 🍴4.50€, 🍴, draps 2€, ouv 1er fév au 26 nov sauf 9-10-11 jul, ⏱15h // △ 🛏10€, DP 🍴21€, // attention : le centre accueille des groupes autres que les pèlerins, résa recommandée

② [icons] Ⓟ Chambre d'hôtes Dulucq
Huguette Dulucq, 25 place du Marcadieu, 64410 Arzacq-Arraziguet (07-85-32-81-26 & 05-59-04-46-12 ✉ dulucqhuguette@gmail.com) 2 ch, DP 🍴48€, 🍴78-84€, 🍴6€, LL avec part, ouv tte l'année *(à côté du gîte communal)*

③ [icons] Ⓟ
Chambre d'hôtes-Restaurant La Maison d'Antan, Jean-Pierre Guerin-Recoussine, 1 place de la République, 64410 Arzacq-Arraziguet (✉ lamaison.dantan@orange.fr 05-59-04-53-01) 4 ch, 🍴120-128€, 🍴130€, 🍴168€, 🍴228€, 🍴9€, LL & SL 9€, ouv tte l'année ⏱14h // Resto, 🍴10€ servi à partir de 6h, ✴10€, ouv 7/7 à partir de 6h, ✴10€, ouv 7/7 *(face au Crédit Agricole)*

④ [icons] Ⓟ Chambre d'hôtes Maison Pantalou
Patrice Dulucq, 25 chemin de Saint-Jacques, 64410 Arzacq-Arraziguet (06-98-31-12-82 ✉ pdulucq@hotmail.com) 2 ch, DP ✴50€, 🍴50€, 🍴90€, 🍴6€, LL, ouv tte l'année, ⏱15h30 *(au Crédit Agricole, prendre le chemin de Saint-Jacques sur 250 m)*

⑤ ♿ [icons] Ⓗ Hôtel-Restaurant La Vieille Auberge**
Emmanuel Heible et Nadège Mérino, 14 place du Marcadieu, 64410 Arzacq-Arraziguet (05-59-04-51-31 ✉ vieilleaubergedusoubestre@orange.fr) 7 ch, 🍴64€, 🍴66€, 🍴7€, DP 🍴85€, 🍴108€, 🍴12€, LL & SL 5€, 🍴 massage, ouv 7/7 tte l'année // Resto, 🍴12€ (midi) à 14€ (soir), fermé dim soir

⑥ Restauration :
-Pizzeria One Pizz, place du Marcadieu (05-59-04-35-18) fermé dim midi et lun
-Pizzeria Arcadi, place de la République (05-59-04-57-49) pizzas à emporter le midi et soir, ouv mardi à sam 12h à 14h et 18h à 20h30, distributeur de pizzas 24/24 7/7
-Café-Restaurant des Sports "Le Roi de la Garbure", Mr et Mme Regagnon, 17 place de la République (05-59-04-40-67) 🍴15-28€, 🍴5€ à partir de 6h30, sandwiches à partir de 6h30 mardi à sam, à partir de 8h dim et lun, fermé mardi soir et mer soir
- 🍴 Café des Arcades (05-59-04-54-09) sandwiches à tte heure, glaces, fermé lun

⑦ Ravitaillement :
- Supérette Carrefour Contact, fermé dim après-midi
- Epicerie Vival, fermé dim après-midi
- Boulangerie Reinaldo, fermé dim après-midi et lun
- Boucherie-Charcuterie Donney, fermé dim

⑧ [icons] @ Office de tourisme
47 place de la République (05-59-04-59-24 ✉ contact@tourisme-nordbearn.fr www.tourisme-nordbearn.fr)

Le nom du village, Arzacq-Arraziguet, aussi imprononçable que le volcan islandais Eyjafjallajökull après un repas bien arrosé, provient de la fusion de deux communes autrefois disjointes. Mais si vous dites seulement Arzacq, nul ne vous en tiendra rigueur et vous aurez moins mal à la mâchoire, d'autant qu'il faut rrrouler les "rrr" d'une manière appuyée et récurrente...

Même si son plan n'est pas au carré, Arzacq est une jolie bastide dotée d'une place à couverts bordée d'anciennes maisons à arcades sous lesquelles on peut circuler à l'abri de la pluie comme du cagnard.

À Arzacq, comme dans les hameaux et villages suivants, vous aurez le loisir d'admirer l'architecture des demeures béarnaises : les pierres d'angles, les linteaux des portes et fenêtres sont en noble pierre grise, alors que les moellons de remplissage sont en pierre de tout-venant jointoyées à la chaux. Les tuiles sont plates et se recouvrent aux deux-tiers. Les maçons d'ici étaient gens nobles et fiers !

Afin de vous préparer au passage des Pyrénées, vous allez manger dans les prochaines étapes et fêter de la montée et de la descente. Certes du relief modéré, mais assez pour avoir très soif si le soleil tape... Rassurez-vous quand même : la majorité de l'itinéraire se déroulera à l'ombre de chênes majestueux.

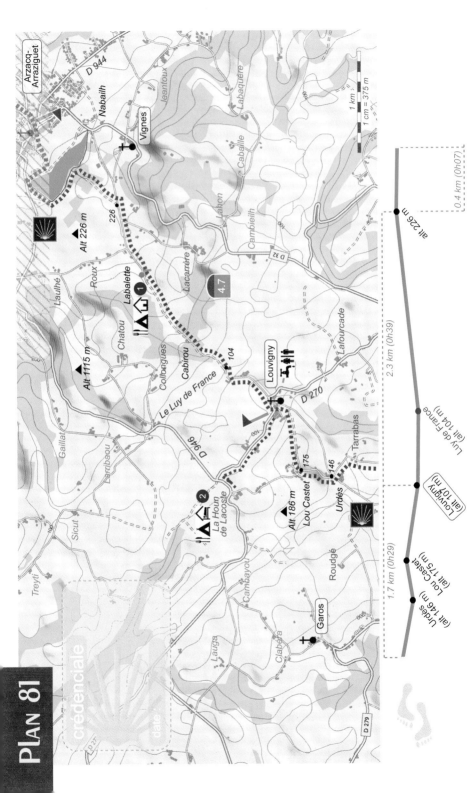

PLAN 81

crédenciale

date :

Arzacq-Arraziguet

D 944

Nabailh

Vignes

Jeantoux

Labaquère

Caballe

Lahon

Cambielih

D 32

Alt 226 m
226

Laulhé

Roux

Chatou

Labalette
Collongues
Cabirou

Alt 1115 m

Le Luy de France

104

D 946

Lacarrère

Lacasee

4.7

Louvigny

D 270

Lafourcade

Tarrabas

La Houn
de Lacoste

175
46

Urdès

Lou Castet
Alt 186 m

Roudgé

Gaillat

Taribaou

Sicut

Treyti

Lauga

Cambayou

Clabéra

Garos

D 279

1 km
1 cm = 375 m

alt 226 m

0.4 km (0h07)

2.3 km (0h39)

Luy de France
(alt 104 m)

Louvigny
(alt 107 m)

1.7 km (0h29)

Lou Castet
(alt 175 m)

Urdès
(alt 146 m)

1 🏠 🇬🇧 〰 ☕ ⌂ ♿ Gîte d'étape A Labalette, Nadine et Michel Dupouts, chemin de Cabirou, 64410 Vignes (06-08-31-48-56, ✉ ndupouts@gmail.com) 10 pl en 5 ch 1-2-3 pers, DP 🍽 36€, draps 1€, LL 2€ // 🏕 🍽 5€, DP 🍽 20€ // 🚿 à partir de 3€, ouv avr à oct, 🕒 15h *(sur le GR)*

2 🇬🇧 〰 ☕ ⌂ 🍴 Chambre d'hôtes Lacadée, Jean-Michel Lacadée, Ferme de la Houn de Lacoste, 1 route d'Orthez, 64410 Louvigny (06-80-42-68-94 & 05-59-04-42-73 ✉ jeanmichel.lacadee@hotmail.fr) 5 ch, DP 🍽 40-65€ // Chalet 4 pl, DP 🍽 à partir de 25€ // 🏕 DP+sanitaire 🍽 25€ // 🚿 à partir de 5€, LL & SL, ouv tte l'année *(à l'entrée de Louvigny prendre à droite et suivre les panneaux sur 1.2 km)*

Curiosité due à l'Histoire : au cours de cette étape (sur ce Plan et sur le Plan suivant) vous allez traverser successivement deux petites rivières. L'une s'appelle le Luy de France et l'autre le Luy de Béarn, car la crête qui sépare les deux vallées était dans les temps anciens la frontière des deux royaumes. Durant de nombreux siècles le royaume de Navarre est resté indépendant de ses grands voisins l'Espagne et la France. Il avait ses coutumes, son parlement (les États de Béarn), sa langue (le béarnais, empruntant de nombreux vocables basques), sa monnaie. Il englobait le Béarn proprement dit, la Basse-Navarre côté nord des Pyrénées et la Haute-Navarre côté sud. Il est parvenu à rester neutre pendant la guerre de Cent Ans entre la France et l'Angleterre.

Dans les années 1500 la Couronne d'Espagne met la main sur la Haute-Navarre. Entre temps le Béarn avait largement embrassé la religion réformée et tenait tête à ses deux puissants voisins pour garder sa liberté religieuse.

Le roi Henri III de Navarre devient roi de France en 1589 par un hasard dynastique sous le nom de Henri IV. Cependant, malgré cette promotion, le royaume de Navarre conserve son indépendance. Henri IV est nommé roi de France et de Navarre, il est le souverain de deux royaumes indépendants...

C'est Louis XIII qui envoie ses armées en prendre possession en 1620 et rétablir autant que faire ce peut la religion catholique dans ses prérogatives. Pourquoi se gêner ?...

Le Béarn conserve toutefois après cette annexion une large autonomie, comme d'autres provinces composant le royaume de France. C'est seulement à la Révolution que disparaîtront l'ensemble des privilèges et exceptions. Toutefois lors de la convocation des États Généraux, en 1789, les Navarrais ne jugèrent pas utiles d'envoyer des délégués, puisqu'ils ne faisaient pas partie du royaume de France...

Mais si l'autonomie disparaît, les traditions demeurent et le Béarn affiche toujours un attachement très fort à sa langue, ses chants, ses danses.

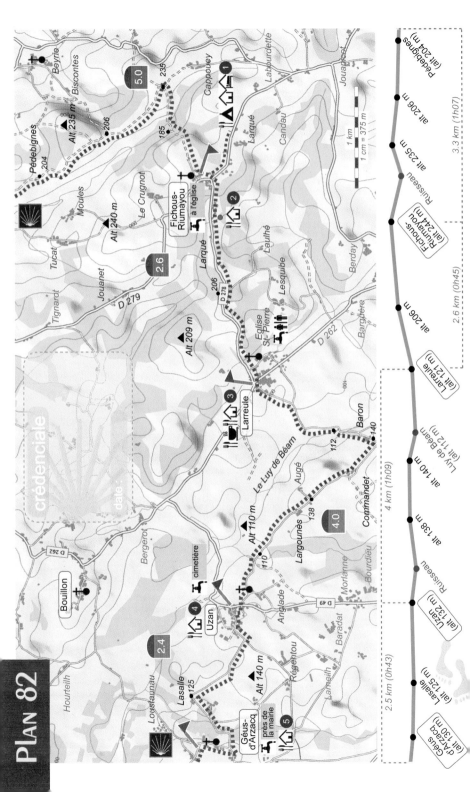

PLAN 02

1 🦺 AB 🏴󠁧󠁢󠁥󠁮󠁧󠁿 ▬ ▬ ❄ 📶 @ 🏠
Chambre d'hôtes-Gîte à la ferme Maison Lomprère, Guilhem, Maxime et Sébastien, 5 route de Fichous, 64410 Fichous-Riumayou ✉ maisonlomprere@gmail.com 06-33-37-62-27) Chambres, 4 ch. 🛏 50€, 🛏🛏 55€, 🍽 70€, 🛌 16€ // Gîte, 21 pl en 2 cabanes et 1 dortoir 🛏 16.50€, 🚿 // ⛺ (douche incluse) // 🚮 6€, vente produits de la ferme, 🚪 ouv mars à nov sur résa, 🕐 17h

2 🏴󠁧󠁢󠁥󠁮󠁧󠁿 ▬ ▬ ▬ ⑧ 📶 🏠 Gîte d'étape Bien Hêtre
Laetitia et Xavier, 1 chemin Hartane, 64410 Fichous-Riumayou (06-16-89-73-77 & 06-85-72-73-45 ✉ contact@bien-hetre.fr) 7 pl 1 roulotte + 1 chalet + 1 lodge sur pilotis DP 🛏 50€, 🚮 5€, draps 2€, LL 5€, SL 2€, 🏧 Arzacq-Arraziguet 10€, soins énergéti-ques-massage, ouv tte l'année, 🕐 15h

3 🦺 📶 🏠 🐕‍🦺 Gîte L'Escale à la Ferme
Patricia Bourda (pèlerine), 1 route de Mazerolles, 64410 Larreule (05-59-81-49-24 & 06-32-02-25-48 ✉ alain.patricia64@orange.fr) 16 pl en dortoir 3 ch. en dortoir, 🛏 15€, 🚮 5€, DP 🛏 35€, draps 2€ // 🛏 en ch. 🛏 55€, 🛏🛏 70€, 🛏🛏🛏 90€, DP 🛏 65-70€, 🛏🛏 90-100€, 🛏🛏🛏 135€ // ⛺ 🛏 5€, DP 🛏 25€ // 🍽 repas avec produits de la ferme, LL 3€, ouv tte l'année, 🕐 14h30 // 🚮 sandwiches 3.50€ sur résa *(sur le GR)*

4 📶 🏠 🐕 Gîte Ossau
Cécile Darribère, 90 impasse de la Mairie, 64370 Uzan (05-59-81-69-64 & 06-71-59-84-68 ✉ darribere_cecile@hotmail.fr) 4 pl en 2 ch. DP 🛏 35€, DP 🛏🛏 70€, (+ supp chauffage), draps 5€, ouv tte l'année sur résa *(sur le GR)*

5 🏴󠁧󠁢󠁥󠁮󠁧󠁿 ▬ ▬ ▬ 📶 🌿 Gîte Ayguelongue
Mr et Mme Faure, 11 route de l'église, 64370 Géus d'Arzacq (05-59-81-41-90 & 07-81-77-90-17 ✉ ayguelongue@gmail.com) 2 ch de 2 pers, DP 🛌 🛏 37€, draps 5€, LL 5€, ouv mi-avr à fin sep sur résa, 🕐 14h, fermé 2 semaines début jul et 1 semaine fin aou *(sur le GR)*

A chaque pas, vous allez vous rapprocher des Pyrénées, et à chaque crête, si le temps est beau, vous verrez se rapprochant la haute dentelle blanche qui vous barre la route au sud. Voilà pourquoi les étapes qui vont suivre, sur ces collines enchanteresses du Béarn, vont être parmi les plus belles de votre chemin.

Vous cheminerez de village en village éloignés d'à peine une demi-lieue.

En passant à Larreule, ne manquez pas la visite de l'église, dernier vestige d'une abbaye bénédictine démantelée à la Révolution.

A Uzan faites halte à l'église Sainte Quitterie et à sa fontaine éponyme toute proche, qui fut lieu de pèlerinage.

A Géus ne manquez pas le joli clocher ardoisé à deux étages.

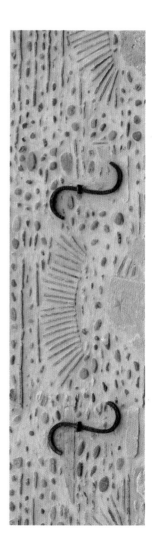

PLAN 83

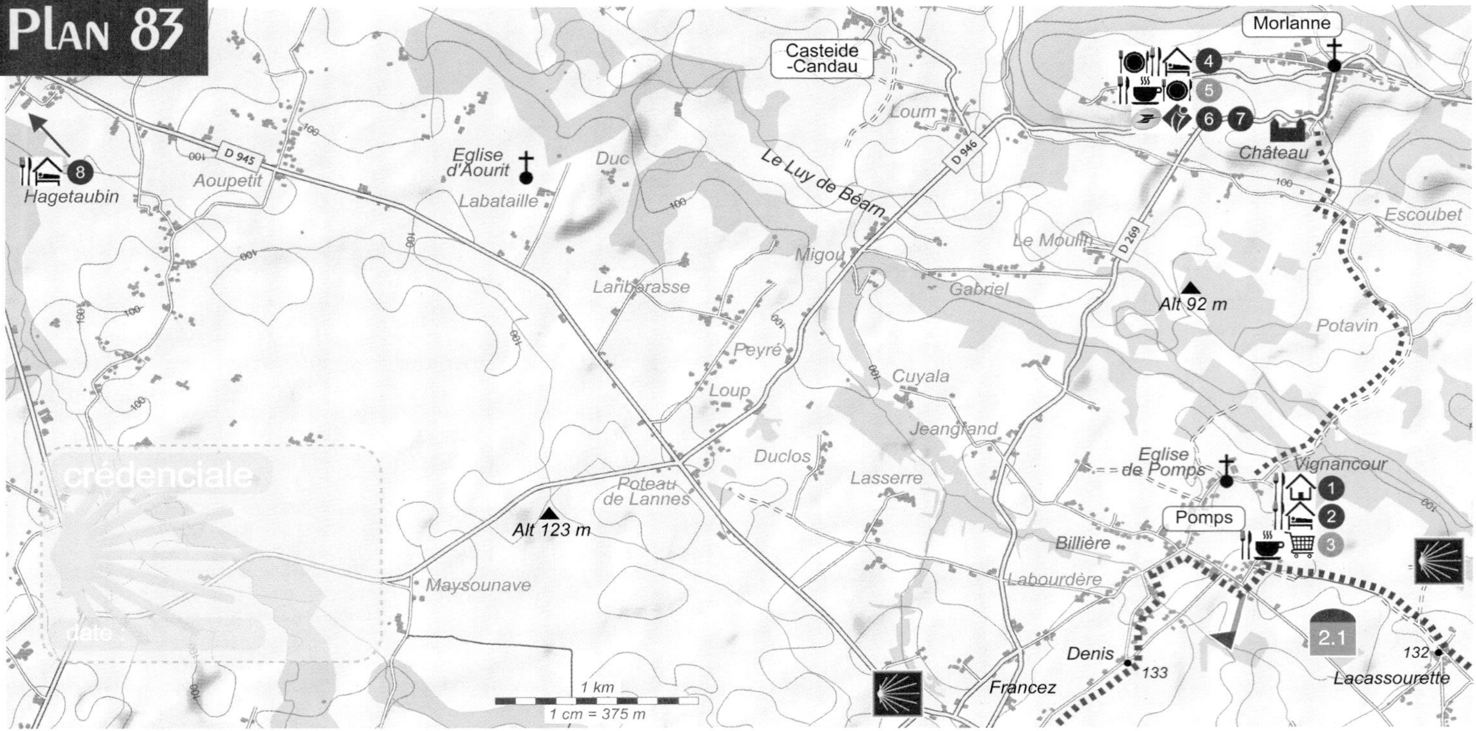

Morlanne

Escoubet

Potavin

Vignancour

① ② ③

2.1

Lacassourette
132

Château

④ ⑤
⑥ ⑦

Alt 92 m

Pomps

Église
de Pomps

D 269

Le Mouli

Gabiel

Bililière

Labourdère

Denis
133

Francez

Casteide
-Candau

Le Luy de Béarn

Loum

Duc

Migou

Peyré

Loup

Cuyala

Jeangtand

Lasserre

Duclos

D 946

Larin...rasse

Poteau
de Lannes

Alt 123 m

Église
d'Aourit

Labataille

Maysounave

D 945

Aoupetit

⑧
Hagetaubin

1 km
1 cm = 375 m

crédenciale

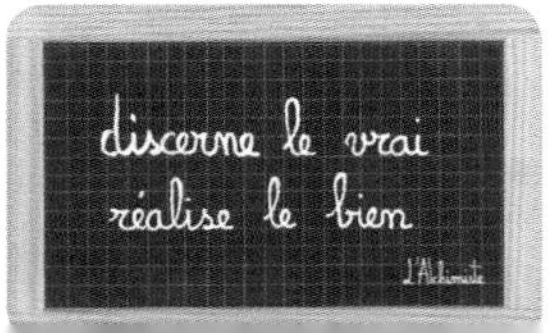

discerne le vrai
réalise le bien

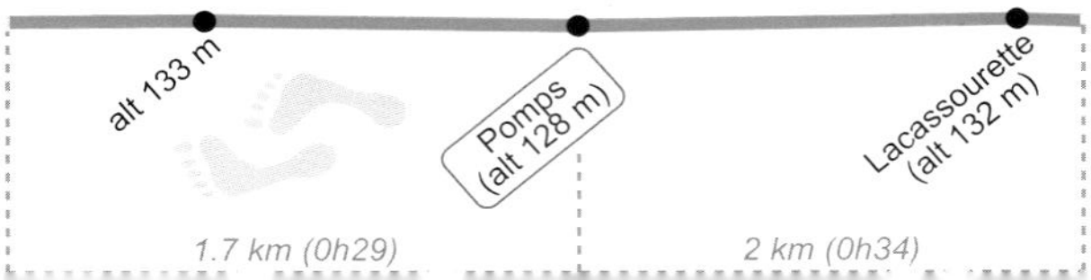

J.Albenda

1  Gîte d'étape communal La Halte Pompoise
64370 Pomps (06-84-91-94-00 ⊠ reservationlahaltepompsoise@gmail.com) 22 pl en dortoir avec box, 🛌 13€, 🚶 4€, 🔛 11€ (sur résa 24h à l'avance), 🛏 6€, LL &
SL, ⚠ 6€, ouv mi-mars à fin oct *(derrière la salle polyvalente)*

2 🌐 Chambre d'hôtes Une Pause à Pomps
Kathy Sainte-Cluque, 198 route de Billère, 64370 Pomps (⊠ clemtika@orange.fr 06-85-55-50-53) 2 ch, DP 🛏 50€, 🛏🛏 70€, 🛏🛏🛏 90€, LL 3€, épicerie, ouv avr à oct 🕒 14h30 *(à 100 m du chemin)*

3 🌐 Épicerie Sainte-Cluque-Une Pause à Pomps (06-85-55-50-53) tartes, quiches, salades, boissons chaudes et froides, produits du terroir, sur place ou à emporter, ouv 8h30 à 19h 7/7, ouv avr à oct

4 🌐 Chambre d'hôtes Au Castet Bielh-Ferme-Auberge
Cécile et Stéphane Grandguillotte-Lauzet, 33 carrère du Château, 64370 Morlanne (05-59-81-61-28 & 07-68-48-96-50 ⊠ cecile.grandguillotte@wanadoo.fr) 3 ch de 2 pers,
DP 🛏 52€, 🛏🛏 88€, 🛏 5€, LL 2€, 🚲 Pomps, ouv avr à oct

5 Salon de Thé-Restaurant-Librairie Le Lutrin Gourmand, 13 carrère du Château (05-59-77-45-38) 🍽 8-15€, fermé lun-mardi, sur résa le soir min 6 pers, résa conseillé le midi

6 Point Documentation Touristique au Château

7 Agence Postale, 32 carrère du Château, ouv mar-mer-jeu-ven 9h30 à 12h, sam 9h à 12h

8 🌐 Chambre d'hôtes
Mr Raoul Costedoat, 100 chemin Long, 64370 Hagetaubin (05-59-67-51-18 & 06-74-89-61-24 ⊠ raoul.costedoat@orange.fr) 4 ch, DP 🛏 60€, 🛏🛏 90€, LL & SL, 🚲 Pomps ou Arthez (Plan 84), ouv tte l'année *(depuis le Poteau de Lannes, sur la D 945, faire 5,2 km jusqu'à l'église d'Hagetaubin. Puis continuer sur 1 km et tourner à droite au panneau "Chambre d'hôtes" sur 600 m)*

NB : La chambre d'hôtes Costedoat est le seul hébergement à être référencé à la fois sur le Miam Miam Dodo de la voie du Puy et sur le Miam Miam Dodo de la voie de Vézelay toute proche

4 5 6 7 *Pour aller à Morlanne : 2,3 km à partir de Pomps - au lieu-dit Vignan-cour, près de l'église de Pomps, prendre le chemin vers le nord-est, traverser le Luy-de-Béarn, poursuivre jusqu'à la D 269, puis prendre à droite sur 1 km. On peut aussi monter directement le chemin vers le château.*

Pomps possède plusieurs fermes classées comme Monuments Historiques, tant l'architecture rurale béarnaise est exceptionnelle. Pomps possède également un château du XVIe siècle et une statue de saint Jacques dans son église du même nom.

Passant dans cette dernière commune, certains d'entre vous auront l'idée d'aller dormir à Morlanne, à une petite lieue au nord, et ils ne le regretteront pas. Car le village est un des trésors du sud-ouest. Un château-fort majestueux, datant du XIVe siècle, avec douves et donjon, une église fortifiée du XIIIe siècle, et de magnifiques demeures préservées des ans, « un des plus beaux villages de France ».

PLAN 84

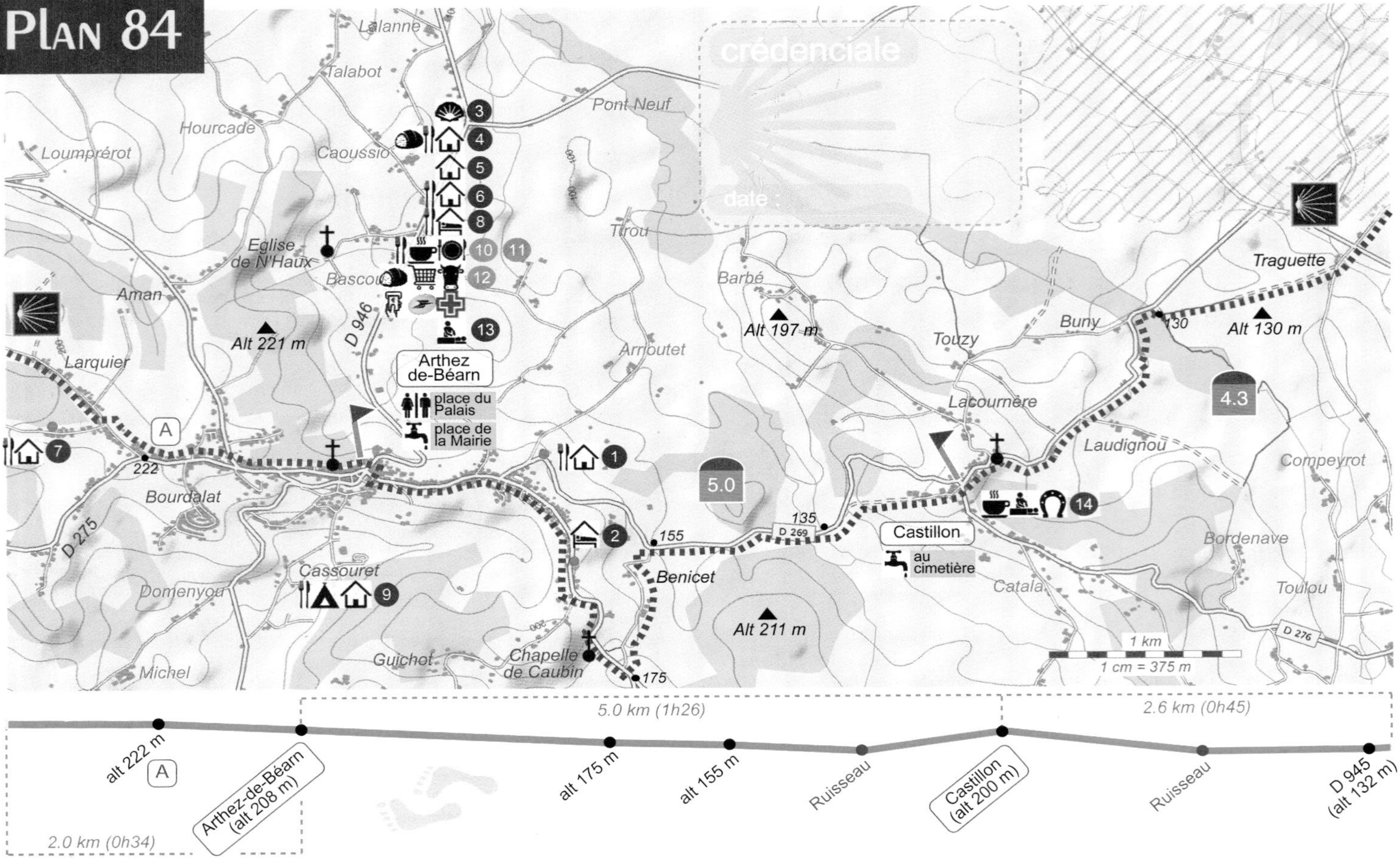

crédenciale

date :

Traguette — Alt 130 m

130

4.3

Compeyrot

Toulou

D 276

Bordenave

Buny

Laudignou

Catala

14

Castillon au cimetière

Labourère

Castillon (alt 200 m)

Touzy

Alt 197 m

Barbé

Arrbutet

Tirou

135

D 269

Benicet

5.0

Alt 211 m

155

175

1

2

Chapelle de Caubin

Pont Neuf

400

Lalanne

Talabot

Caoussio

Hourcade

3 **4** **5** **6** **8** **10** **12**

11

13

Arthez-de-Béarn
place du Palais
place de la Mairie

Eglise de N'Haux

Alt 221 m

Bascou

D 946

Guichot

Cassouret

9

Loumprarot

Aman

Larquier

A

222

Bourdalat

D 275

Donenyoa

Michel

7

1 cm = 375 m
1 km

D 945 (alt 132 m)

Ruisseau

2.6 km (0h45)

Castillon (alt 200 m)

Ruisseau

alt 155 m

5.0 km (1h26)

alt 175 m

Arthez-de-Béarn (alt 208 m)

A alt 222 m

2.0 km (0h34)

1 🇬🇧 🛏 @ Gite En Coussinav*, Murielle et Laurent Arris, 7 route de Castillon, 64370 Arthez de Bearn (05-59-67-78-78 & 07-81-00-09-64 ✉ murielle.arris@neuf.fr) 1 maison 6 pl, 🛏 15€ (linge inclus), 🍴 5€, 🍽 15€ (produits locaux), 🛒 , ouv tte l'année *(peu avant Arthez prendre à droite la D 269 sur 150 m)*

2 🇬🇧 🛏 Chambre d'hôtes O'Jardin
37 route de Caubin, 64370 Arthez-de-Béarn (✉ ojardin64@hotmail.com 07-49-05-90-14) 2 ch, 🍴 55€, LL 2€, SL 3€, ouv mars à oct

3 🇬🇧 🛏 Accueil pèlerins Emmaüs, 20 chemin du Bosc, 64370 Arthez-de-Béarn (06-41-39-46-10), pause pèlerins, poss pique-niquer, boissons chaudes et froides, toilettes, prière tous les jours 8h30 (pas de couchages), ouv avr à sep *(sur le GR à la sortie du village)*

4 🇬🇧 🛏 🍴 🛏 Gîte de la Boulangerie Broussé, 13 la Carrère, 64370 Arthez-de-Béarn (05-59-67-74-46 ✉ bertrand.brousse@wanadoo.fr) Gîte, 8 pl, DP en dortoir 🛏 31€, DP en ch 41€, 🛏 6€, 🍽 13€, draps 2€, LL 4€, SL 3€, gîte ouv 7/7 tte l'année // Boulangerie, 🛒 à partir de 6h, sandwiches, salades, etc... fermé dim après-midi et lun

5 🇬🇧 🛏 🍴 Gîte d'étape communal La Maison des Pèlerins
52 la Carrère, 64370 Arthez-de-Béarn (✉ mairie.arthezdebearn@wanadoo.fr mairie 05-59-67-70-52) 24 pl, 🛏 11€, ▲ 🛏 5.50€, 🛒 , LL+SL 5.50€, ouv avr à oct, 🕐 16h à 19h30, fermé 21 au 23 aou

6 🇬🇧 🛏 🍴 Gîte d'étape le Pingouin Alternatif, 14 place du Palais, (05-59-67-74-05 ✉ mathieu.turon@gmail.com) 5 pl en 1 ch, 🛏 15€, Arthez-de-Béarn (06-82-49-47-05, draps 2€, ouv avr à oct, s'adresser au café Le Pingouin Alternatif

7 🇬🇧 🛏 🍴 Gîte d'étape Domi, Dominique Prat-Espouey, 14 chemin Diserane, 64370 Arthez-de-Béarn (07-70-09-32-65 ✉ gitedomi-arthez@orange.fr) 6 pl 3 ch, 🛏 16€ (draps inclus), 🛒 4€, 🍽 13€, 🛒 , LL 2€, SL 1€, 🚲 max 5 km, ouv avr à oct, 🕐 15h *(à l'église continuer le GR sur 1.3 km et prendre le chemin Diserane sur 200 m)*

8 🇬🇧 🛏 🍴 Chambre d'hôtes Domaine de la Carrère
Fritz Kisby & Mike Ridout, 54 la Carrère, 64370 Arthez-de-Béarn (05-24-37-61-24 ✉ info@domaine-de-la-carrere.fr) 5 ch, 🛏 95-125€, 🛏 160€, 🍽 30€, ouv avr à nov *(après l'église sur le chemin)*

9 🇬🇧 🛏 🍴 Camping municipal L'Orée du Bois
2 allée des sports, 64370 Arthez-de-Béarn (05-59-67-76-56 & 06-08-22-01-72 ✉ mairie.arthezdebearn@wanadoo.fr) 🛏 11.80, chalet 🛏 45-55€, LL, camping ouv jun à sep, chalets ouv avr à jun *(800 m en bas du village)*

10 🛏 Café Le Pingouin Alternatif, 14 place du Palais (06-82-49-47-05) fermé jeu

11 Restauration :
- 🛏 Brasserie du Palais, 8 place du Palais (05-59-67-77-50) 🍽 12€ (midi semaine), 🛒 5€ à partir de 7h, fermé dim, mer après-midi et lun
- Pizzeria Arthez, 17 la Carrère (05-59-09-37-02) fermé tous les midis et sam soir, fermé vacances de Noël et 15 jours début juillet
- 🛏 Restaurant-Salon de thé Au Coin Cosy
18 place du Palais (07-81-47-27-74) 🍽 13€ (le soir sur résa), poss plats à emporter, sandwiches, 🛒 à partir de 7h30 (sur résa la veille), épicerie-dépannage, fermé mer-sam après-midi et dim
- 🛏 Restaurant Lou Chabrot, 1 rue Bourdalat (05-59-67-15-73) 🍽 assiette marcheur 20€, fermé lun-mar

12 Ravitaillement :
- Boucherie-Charcuterie Saubestre, fermé dim-lun, sam après-midi
- Boulangerie Broussé, 🛒 à partir de 6h, sandwiches, salades, etc. fermé dim après-midi et lun
- Carrefour Contact, fermé dim après-midi *(à 1.5 km du centre ville)*

13 Art Zen Institut
Pascale Le Roux, 3 la Carrère (✉ artzen.atz@gmail.com www.lereflexebienetre.com 06-77-88-96-32) massages, réflexologie plantaire, Shiatsu, massage Thaï, à partir de 45€, sur RDV par tél de préférence la veille ou avant 16h, se déplace entre Louvigny et Sauvelade, poss 🛏 Gite de la Boulangerie Broussé (Arthez) et retour

14 🇬🇧 🛏 Equiregard
Nathalie Deschamps, 9 route de Doazon, 64370 Castillon (06-87-38-12-02 ✉ contact@equiregard.fr www.equiregard.fr) massages 60 € les 60 mn, réflexologie plantaire 45 € les 45 mn, Shiatsu 30 € les 30 mn, sur RDV sur place ou par tél, se déplace entre Arzacq-Arraziguet et Sauvelade, poss massages équins // Pause pèlerins, poss pique-nique, boissons chaudes et froides, libre part aux frais

Vous allez entrer dans Arthez-de-Béarn, bourgade toute en longueur perchée sur son promontoire dominant le Gave de Pau. Il y aura hélas eu beaucoup trop de macadam sur ces étapes, car les beaux chemins d'antan ont été ou bien goudronnés ou bien vendus par les communes aux particuliers riverains... Mais qui aurait pu dire, voici quarante années, au moment où triomphait l'automobile et la mécanisation, que des hordes de fous furieux se lanceraient un jour à pied pour aller jusqu'en Galice...

Juste avant Arthez, vous passerez près d'une superbe chapelle chargée d'une longue histoire, la chapelle de Caubin. Celle-ci fut un hospice de l'Ordre de Malte dans les années 1100. Détruite à la Révolution, elle a été magnifiquement restaurée par une association locale et sert depuis pour des spectacles. Admirez à l'intérieur le gisant d'un chevalier de Malte portant épée et cotte de mailles.

Arthez fut un village chargé d'églises et de monuments que les guerres de Religion ont malheureusement beaucoup détruits. Ne reste que les lourdes et belles maisons béarnaises dans l'unique rue de la cité. Et demeurent aussi une impressionnante série de fontaines publiques, qu'on appelle "houn" en béarnais : la Houn de Caubin, la Houn dou Hau, la Houn de Cagareigt, la Houn Grosse, la Houn d'Arget, la Houn de Cantina, la Houn de Pau, la Houn dous Cagots.

La bourgade domine le site de Lacq, où fut découvert en 1949 un gisement de gaz dont l'exploitation s'en va finissant, mais qui a laissé de nombreuses traces industrielles dans toute la vallée. Heureusement, nous ne ferons que la tangenter l'espace de quelques chansons avant de retrouver calme et silence du côté de Sauvelade.

Arthez-de-Béarn

Eglise paroissiale : Messe 18h30 sam jusqu'à début sep
Accueil de jour Emmaüs : prère du matin chaque jour à 8h30

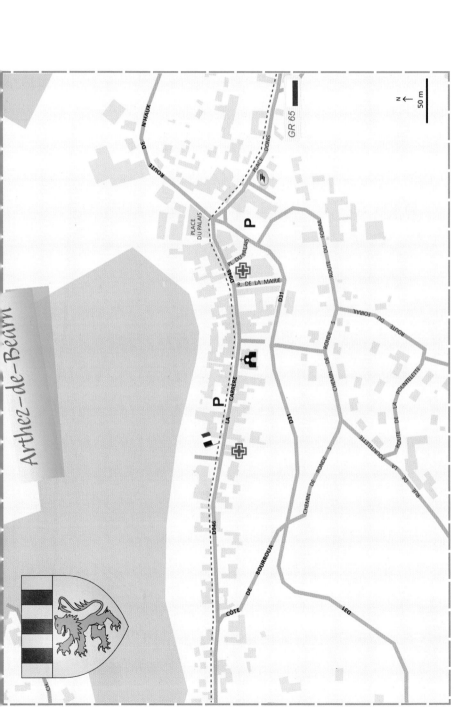

Arthez-de-Béarn

GR 65

N ←
50 m

PLAN 85

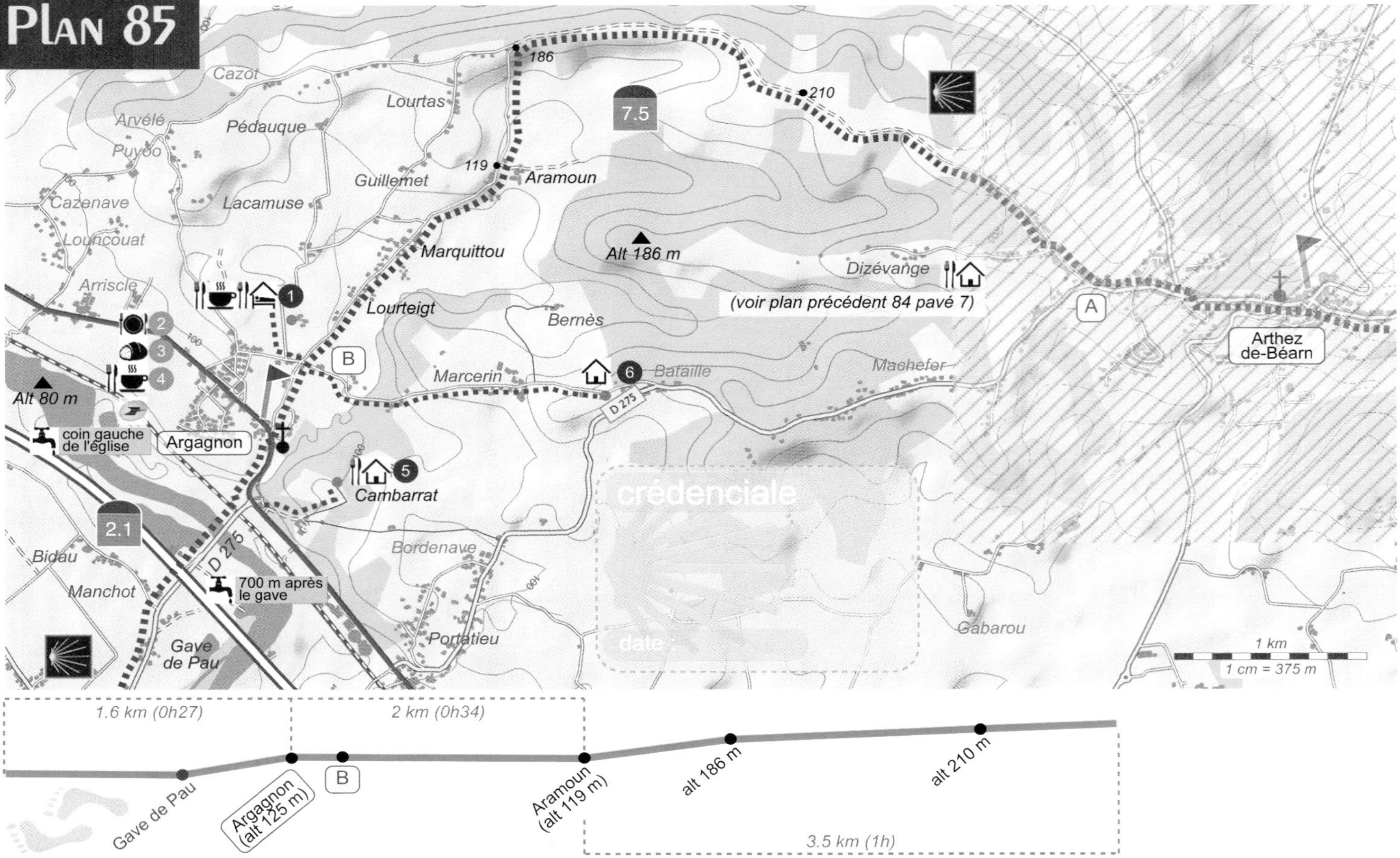

Arthez-de-Béarn

(A)

Dizévange

(voir plan précédent 84 pavé 7)

210

7.5

Alt 186 m

Aramoun

186

119

Lourtas

Guillemet

Marquittou

Pédauque

Lacamuse

Lourteigt

Cazot

(B)

Arvélé

Puydau

Bernès

Marcerin

Machefer

Bataille

D 275

6

Cambarrat

5

crédenciale

date

Gabarou

Cazenave

Loupcouat

Arriscle

1

Argagnon

2 3 4

coin gauche
de l'église

Alt 80 m

700 m après
le gave

D 275

Gave de Pau

Bidau

Manchot

Bordenave

Pontrieu

100

2.1

1 km
1 cm = 375 m

alt 210 m

alt 186 m

Aramoun
(alt 119 m)

3.5 km (1h)

2 km (0h34)

(B)

Argagnon
(alt 135 m)

1.6 km (0h27)

Gave de pau

① 🏳 📶 @ ⌂ ⛐ Chambre d'hôtes-Gîte-Restauration Rapide Arrêt et Aller
Andrew et Linda Jones, 190 route de Pédauque, 64300 Argagnon (05-59-09-37-35 &06-
79-56-98-37 ✉ glyn34@hotmail.com) 3 ch (14 pl), 🛏 5€, LL 3€, SL 3€, 🚲 Orthez, Arthez ou Maslacq, ouv
110€, 🍽 10€ (draps inclus), 🚰 🛏 20-25€, 🍴🍴 55€, 🍴🍴🍴 80€, 🎏
tte l'année // Boissons, déjeuner-snack tte la journée (au repère B prendre à droite sur 50 m
puis à droite sur 200 m)

② Restaurant La Bulle, Mme Rey, 64300 Argagnon (05-59-67-67-31
✉ restaurant.labulle@orange.fr) 🍽 13-29€, ouv le midi lun à ven, ven soir, dim midi

③ Boulangerie Au Fournil d'Argagnon, fermé dim après-midi et mar

④ Bar Maison Cachau, Hervé Dufau (05-59-67-64-04) assiettes casse-croûte, fermé
dim

⑤ 🎏 🏳 ⬛ @ ⌂ Gîte d'étape privé de Cambarrat
Nicolas et Isabelle Champetier de Ribes, 350 chemin de Baraten, 64300 Argagnon
(05-59-67-65-98 ✉ giteducambarrat@yahoo.fr) 2 ch de 4 pers et 1 ch de 2 pers, en
ch de 4 🛏 15€, en ch de 2 🛏 25€, 🍴 4€, DP 🍽 30-40€, 🚲 2€ // 3 roulottes individuelles,
🛏 15€ // 🚰 , draps 2€, épicerie-dépannage, ouv tte l'année, 🕐 13h30

⑥ 🏳 🎏 🏳 ⛐ ⌂ Gîte à la ferme Chez L'Apiculteur
Gilles Fert, 2306 route de Marcerin, 64300 Argagnon ✉ gilles.fert@wanadoo.fr (06-
80-73-43-97 4 pl en 2 ch, 🛏 20€, 🚲 5€, 🚰 , LL & SL, 🚌 gare Orthez, ouv tte l'année
🕐 16h (au repère B prendre à gauche la route de Marcerin sur 1.7 km. Autre possibilité : à la sortie d'Arthez (repère A du Plan précédent) prendre à gauche la D 275 sur
2.7 km puis à droite la route de Marcerin sur 200 m)

L'absence de monument notable sur ce Plan nous laisse un peu de place pour
évoquer les Cagots. En traversant Arthez vous êtes passé près de la Houn dous
Cagots, la fontaine des Cagots. Un peu en amont sur le chemin, vous avez vu dans
la petite église de Routgès une porte des Cagots. Si aujourd'hui cette population
s'est fondue dans le reste des habitants, il n'en a pas toujours été ainsi.

Les chercheurs pensent que cet apartheid visait au départ des lépreux, qu'on obli-
geait à vivre hors les murs des cités, par crainte de la contagion. Pour ces mêmes
raisons, ils avaient leur propre fontaine. Le temps passant, même si la lèpre avait
disparu, ces petits groupes ont été maintenus à l'écart du reste de la population,
avec l'interdiction plus ou moins formelle de se mélanger.

On les a longtemps obligés à porter une sorte de patte d'oie sur leurs vêtements,
comme un signe d'infamie. Dans les églises-mêmes une porte leur était réservée,
quelquefois un bénitier, et le curé ne leur donnait l'hostie qu'au bout d'un bâton... On
les baptisait seulement à la nuit tombée, et on les enterrait dans un cimetière à part.
Ils n'avaient pas de nom de famille et ne pouvaient se marier qu'en allant chercher
une épouse dans une autre communauté de cagots. Pire : dans les lois du royaume
de Béarn il fallait le témoignage de sept cagots pour valoir celui d'un seul chrétien.

Nombre de professions leur étaient interdites, comme meunier, laboureur, commerçant, fonctionnaire, etc... De même que les Juifs, soumis aux mêmes exclusions, ont
fini par faire commerce d'argent, les cagots sont devenus des charpentiers et des
maçons très renommés.

C'est au moment de la Révolution que toute discrimination légale fut définitivement
abolie. Les années passant firent le reste.

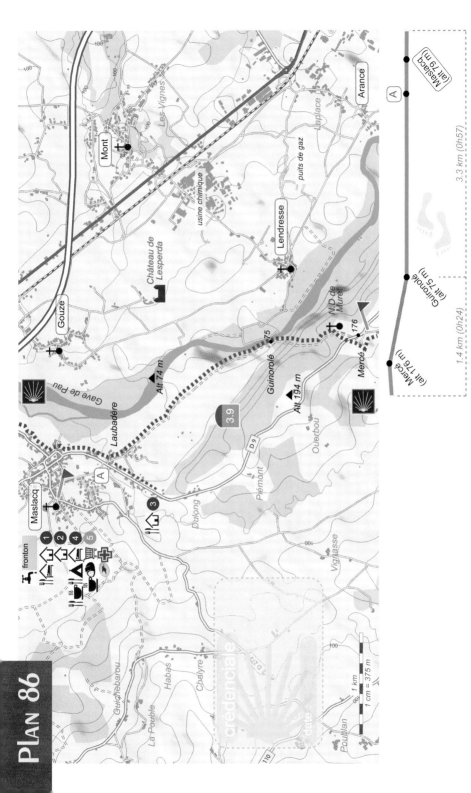

PLAN 86

Maslacq (alt 79 m)

A

3.3 km (0h57)

Guinorolé (alt 75 m)

1.4 km (0h24)

Mercé (alt 176 m)

fronton

Maslacq

A

Gouze

Les Vignes

Mont

Château de Lesperda

usine chimique

Gave de Pau

Laubadère

Alt 74 m

Gouetchebarou

La Pouble

Habas

Chalyre

credenciale

date

Dulong

Guinorolé

Piémont

Alt 194 m

D 9

Ouerbou

Vignasse

Poublan

3.9

3

Lendresse

Laplace

puits de gaz

N.D de Murel

176

Mercé

Arance

1 km

1 cm = 375 m

100

100

110

Le gave de Pau prend sa source au cirque de Gavarnie, traverse Lourdes, puis Pau et se jette finalement dans l'Adour.

Après avoir franchi cette rivière, dans le lit de laquelle vous apercevrez les milliers de galets ronds qui serviront à élever les murs du Béarn, vous atteindrez Maslacq, joli village béarnais serti de son manoir et de nobles demeures. Un peu plus loin et légèrement à l'écart du GR 65, l'oratoire de Muret promet 50 jours d'indulgences pour un Ave Maria. Si vous avez péché récemment, et si vous souhaitez bénéficier d'une divine assistance le temps restant jusqu'à Santiago, c'est le moment de vous rappeler les prières du Catéchisme...

Avant d'arriver à Muret, longeant le gave, vous apercevrez la raffinerie voisine de Lacq, qui traite le gaz sorti des profondeurs du sous-sol. Pour des questions de pression, le gaz n'alimente plus les cuisines depuis une dizaine d'années mais est désormais utilisé par l'industrie chimique qui en extrait le soufre et ses composés.

1 ❋ 🏴󠁧󠁢󠁥󠁮󠁧󠁿 ▮▮ ❓ 📶 Gîte d'étape-Chambres La Halte
Chantal Pouchou, Maison Marquitou, 33 rue Carrère, 64300 Maslacq (06-45-33-68-23 ✉ gite.lahalte@laposte.net) 5 pl en dortoir, 🛏 25€ (🍴+linge inclus) // Chambres, 3 ch, 🛏 30€, 🛏🛏 60€, 🛏🛏🛏 90€, 🛏🛏🛏🛏 120€ (🍴+linge inclus) // 🍽 (sur résa l'avant-veille), LL 5€, SL 5€, ouv 15 avr au 15 oct, 🕐 14h

2 ❋ 🏴󠁧󠁢󠁥󠁮󠁧󠁿 ⚓ 📶 🅷 Gîte Méziat★★★★
Gérard Hautbois, 6 chemin de la Tour, 64300 Maslacq (06-02-39-09-30 & 06-79-34-77-59 & ✉ martinehautbois@sfr.fr) 5 pl en 3 ch, 🛏 24-29€ (ch individuelle), 🛏🛏 45€, 🍽 5€, 🍷 sur résa, LL 3€, SL 3€, 🅿 Orthez, massages, ouv mi-mars à fin oct, 🕐 15h *(proche de l'église)*

3 ♿ ❓ 🅷 Gîte d'étape l'Estanquet
Dominique et Elisabeth Malherbe, 12 route de Lagor, 64300 Maslacq (06-72-72-07-79 ✉ babeth.malherbe@orange.fr) 7 pl en 3 ch, 🛏 25€ (🍴+linge inclus), 🍽 15€ (sur résa), 🍷, LL 3€, SL 3€, 🅿 15€ Orthez, ouv 1er avr au 30 oct, 🕐 15h *(au repère A du Plan suivre la D 9 sur 350 m)*

4 ♿ 🍴 ❋ 🏴󠁧󠁢󠁥󠁮󠁧󠁿 ▮▮ 🇪🇸 🇩🇪 ➕ 🏴󠁧󠁢󠁥󠁮󠁧󠁿 📶 ❓
Chambre d'hôtes La Ferme de Bicatou, Philippe et Evelyne Gantet, 8 rue de l'Ecole, 64300 Maslacq (05-59-67-62-17 & 06-24-20-10-69 ✉ lafermedebicatou@gmail.com) 5 ch, DP 🛏 40-50€, 🛏🛏 70-90€, 🛏🛏🛏 120€, LL 3€, SL 3€ // Camping à la ferme ⛺ 🛏 5€, 🍽 17€, 🍷 // 🥛 , vente produits de la ferme, 🐑, ouv tte l'année, 🕐 15h *(sur le GR, à côté de l'église)*

5 📶 🛒 La Petite Epicerie-Bar (05-59-67-30-27) traiteur, snacks à emporter, sandwiches, pain cuit sur place, 🍽 sur résa livré dans les gîtes de Maslacq, ouv 7/7 7h à 19h avr à oct, BS fermé le midi

PLAN 87

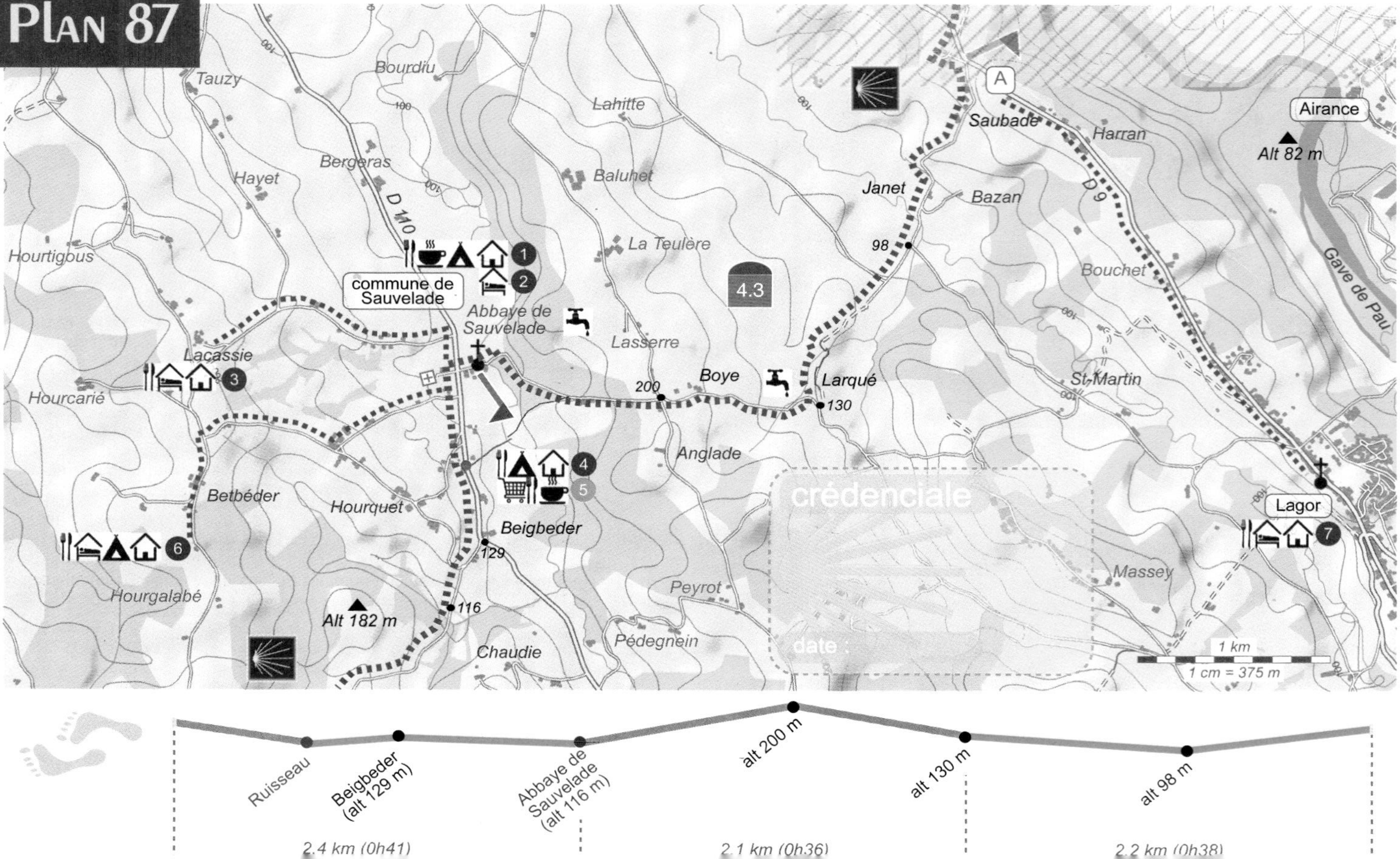

Gave de Pau

Airance
Alt 82 m

Lagor 7

Harran
D 9
Bouchet
St-Martin
Massey

Saubade
Bazan

A

Janet
98

Larqué
130

crédenciale

date :

4.3
Boye

Anglade

Peyrot

Pédegnein

La Teulère
Lasserre
200

Lahitte
Baluhet

Abbaye de Sauvelade

commune de Sauvelade

1
2

4
5
Beigbeder
129
116
Chaudie

Boudiu
D 110
Bergeras

Hayet
Hourquet

Betbéder
Alt 182 m

Tauzy

Lacassie 3

Hourcarié

Hourgalabé 6

Hourtigous

1 cm = 375 m
1 km

2.2 km (0h38)   alt 98 m

alt 130 m

2.1 km (0h36)   alt 200 m

Abbaye de Sauvelade (alt 116 m)

Beigbeder (alt 129 m)   2.4 km (0h41)

Ruisseau

PLAN 07

1 🏠 ⛵ 🇬🇧 📶 📱 ☕ Gîte communal-Restaurant-Bar-Multiservices Le P'tit Laa
Patrice et Eléonore, 64 camin de Gaston Lo Crotzat, 64150 Sauvelade (07-60-67-94-68 ✉ giteptitlaa@gmail.com) Gîte, 15 pl en 2 ch, 🛏 12.50€ (draps inclus), DP 🛏 34.50€, ⛺ / 🛏, LL 3€, SL 3€, épicerie-dépannage // ⛰ en dépannage tente 5€, DP 🛏 27€, 🍴 / Resto, 🍽 6€, 🍽 12€ (midi) à 16€ (soir) // Multiservices ouv 7/7 9h à 22h, ouv tte l'année

2 ☕ 🇬🇧 Chambre d'hôtes, Claudette Grosclaude, les Campanhas, 280 camin de la Croiz de Loupin, 64150 Sauvelade (05-59-67-60-57) 1 ch, 🛏 30€, 🛏🛏 50€, 🍴, ouv tte l'année *(tourner à droite après l'abbaye sur 100 m, puis à gauche sur 200 m)*

3 📶 📱 🏠 ⛰ 🍴 Chambre d'hôtes-Gîte de groupe Domaine de Lacassie
Patrick et Jacqueline Darrigrand, 1312 chemin de la Croix du Pin, 64150 Sauvelade (06-07-42-24-33 & 06-07-80-72-54 ✉ darrigrandpatrick64@gmail.com) 4 ch, DP 🛏 110€, 🛏🛏 140€, 🛏🛏🛏 190€, LL & SL, 🏠 Sauvelade, ouv tte l'année, 🕐 16h // Gîte de groupe, 19 pl en ch (nous consulter) *(à l'abbaye prendre la D 110 vers le nord sur 150 m puis prendre à gauche la petite route sur 1 km. Le lendemain, on peut couper pour rejoindre le GR)*

4 🏠 📶 📱 🇬🇧 📶 @ 📱 🍴 Ecogite La Maison du Grillon
Jef (pèlerin) et Lili Blanchard, 1559 route deu Larvath, 64150 Sauvelade (06-84-38-14-21 & 06-76-27-36-38 ✉ oustau.grigt@gmail.com) Gîte réservé aux pèlerins avec sac à dos (valises non-acceptées), poss faire suivi sac à dos avec transporteur pour raisons perso // 10 pl en dortoir, DP 🛏 40€ // 4 pl en ch partagée DP 🛏 45€ // ⛰ 🍴🍽 au snack bio, ⛰ 🛏 7€, draps 3€, LL 5€, SL 5€, ouv avr à oct, 🕐 15h30 *(poss emprunter le chemin par le Pont Romain)*

5 📶 📱 @ Snack-Bar Bio Oustau Grigt Café
1559 route deu Larvath (06-84-38-14-21 & 06-76-27-36-38 ✉ oustau.grigt@gmail.com) cuisine maison, sandwiches, omelettes, crêpes, bières brassées sur place, épicerie, fruits et légumes du jardin, pain au levain, poss pique-niquer en terrasse sur résa, ouv 7/7

6 🏠 🇬🇧 🇬🇧 ❄ 📶 🍴 Gîte-Chambre d'hôtes Nadette***
Bernadette Godfroy, 998 camin de Capdelas, 64150 Sauvelade (06-87-29-13-70 & 05-59-38-48-79 ✉ gitenadette@laposte.net) Gîte, 2 ch, 3-5 pers, 👥 🛏 28€ (🛏 inclus), DP 🛏 45€ // Chambre, 2 ch, 👥 DP 🛏 75€, 🛏🛏 128€, 🛏🛏🛏 160€ (poss végétarien) // ⛰ 18€ (douche+ 🛏 inclus), 🍴 10€, LL 4€, épicerie-dépannage, réflexologie plantaire-Shiatsu sur résa, 🏠 Abbaye de Sauvelade, ouv 15 avr au 15 oct, fermé le jeu, 🕐 14h *(100 m après l'abbaye, prendre à droite le chemin Lichonet et suivre le fléchage "Gîte Nadette" sur 2 km. Le lendemain raccourci pour retrouver le GR 65 à 1.6 km à Berduque (Plan 88))*

7 🏠 🇬🇧 📶 📱 🍴 📶 Chambre d'hôtes-Gîte Le Presbytère
Xavier Baudry, 61 rue Principale, 64150 Lagor (✉ chambrelepresbytere@orange.fr 09-61-65-55-50) 2 ch, 🛏 63€, 🛏🛏 69€, 🛏🛏🛏 75€, 🛏🛏🛏🛏 81€, DP 🛏 72€, 🛏🛏 87€, 🛏🛏🛏 102€, 117€ // Gîte-Appart, 2 ch, 🛏 75€, 🛏🛏 100€, 🛏🛏🛏 150€, 🛏🛏🛏🛏 170€, 🍴 / 🍽 6€, ouv tte l'année, 🕐 15h *(au repère A suivre la D 9 sur 2.8 km jusqu'à Lagor)*

À deux lieues de Maslacq, vous passerez près de la massive abbaye cistercienne Saint Jacques de Sauvelade, construite au XIIe siècle et incendiée par les armées protestantes de Montgoméry en 1569 quand elles eurent repoussé les armées françaises venues envahir le Béarn. Montgoméry fit restaurer l'église qui devint temple protestant durant une quarantaine d'années.

L'abbaye fut vendue comme bien national à la Révolution. Elle a longtemps accueilli les pèlerins de Compostelle. L'église est devenue église paroissiale et les autres bâtiments de l'abbaye ont aujourd'hui un usage culturel. On y trouve un gîte et la possibilité de se restaurer.

De Sauvelade il vous faudra trois lieues de marche pour apercevoir les remparts de Navarrenx. Hélas cette étape se passera quasi-exclusivement sur le goudron de petites routes. Il est surprenant qu'on emploie encore le terme de "Chemin de Saint Jacques" sur certaines étapes alors que, à l'évidence, la route que vous allez fouler n'est pas un chemin. Espérons que les autorités régionales ou départementales prendront un jour la mesure du problème et re-créeront, comme l'ont fait les Espagnols, des sections entières de chemin en grignotant quelques arpents de terres sur les champs et les bois environnants.

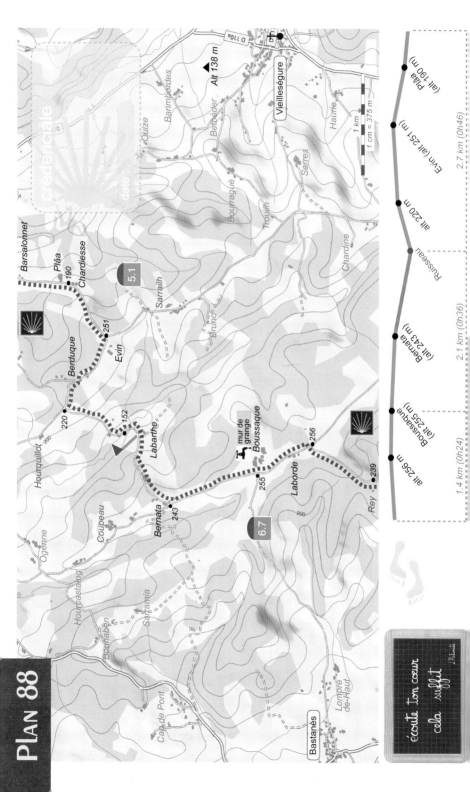

PLAN 88

écoute ton cœur cela suffit

Barsalonnet
Pîaa
190
Chardiesse
251
Evin
Berduque
220
Hourquillot 200
152
Labarthe
Coupeau
Bernata
243
Ogenne
Sarramía
Houcastang
Bouhaban
Cau de Pont
Lompre-de-Haut
Bastanès

5.1
Sarrailh
Bruno
Boussaque
mur de grange
Laborde
255
256
6.7
Rey 239
alt 220 m
Trouilh
Chardine

Ouize
Barimbories
Betbeder
Alt 138 m
Vielleségure
Haume
Serres
Bourragué

crédenciale
date :

1 cm = 375 m
1 km

Pîaa (alt 190 m)
Evin (alt 251 m)
alt 220 m
Ruisseau
Bernata (alt 243 m)
Boussaque (alt 255 m)
alt 256 m

2.7 km (0h46)   2.1 km (0h36)   1.4 km (0h24)

Comme ce Plan ne présente pas de monument particulier à décrire, ni de bataille à évoquer, ni de personnalité notable à honorer, partons un peu en arrière dans notre Histoire pour apprendre ou ré-apprendre la signification de certains termes dont nous avons perdu l'usage. La France a connu après 1789 quelques années où l'ensemble des repères de la société, dans tous les domaines, a été totalement bouleversé. Le système métrique, le système décimal ont rejeté aux oubliettes les anciennes mesures, que seuls les Américains ont conservées jusqu'à nos jours, les Anglais s'étant lentement, voisinage oblige, plus ou moins fondus dans l'Europe (et encore...).

Il faut savoir que chaque province, avant la Révolution, possédait ses propres mesures de distance et de contenance. Quelquefois ils portaient le même nom, mais ne signifiaient pas la même chose. Le pied d'Artois, par exemple, ne mesurait pas la même longueur que le pied de Provence. Imaginez de faire du commerce avec des mesures qui ne sont pas les mêmes... Quant aux pieds anglais et allemands, ils avaient chacun leur propre étalon... En dépit de certaines tentatives, le pouvoir royal n'était jamais parvenu à unifier tout ça. Cependant, même après l'unification promulguée par la loi du 18 Germinal An III, il a fallu attendre de nombreuses années pour que les gens oublient les anciennes mesures et adoptent, dans leur vie journalière, les nouvelles. L'école obligatoire, à partir des années 1870, a largement contribué à cette acceptation.

Toutefois, dans le parler courant, et dans certains cas particuliers, on continue d'utiliser les anciens vocables et de respecter les antiques traditions : on achète une livre de beurre (environ 500 g), on commande une douzaine d'œufs, une douzaine d'huîtres (pourquoi pas 10 ?). Et on parle encore d'une pinte de bière. Avant l'arrivée de l'Euro, les vieilles personnes, parlant d'une pièce de 5 Francs, disaient "une pièce de 100 sous". Un siècle et demi après la Révolution, le passage au décimal n'allait pas encore de soi.

Les mesures de longueur : 1 pouce fait 2,7 cm. Il faut 12 pouces pour faire 1 pied. Il faut 6 pieds pour faire 1 toise (1,95 m). Il faut 3 toises, soit 18 pieds pour faire 1 perche (5,85 m). Enfin non, pas tout-à-fait : 18 pieds font 1 perche du roi, mais il faut 20 pieds pour 1 perche ordinaire et 22 pieds pour 1 perche d'arpent. Un arpent fait 10 perches d'arpent, soit 220 pieds.

Pour les lieues (environ 4 km, soit 1 heure de marche d'après les critères historiques) ça se complique encore : il y a la lieue de Paris, qui fait 600 perches ordinaires, la lieue ancienne, qui fait 500 perches ordinaires, et la lieue des Postes, qui fait 60 arpents, soit 13.200 pieds. Et ce n'est pas tout : la lieue du Lyonnais fait 2.450 toises, celle de Picardie fait 2.250 toises, celle de Bretagne 2.300 toises, etc... Par charité, on vous passera les cannes, les aunes et autres trucs à vous faire acheter une vessie alors que vous vouliez une lanterne.

Les mesures de contenance liquide : une pinte faisait 48 pouces cubes. Une chopine faisait une demi-pinte.

Les mesures de grains : un litron fait 4 pouces cubes. 1 boisseau fait 16 litrons. 1 minot fait 3 boisseaux. 1 setier fait 12 boisseaux. 1 muid fait 144 setiers. Mais ça change selon la matière : ainsi 1 minot d'avoine contient 6 boisseaux et 1 minot de sel seulement 4... Et selon la province : 1 muid d'Orléans fait 2,5 setiers de Paris mais 5 boisseaux de Bordeaux...

Les mesures de poids : 1 livre faisait 16 onces.

Les monnaies : on va rester dans le royaume de France, sinon vous ne dormirez pas de la nuit à vouloir échanger des pistoles contre des marcs de Venise. 1 livre valait 20 sols, et 1 sol valait 12 deniers. Pour les Carambar il existait aussi des quarts de denier... 1 écu valait 6 livres et un louis valait 24 livres. Les Britanniques ont utilisé un tel système jusqu'en 1971, les pauvres... Ils ont eu bien de la misère pour s'habituer aux choses simples.

On imagine le bonheur d'un précepteur enseignant les mathématiques et la terreur de ses pauvres élèves : « Un marchand de Provence se propose d'acheter 147 aunes de drap à un tisserand de Bruges à 2 sols pièce, sachant que ce drap devra passer l'octroi de Paris à 7 deniers par perche. Calculez le bénéfice qu'il gagnera s'il vend son drap à Toulouse avec des mesures de Lorraine »

On se dit que des trucs pareils, c'est bien une histoire à faire la révolution...

Rey

Alt 233 m

155

Araban

Taillade

Ducasse

Lascoume

2.0

Méritein

D 947

Gave d'Oloron

Alt 94 m

D 936

126

Mousserolle

Navarrenx

D 115

2.5

A

D 815

Susmiou

Lespoune

Camblong

Castetnau-Camblong

De-

155

D 115

Labat-Gougy

7.9

117

120

Alt 127 m

Bérérenx

Jasses

Tous services, tous commerces

1 km = 375 m
1 cm = 375 m
1 km

crédenciale
date

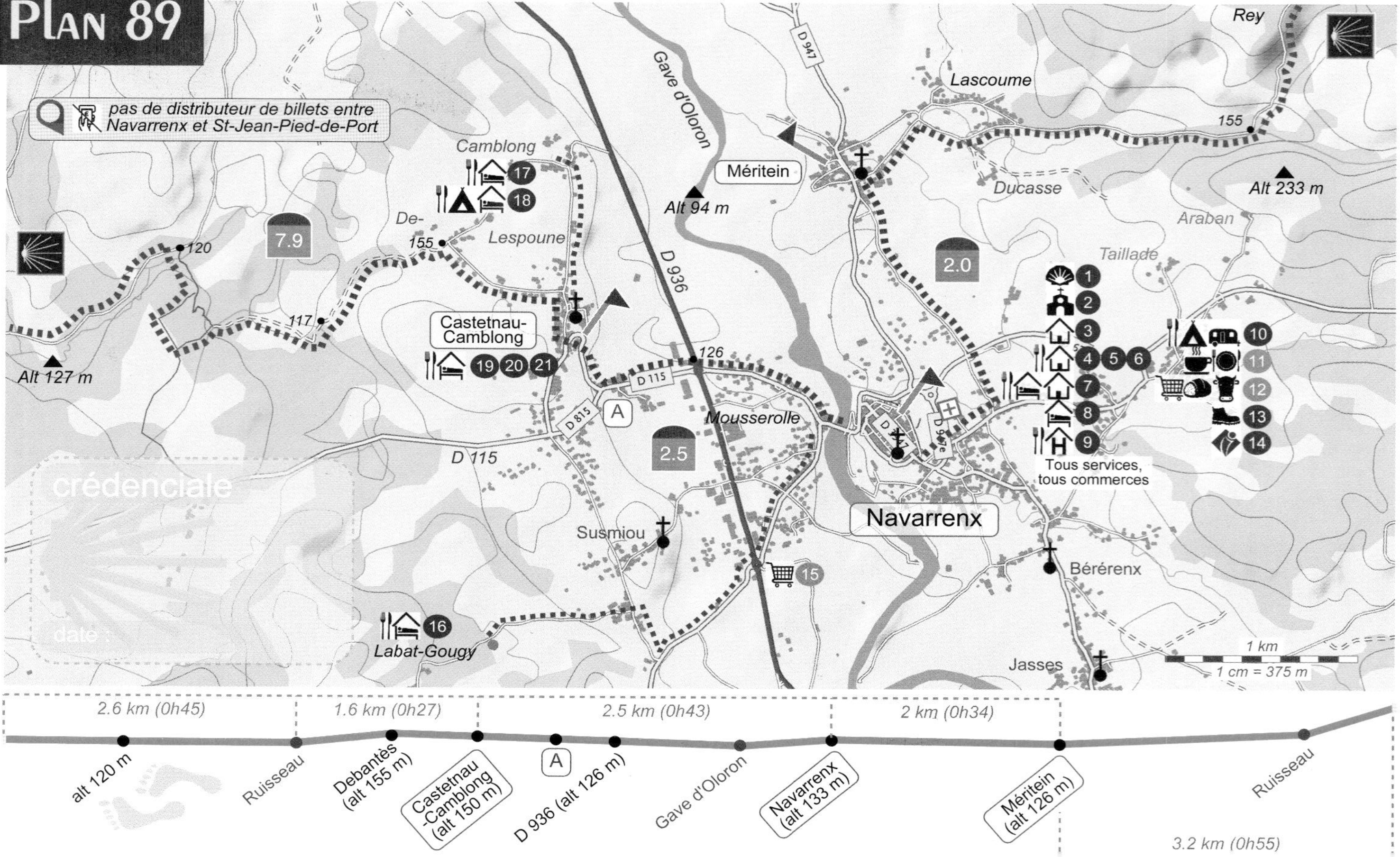

pas de distributeur de billets entre
Navarrenx et St-Jean-Pied-de-Port

17
18

19 20 21

16

1 2 3 4 5 6 7 8 9

10 11 12 13 14

15

Ruisseau 3.2 km (0h55)

Méritein (alt 126 m) 2 km (0h34)

Navarrenx (alt 133 m) 2.5 km (0h43)

Gave d'Oloron

D 936 (alt 126 m)

A

Castetnau-Camblong (alt 150 m) 1.6 km (0h27)

Debantes (alt 155 m)

Ruisseau 2.6 km (0h45)

alt 120 m

1 Accueil pèlerins (pas d'hébergement) à 18h à l'église, historique et prière suivi du pot de l'amitié à 18h30 au presbytère, ouv avr à oct (Geneviève Drancé 06-73-56-55-47)

2 Maison Saint Antoine, 29 rue Saint Germain, 64190 Navarrenx, accueil chrétien bénévole, 12 pl, pas de résa, part libre aux frais, LL, ouv jul-aou *(en face du presbytère)*

3 (H) Gîtes d'étape communaux-L'Arsenal & Le Foirail & L'Ecole 64190 Navarrenx (résa pour le mois en cours au Bar le Dahu 05-59-66-02-67 ou mairie 05-59-66-10-22) 12-16-26 pl, ✛ 12.50€, ▐ , LL 2€, SL 2€, clés au bar Le Dahu, 23 rue Saint-Germain (05-59-66-02-67), ⏰ 14h à 18h, ouv tte l'année

4 L'Alchimiste Jean-Gaétan Pélisse, Maison Philosophale, 10 rue de l'Abreuvoir, 64190 Navarrenx (09-67-03-26-84 & 06-32-78-13-76 ✉ alchimistesurlechemin@hotmail.fr) 10 pl en 4 ch, ✛ 20€ (LL inclus), ▐ libre part aux frais, LL & SL, ouv avr à oct, ⏰ 15h

5 (@) Gîte d'étape Le Cri de la Girafe Maria Laullon & Fabian Tümpling, 12 rue du Faubourg, 64190 Navarrenx (05-59-66-24-22 & 07-60-75-19-14 ✉ contact@lecridelagirafe.fr) 15 pl, 1 dortoir 8 pl, 3 ch 2 pers, 1 ch 1 pers, en dortoir ✛ 23€, DP ✛ 35€ (draps inclus), en ch ✛ 30-43€, DP ✛ 42-55€, LL & SL inclus, ouv tte l'année, ⏰ 15h

6 (H)(@) Gîte En Chemin vers Soi, Véronique Thiollière (pèlerine), 3 chemin de Bérérenx, 64190 Navarrenx (✉ encheminverssoi64@gmail.com 06-26-30-81-24 & 05-47-91-97-60) 5 pl en 2 ch, ✛ 12-25€ (LL inclus), DP ▐ 25-45€, 🍽 (bio/végétarien), LL, SL, ouv mars à nov ⏰ 15h

7 Chambre d'hôtes-Appartements Le Relais du Jacquet Régis Gabastou (pèlerin), 42 rue Saint Germain, 64190 Navarrenx (05-59-66-57-25 & 06-75-72-89-33 ✉ regis.gabastou@orange.fr) 4 appartements 2-3-4 pers, ▐ 60-70€, 65-80€, 90-97.50€, 110-120€ (+draps inclus) // Chambres, 3 ch, ▐ 40-55€, 50-60€, 90€, 100€ // Poss ch ou appart partagés ✛ DP ▐ 40€ // 🍽 7€, LL, ouv tte l'année, ⏰ 15h, sur résa BS

8 (H) Chambre d'hôtes Lasarroques Monique et Jean-Pierre Lasarroques, 4 place d'Armes, 64190 Navarrenx (07-80-00-37-77 ✉ lasarroques.monique@orange.fr) 5 ch, ▐ 56€, 62€, 93€, 104€, LL 3€, SL 2€, si difficultés, ouv avr à oct, ⏰ 14h

9 (H)(@) Hôtel-Restaurant du Commerce** place des Casernes, 64190 Navarrenx (✉ contact@hotellecommerce.fr 05-59-66-22-54) 12 ch dont 1 ch 4-6 pers, ▐ 70.50€, 8€, 93€, 🍽 16-42€, DP ▐ 86€, 136€, LL+SL 12€, ouv 7/7 tte l'année

10 Camping Beau Rivage*** allée des Marronniers, 64190 Navarrenx (05-59-66-10-00 ✉ beaucamping@free.fr) 19.20-26.60€, chalets 36-89€, 52-101€, (dans les chalets), snack-pizza, LL 5€, SL 1€, ouv fin mars à mi-oct

11 Restauration :
- La Taverne de Saint Jacques, place de la Poste (05-59-66-50-78) 🍽 14€ (midi), 17€ (soir), snack-brasserie, fermé lun-mar-mer-jeu soir-sam nov à mar, fermé sam avr à oct
- P'tit Bistrot place de la Mairie (05-59-66-10-40) 🍽 13.90€ (midi semaine), HS fermé dim soir, lun et mar soir, BS fermé dim, lun et tous les soirs, fermé vacances de février et la Toussaint
- Auberge du Bois, quartier du Bois (05-59-66-10-40) 🍽 13.50€, centre, fermé mar
- Pizzeria des Remparts, 1 place des Casernes (05-59-66-29-70) distributeurs pizzas fraîches 24/24 7/7, BS ouv le soir mar à dim, mai-jun ouv lun midi, et midi et soir mer à dim, jul-aou fermé mardi
- Restaurant Pourrut-Bar des Sports, rue Saint-Antoine (05-59-66-50-63) 🍽 15€ (midi semaine), fermé sam
- Restaurant-Snack L'Estanquet, 50 rue Saint Germain (05-59-66-56-52) sandwiches, salades, tartes, grillades...., ouv 6/7 10h à 21h, hors vacances scolaires ouv 10h30 et fermé mer-jeu

12 Ravitaillement :
- Boulangerie A la Bonne Tartine, 48 rue Saint Germain, ouv matin uniquement mar à sam
- Boulangerie A la Bonne Tartine, 7 avenue d'Orthez, fermé dim après-midi et lun
- Boulangerie La Grange à Pain, 16 place du Foirail, fermé dim après-midi et jeu
- Boucherie Casamayou, fermé dim après-midi et lun HS, fermé dim et lun BS
- Boucherie Brana, place des Casernes, fermé dim-lun, ouv à partir de 7h30
- Supérette Carrefour Express, HS ouv 7/7, BS fermé dim après-midi
- Epicerie D'lices du terroir, 31 rue Saint-Germain, fermé lun jul-aou, fermé dim-lun BS

13 @ Le Poisson Roy 24 rue Saint Germain (✉ lepoissonroy@orange.fr 05-59-66-28-76) rayon randonneur (chaussettes, bâtons de marche, ponchos, accessoires...) fermé dim-lun-mer, ouv 15 fév au 20 sep

14 @ Office de tourisme 2 place des Casernes (05-59-38-32-85 www.tourisme-bearn-gaves.com ✉ navarrenx@bearndesgaves.com)

15 Intermarché, 9 route de Bayonne, fermé dim après-midi

Suite Navarrenx page suivante ../..

PLAN 89

16 Chambre d'hôtes-Cabane dans un Arbre

Marie-Christine Piens et Hervé Baltar, 7 chemin des Tuileries, 64190 Susmiou (05-59-66-04-39 ☒ mc@cabane-perchee-64.com) 2 ch, ⚑ 70€, 80€, ⚏ 95€, ⚑⚑⚑ 120€ (produits locaux) // Cabane dans les arbres, ⚑ 120€, ⚏ 150€, ⚏⚏ 180€ // LL & SL, ouv févr à nov, ⊕ 17h *(après le pont sur le gave prendre à gauche la D 2 vers Mauléon sur 1 km jusqu'au rond-point. Continuer la D 2 sur 700 m puis prendre route à droite, puis de suite à gauche sur 900 m jusqu'au "Moulin Labat Gougy")*

17 🇬🇧 les halles vers *Conquéfalle* ((ⓒ 🅿 Chambre d'hôtes La Ferme de Margot

Mr Lamarche, 1 rue Rouspide, 64190 Castetnau-Camblong (06-28-23-72-43 & 06-84-22-81-98 ☒ claude.lamarche64@gmail.com) 3 ch, ☀ ⚑ 31€, ⚏ 52€, ♦ supp 26€, ⚑⚑ 14€, ⊟⚑ 10€, LL 2€, SL 2€, ⬥ Navarrenx, ouv toute l'année *(après l'église de Castetnau-Camblong, continuer tout droit sur 800 m puis prendre à gauche au calvaire, c'est la première maison)*

18 🇬🇧 les halles vers *Conquéfalle* ((ⓒ 🅿 Chambre d'hôtes Le Domaine de Castagnère

Jean-Marc Fischer, 9 chemin de la Castagnère, 64190 Castetnau-Camblong (06-44-31-05-97 ☒ la-castagnere@hotmail.com) 2 ch, ☀ ⚑ 30€, ⚏ 50€, ⚏⚏ 8-15€, poss ⚠ libre part aux frais, ⊟ 5€, LL 2€, SL 2€, épicerie-dépannage, ⛪ église Castagnère conti-nuer tout droit sur 800 m. Au calvaire continuer tout droit sur 50 m puis prendre à gauche la rue Castagnère sur 150 m)* à sep, ⊕ 16h30, espace détente 14h30 *(après l'église de Castetnau-Camblong conti-

19 🇬🇧 ((ⓒ 🅿 Chambre d'hôtes Aux 2 Ânes

Vadim Torrent, 6 chemin des Pyrénées, 64190 Castetnau-Camblong (06-73-53-49-57 ☒ aux2anes64190@gmail.com) 15 pl en 5 ch, ⚑ participation libre aux frais, poss ⚠, ⊕ végétarien, ⊟ , LL 3€, SL 3€, 🐎 ânes et pottok uniquement, ouv tte l'année, 🐴 15h

20 ⬥ ⓒ 🇬🇧 ((ⓒ 🅿 Chambre d'hôtes Villa Mouchoux

Lydie et Michel Mouchoux, 11 place de la Mairie, 64190 Castetnau-Camblong (06-21-11-84-33 ☒ contact@villamouchoux.com) 4 ch, ☀ ⚑ 39€, ⚏ 60€, ♦ supp 30€, DP ⬥ ⚑ 54€, ⚏ 90€, ⚏⚏ 15€ (poss végétarien), ⊟ , ⬥ 4€, LL 2€, SL 2€, ⬥ Navarrenx, ouv mi-mars à début nov, ⊕ 14h30

21 ((ⓒ ⬥ Chambre d'hôtes-Gîte Chez Bouju

Francis Montane, 2 côte Périssé, 64190 Castetnau-Camblong (06-19-84-01-22 & 05-59-66-01-86 ☒ montane.francis@neuf.fr) 16 pl en 5 ch, ♦ 20€ (linge inclus), ⬥ 5€, ⚏⚏ 15€, ⊟ , ⬥ 9€, LL 2€, SL 2€, ⚠ ♦ 5€, ouv tte l'année

Navarrenx : cette ville-étape demeurera inoubliable, tant vous serez là au cœur de l'Histoire. Imaginez une cité fortifiée à la mode de monsieur de Vauban, mais édifiée un siècle avant lui : remparts blottis au ras du sol, pointes et contrepointes, lunes et demi-lunes, fossés profonds, et au milieu des fortifications, une jolie bastide tout droit sortie des siècles passés, qui fait partie de la confrérie très fermée des « plus beaux villages de France ».

La ville, qui faisait partie du royaume de Navarre, alors indépendant du royaume de France, se trouvait à la frontière de l'état et fut fortifiée par le roi Henri d'Albret pour arrêter une éventuelle invasion. En fait le complexe de défense servit seulement une fois, permettant aux huguenots béarnais de résister victorieusement aux troupes catholiques françaises en 1569. La cité fut une des places de sûreté des Huguenots.

Le pont lui-même, lancé sur le Gave, date du XIIIe siècle. Il vous faudra plusieurs heures pour faire le tour des trésors architecturaux de la cité, une fois choisi votre hébergement. Si vous n'avez pas terminé, écourtez l'étape du lendemain et profitez de ce moment unique. Même en partant à midi, vous arriverez à Lichos en trois heures.

C'est à Navarrenx, dans les années 1990, qu'officiait l'abbé Ihidoy, dont se souvien-nent avec émotion les pèlerins de cette époque, car il accueillait en sa cure et à sa table, chaque soir, autant de marcheurs que pouvaient en contenir les chambres de son presbytère. Les gens du village pourvoyaient au ravitaillement et lui-même refu-sait toute pièce de monnaie, poursuivant le lendemain en voiture ceux qui laissaient quelque obole... Cet homme bon et généreux a quitté le monde en 2016, mais son souvenir demeurera longtemps dans le cœur des pèlerins. L'abbé continuait la tradi-tion de la ville puisqu'au temps héroïque du pèlerinage un hospital recevait les pèle-rins de Saint Jacques.

✝ Navarrenx

Messe dim 10h30 - mer 18h (1er avr au 1er nov)

Permanence dans l'église par la communauté paroissiale (1er avr au 1er nov) - Visite de l'église, temps de prière puis verre de l'amitié

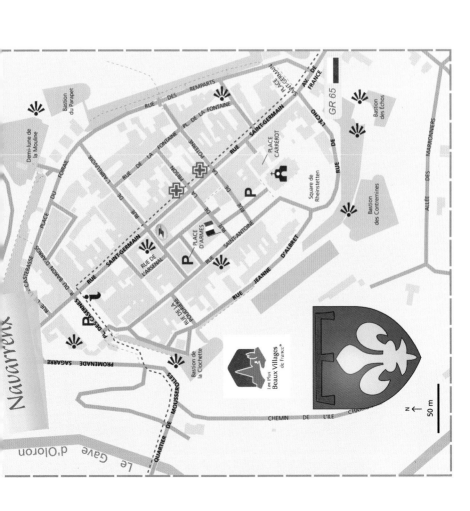

Navarreux

Le Gave d'Oloron

Demi-lune de
la Mouline

Bastion
du Parapet

RUE DES REMPARTS

PL. DE LA FONTAINE

RUE DE LA FONTAINE

RUE DE L'ARBEROUE

PLACE DU FOIRAIL

RUE SAINT-GERMAIN

RUE SAINT-GERMAIN

PLACE
SAINT-GERMAIN

AV. DE FRANCE

GR 65

PLACE
CARREROT

Square de
Rheinstetten

RUE DE L'ECHO

Bastion
des Echos

Bastion
des Contremines

ALLÉE DES MARRONNIERS

PLACE
D'ARMES

RUE SAINT-ANTOINE

RUE DE L'ARSENAL

RUE DE LA FROUNIÈRE

RUE JEANNE D'ALBRET

RUE DU BARON D'ARROS

CASTERASSE

RUE DES CASERNES

PROMENADE SAGARRE

Bastion de
la Clochette

QUARTIER DE MOUSSEROLLES

Les Plus
Beaux Villages
de France

CHEMIN DE L'ÎLE

N

50 m

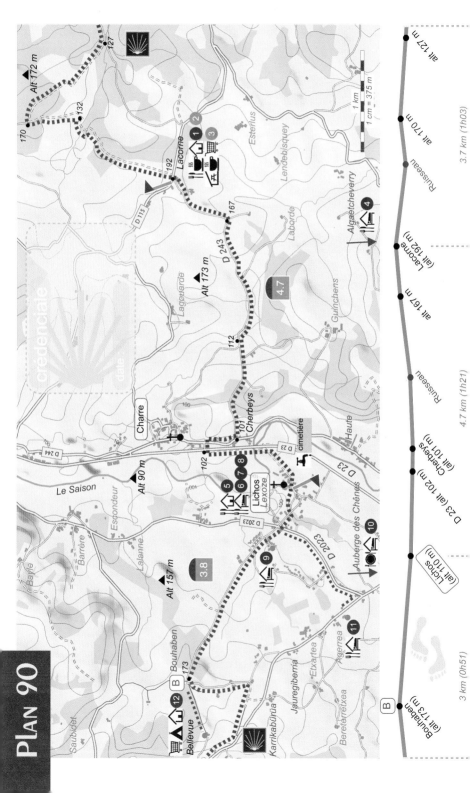

❶ Eco-Accueil Le Jardin des Rêves
Isabelle et Dominique, Hameau Lacorne (06-13-29-02-19 & 06-10-42-02-35) ✉ isabelle.leydet.rosan@gmail.com) 9 pl en ch 4-5 pers, libre part aux frais, bio & végétarien, ouv mai à oct, 16h *(face à la conserverie Jean Haget)*

❷ Crêperie-Saladerie Le Jardin des Rêves, restauration avec produits bio sur place ou à emporter, crêpes et galettes, salades, abri pèlerins extérieur et intérieur chauffé, poss pique-nique, 9€, ouv mai à oct 9h30 à 14h *(au croisement de la D 115, entrée à droite puis longer le pré sur 50 m)*

❸ Bar-Conserverie Jean Haget-Snack La Pause Charles Daguerre (05-59-38-65-65) produits régionaux, fois gras, confits... // salades, assiette régionale, résa recommandée // abri pèlerins, ouv 7/7 24/24

❹ Chambre d'hôtes Azkena
Gisèle Chamalbide, Algaetcheverry, 64130 Arrast-Larrebieu (05-59-28-85-34 & 06-16-99-62-60 ✉ cthazkena@orange.fr) 5 ch, 75€, 99€, 124€, 149€, 20€, 8€, LL 3€, Navarrenx, Aroue, Lichos, ouv tte l'année, 16h *(de Castetnau (repère A du Plan 89), prendre vers Arrast la D 115 puis la D 243 sur 7.7 km. 200 m avant l'église d'Arrast, tourner à gauche sur 700 m)*

❺ Gîte, Angèle Loumpré, 64130 Lichos ✉ jeanmarie.loumpre@sfr.fr 05-59-28-81-39 & 06-31-90-92-41) 2-6 pl, 20€, 5€, DP 40€, DP en ch individuelle 42€, LL avec part, ouv 1er avr au 15 oct, 15h30 *(sur le GR, 2ème maison à droite après l'école communale)*

❻ Chambre d'hôtes Haïtzpean
Marie-Reine et Emile Hontaas, 23 route départementale, 64130 Lichos (06-67-66-73-09 ✉ frhs64@gmail.com) 4 ch et 1 roulotte équipée 2 pers, DP 42€, 5€, LL 3€, ouv 15 avr au 15 oct, 15h

❼ Chambre d'hôtes, Christiane Jaury, 1 lotissement Saint Grat, 64130 Lichos (06-82-50-82-44 ✉ chris.jaury@gmail.com) 1 ch, DP 50€, 90€, 10€, LL 3€, SL 3€, 10 km 10€, ouv mars à nov, 16h

❽ Chambre d'hôtes Cléromilo
Mickaël Mottier et Laurence Lorine, Lotissement le Village 64130 Lichos (07-82-97-65-44 ou 06-80-65-60-30 ✉ laurence.pouthier@orange.fr) 3 ch 2 pers, 35€, DP 45€, poss 10€, LL 2€, SL 2€, 5€, ouv tte l'année

❾ Chambre d'hôtes, Marie-Jo Carrère, lotissement Saint Grat, 64130 Lichos (05-59-28-83-26 & 06-11-14-17-55 ✉ carrere.jo@gmail.com) 1 ch, DP 50€, 90€, LL 3€, SL 3€, ouv 15 avr au 15 oct, 15h *(sur le GR, première maison à gauche après l'école communale)*

❿ Chambre-Restaurant l'Auberge des Chênes
64130 Charritte-de-Bas ✉ aubergedeschenes@orange.fr) 5 ch, DP 50€, 70€, 100€, 14€, 6€, ouv Pâques à Toussaint, fermé sam *(à la sortie de Lichos prendre la D 2023 à gauche sur 1 km)*

⓫ Chambre d'hôtes Chez Pierre et Chantal-Gîte Hegoa
Pierre et Chantal Hasperue (pèlerins), route de St-Palais, 64130 Charritte-de-Bas (06-03-66-24-37 & 06-72-78-45-43 ✉ chahas@hotmail.fr) 2 ch, DP 40€, 5€, GR, ouv avr à oct, 14h30 *(à la sortie de Lichos prendre la D 2023 à gauche sur 1.1 km puis la D11 à droite sur 150 m)*

⓬ Gîte d'étape familial Bellevue, Marie-Paule et Marcel Gégu (pèlerins), Maison Bellevue, 64120 Aroue (05-59-65-70-19 & 06-16-48-63-65 ✉ gegubellevue@yahoo.fr) 14 pl en ch 2 pers, 12€ (13€ l'hiver), 4€, 5€, épicerie-dépannage et pain, LL 3€, SL 2€, draps 2-3€, dîner au restaurant voisin, ouv tte l'année, 14h30 *(au repère B du Plan, suivre le balisage sur 500 m)*

Deux lieues et demi après votre départ de Navarrenx, après avoir sauté de colline en colline et traversé de sombres forêts, vous arriverez près du lit d'une petite rivière, le Saison (d'où l'expression béarnaise bien connue quand elle est à sec "Ya plus de Saison"...). C'est là que vous quitterez la province de Béarn pour entrer en Euskadi, le Pays Basque. Il suffira de quelques toises à l'aune de vos pieds pour que tout change.

Les collines vont s'affirmer, annonce du piémont pyrénéen, les champs vont se parsemer de moutons, surtout, vont prendre cette allure et ces couleurs qui font que l'etxea basque est à nulle autre pareille. Murs blanchis, pierres d'angle en grès rouge, poutres rouges ou vertes, la maison basque abrite non seulement les hommes, mais aussi les bêtes et le fourrage. En Euzkadi ce n'est pas la maison qui appartient aux hommes, ce sont eux qui appartiennent à la maison.

La tradition veut que les noms des bâtisseurs et la date de construction soient gravées dans la pierre de linteau de la porte principale. Voilà pourquoi vous contemplerez de superbes demeures datant de plusieurs siècles.

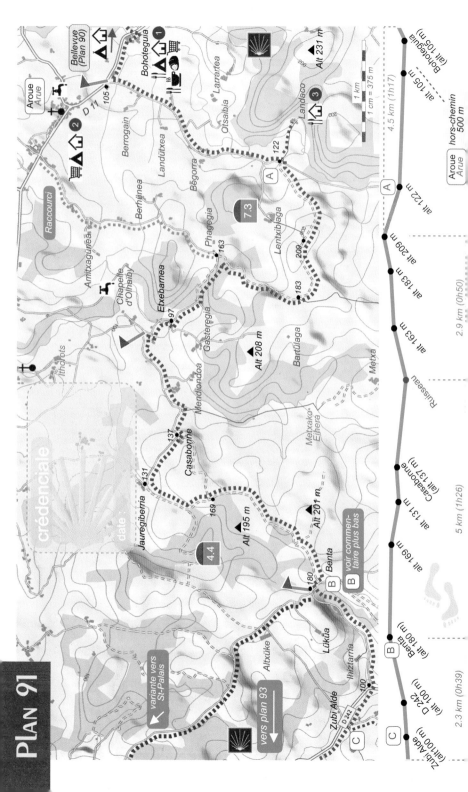

PLAN 91

crédenciale

date :

Aroue
Arue

Bellevue
(Plan 90)

Bohoteguia ⓵

Alt 231 m

1 cm = 375 m

1 km

D 11

105

⓶

Raccourci

Berrogain

Landütxea

Larraïtea

Otsaïbia

Landaco ⓷

122

Amitxagunéa

Berhinea

Bègorra

A

7.3

Lentxiblaga

209

Chapelle
d'Olhaïby

Etxebarnea

Phagegia

163

183

97

Gasteregia

Alt 208 m

Bartülaga

Metxa

Itholots

Mendiondoa

Casabonne

137

Metxako
Elhera

Ruisseau

131

Jauregiberria

169

Alt 195 m

4.4

Alt 201 m

Benta

180

B

B voir commen-
taire plus bas

variante vers
St-Palais

Altxüke

Lüküa

Ihiztarria

vers plan 93

Zubi Alde

D 242

100

C

Bohoteguia
(alt 105 m)

hors-chemin
500 m

4.5 km (1h17)

alt 105 m

A alt 122 m

2.9 km (0h50)

alt 209 m

alt 183 m

alt 163 m

Ruisseau

Casabonne
(alt 137 m)

5 km (1h26)

alt 131 m

alt 169 m

Benta
(alt 180 m)

2.3 km (0h39)

D 242
(alt 100 m)

Zubi Alde
(alt 100 m)

B

C

Aroue
Arue

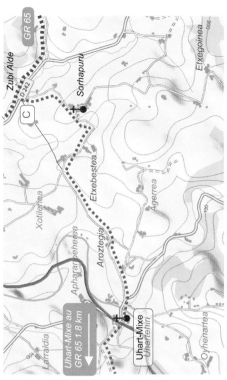

Extrait de Plan pour Sorhapuru

Le Pays Basque historique s'étend à cheval sur l'Espagne et la France, cette division ayant entraîné au cours de l'histoire de nombreux conflits, le plus récent étant celui initié par ETA au temps du régime franquiste et qui a perduré jusqu'à peu.

Le Pays Basque possède un trésor unique au monde, qui est sa langue. Celle-ci est si particulière qu'on ne peut la rattacher à aucune autre sur notre planète. Elle est d'une complexité et d'une précision absolues, au point qu'une phrase émise par un locuteur bascophone ne peut jamais prêter à confusion. Comme les autres langues régionales, elle a longtemps été persécutée par les pouvoirs jacobins, tant espagnol que français. De nos jours les tensions se sont apaisées et des deux côtés de la frontière, on trouve des écoles en langue basque (ikastola), des journaux, radios et télévisions permettant à la langue de demeurer vivante au cœur des familles.

C'est pourquoi sur le Miam Miam Dodo, vous verrez la double appellation des lieux-dits, en français et en basque. Quand vous croiserez un riverain, dites-lui "kaixo (bonjour)" ça lui fera plaisir. Et notez qu'en basque, le "x" se prononce "ch". En l'occurrence dites "ka-i-cho".

Peu avant Aroue se tient la ferme Bohoteguia, où la famille Barneix accueille les pèlerins depuis les années 1990, c'est un des plus anciens gîtes du chemin. Aujourd'hui les enfants ont pris la suite et l'aventure continue.

① Gîte-Accueil à la Ferme Bohoteguia-Snack-Epicerie-Dépôt de pain
Manu et Simone Barneix (pèlerine). Bohoteguia, 64120 Aroue (✉ bohoteguia@aol.com 05-59-65-85-69 & 06-75-83-82-61) Gîte 27 pl en 7 ch 2-3-4-5 pers et dortoir 6 pers, 12-17€, DP 32-38€, poss ch individuelle, 4€, draps 3€, 6€, 16€ (poss végétarien, cuisine du terroir), LL, SL, ouv mi-mars à nov // Snack, point d'eau, sandwiches, boissons, épicerie, dépôt de pain, 0.50-6€, produits locaux

② Gîte d'étape communal-Epicerie
64120 Aroue (05-59-65-95-54 & 07-88-89-92-57 ✉ gite.aroue@orange.fr) 12 pl, 10€, 5€, , LL & SL avec part, ouv avr à nov // Epicerie ouv avr à nov début de matinée et fin d'après-midi *(100 m avant l'église)*

③ Accueil Donativo Landaco-Permaculture
Birgit Hergert et Steeve Tchistoganoff, route d'Oyhercq, 64120 Aroue (09-87-88-98-45 & 06-32-95-87-11 ✉ landaco64@gmail.com) 9 pl en 2 ch et caravane, libre part aux frais, sandwiches, spa, soins du marcheur, massages, ouv avr à oct sur résa, 15h // Aire de pique-nique *(au repère A prendre à gauche sur 400 m)*

B Trois lieues après Aroue, au lieu-dit Benta, vous aurez deux choix : soit continuer vers Ostabat, soit faire un léger détour par Saint-Palais (Donapaleu). Quelle que soit l'option, vous allez, descendant, dans le sens géographique du ferme, vers Saint-Jean-Pied-de-Port, sentir l'immense respiration de la montagne qui va vous élever peu à peu jusqu'au port de Cize, où commence le royaume de toutes les Espagnes. A partir de là, ce sera un autre Chemin, et un autre Miam Miam Dodo.

PLAN 92

PLAN J2

1 〇〇 @ 🏠 🅷 Gîte Errekaldia

Mr et Mme Récalde, 690 route de Kinkil, 64120 Béhasque-Lapiste (06-32-10-95-87 & 06-20-50-67-75 ✉ jean-pierre.recalde@wanadoo.fr) 8 pl, 👤 16€, 🍽 5€, 🍴 15€, 🛏, LL 2€, SL 2€, ouv tte l'année *(à côté de la chapelle de Lapiste)*

2 🅷 Chambre d'hôtes Escondeur

Arnaud et Jeanine Escondeur, Maison Etchecougnenia, chemin Esquilamborde, 64120 Aïcirits (05-59-65-65-54 & 06-16-09-17-57 ✉ arnaud.escondeur@orange.fr) 5 ch, DP 👤 45€, 🛏, 🚿 3.50€, LL & SL, 🚲 Ferme de Benta (Plan 91), Larribar ou Aroue *(Plan 91)*, ouv tte l'année *(1 km avant Saint-Palais, à la jonction de la D 933 et de la D 11)*

3 @ 🅷 Refuge des Franciscains

2 impasse du Prieuré, 64120 Saint-Palais (✉ caminopa@hotmail.com 05-59-65-90-77) Association des Amis de Saint-Jacques des Pyrénées-Atlantiques, 17 pl en dortoir et 10 pl en ch, en dortoir 👤 9€, en ch 1-2 pers 👤 14€ (🛏 inclus offert par l'ACSJPA), 🚿, LL, ouv avr à oct, 🕐 14h à 22h, résa groupes obligatoire

4 🅷 Gîte Soretena

Ludovic Duployé, 2 avenue Frédéric de Saint-Jayme, 64120 Saint-Palais (06-10-10-73-97 & 09-73-67-88-27 ✉ lduploye@hotmail.fr) 5 ch, 👤 24€, 🍴 48€ (🛏 + linge inclus), 🍽 12€, LL 3€ & SL, ouv tte l'année

5 Hôtel-Restaurant du Midi**

place du Foirail, 64120 Saint-Palais (05-59-65-70-64 ✉ hotmidi@sfr.fr) 13 ch, 63-77€, 🍽 7€, 🍴 25-36€, DP 👤 77€, 🍴🍴 126€, 🛏, 🚲 Aroue, ouv tte l'année, BS resto fermé ven soir et sam, hôtel ouv sur résa

6 🅷 Hôtel-Restaurant de la Paix***

Dominique Lalanne, 33 rue du Jeu de Paume, 64120 Saint-Palais (05-59-65-73-15 ✉ hopaix@wanadoo.fr) 27 ch, 👤 73€, 🍴 79€, 🍽 9.50€, 🍴🍴 16-30€, DP 👤🍴 82€, 🍴🍴 138€, 🛏 13€, hôtel ouv 7/7, BS resto fermé sam et dim soir, 🕐 14h

7 @ Maison des Services publics boulevard de la Madeleine (05-59-65-28-60) Point internet, limité à 30 mn/pers, ouv lun à ven 9h à 11h45 et 13h15 à 16h30

8 Office de tourisme

14 place Charles De Gaulle (05-59-65-71-78 ✉ saintpalais@otpaysbasque.com http://www.pyrenees-basques.com/)

9 Arrêt de Bus (05-59-65-73-11) place de la Piscine (ligne Mauléon à Dax) et place de l'Eglise (ligne 10 Saint-Jean-PDP et 11 Bayonne)

Saint-Palais est une ville récente, puisque fondée au XIIIe siècle. Elle n'existait donc pas au début du pèlerinage, mais devint rapidement la capitale de la Basse-Navarre et un lieu de passage obligé pour les pèlerins qui y trouvaient un hospital. Elle est située au cœur d'un riche terroir agricole et fut aux premiers temps du renouveau du pèlerinage célèbre pour l'accueil offert par les Franciscains, accueil aujourd'hui repris dans les mêmes lieux par une association locale.

La ville est une belle occasion de flânerie touristique : le musée de la Basse-Navarre, l'Hôtel des Monnaies, l'ancienne église Saint-Paul et quelques belles maisons nobles. Vous y verrez aussi le trinquet où se joue la célèbre pelote basque.

Témoignage de l'Histoire : vous quitterez Saint-Palais par le quartier Saint-Jaymes...

✝ **Saint-Palais**

Messe lun à sam 9h, sam 19h30, dim 9h et 11h

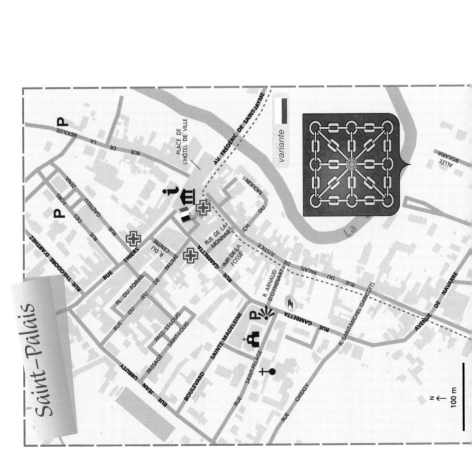

Saint-Palais

variante

100 m

RUE THÉODORE D'ARTHEZ

RUE THIERS

RUE GASTELLU

RUE DES FORS

RUE ZILHAN

P

P

RUE DU FORAIL

R. DU JEU DE PAUME

PASSAGE SAINT-LOUIS

R. DU CENTRE

RUE JEAN URRUTY

BOULEVARD SAINTE-MADELEINE

RUE SAINTE-FELAGIE

RUE

RUE AGODON

RUE SAINT-MICHEL GARICOÏTS

R. ARNAUD D'OIHENART

RUE GAMBETTA

RUE GAMBETTA

RUE DE LA MONNAIE

IMP. DE LA FOSSE

CH. DE JUSTICE

CH. DU MOULIN

RUE DU PALAIS

AVENUE DE NAVARRE

PLACE DE L'HÔTEL DE VILLE

AV. FRÉDÉRIC DE SAINT-JAYME

RUE DE LA BIDOUZE

ALLÉE BISKARIA

La

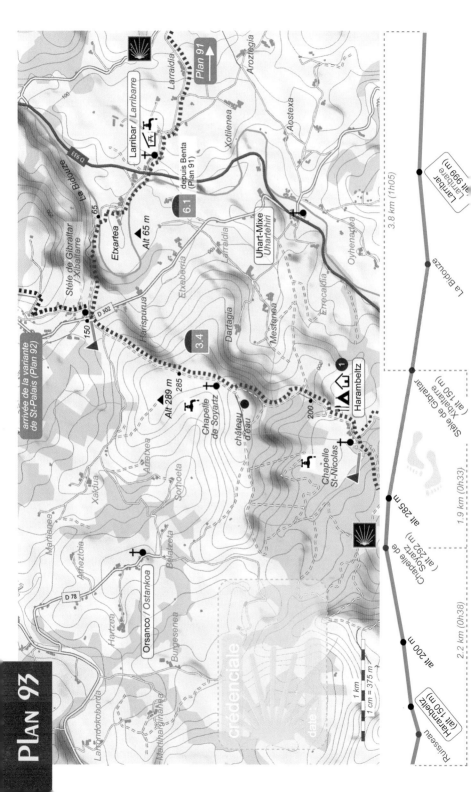

PLAN 93

🇬🇧 Gîte Etchetoa

Marie (pèlerine), quartier Harambeltz, 64120 Ostabat-Asme (07-66-02-40-10 marie.etchetoa@laposte.net) 12 pl en 4 ch 2-3-4 pers, 🛏 14€, poss 🍴 5€, 🍷 5€, 15€, 🍲, épicerie-dépannage, draps 5€, LL & SL, ouv avr à oct, 🕑 14h30

Avant Ostabat, peu ou prou à l'endroit où se retrouvent le GR 65 et la variante de Saint-Palais, vous rencontrerez au bord du chemin une stèle appelée la stèle de Gibraltar (en basque Xibaltarre) qui marque l'endroit où se rejoignent trois des grandes voies jacquaires : celle qui vient du Puy-en-Velay, celle qui vient de Vézelay et celle qui vient de Tours. La voie d'Arles, elle, franchit les Pyrénées un peu plus à l'est, au col du Somport, et rejoint le camino francés à Puente la Reina, au-delà de Pampelune.

Puis vous grimperez (si, si...) sur la crête vers la chapelle de Soyartz, avec une vue à couper le souffle sur les montagnes basques, avant de redescendre vers le hameau d'Harambeltz, célèbre pour sa millénaire chapelle Saint Nicolas. Si vous avez de la chance, vous pourrez visiter ce lieu exceptionnel, hélas trop souvent fermé, qui abrite fresques et retables d'une indicible beauté. Dans le cimetière se dressent de très anciennes stèles discoïdales. Ces stèles se disent en basque "hilarri", ce qui signifie "pierre de mort". Elle comportent souvent des croix pattées, des croix basques ou des symboles solaires.

Les habitants du hameau sont co-propriétaires de la chapelle depuis des centaines d'années, et sont descendantes de familles de donats qui accueillaient là les pèlerins autrefois. La chapelle faisait partie d'un prieuré-hospital, autant dire qu'avant vous, dans cette humble édifice, des millions de pèlerins se sont agenouillés.

Tout comme en Margeride au départ du chemin, les donats formaient des communautés laïques qui s'engageaient au service des pèlerins. Ils prononçaient parfois des vœux mineurs pour confirmer leur engagement : pauvreté, obéissance et chasteté s'ils venaient à être veufs. On voit bien que la pratique du "donativo" : c'est-à-dire la libre participation aux frais de la maison qui vous accueille pour la nuitée, n'est pas une nouveauté sur le Chemin...

PLAN 94

Ostabat fut un célèbre village des temps héroïques du pèlerinage. On dit que dans ses hospitaux on recevait 5.000 pèlerins chaque soir ! On a de la peine à imaginer une telle foule en traversant le village aujourd'hui… Et pourtant la maison Ospitalia, qui accueille maintenant les marcheurs, ferait cet office depuis mille années…

Peu après Ostabat se trouve la ferme Gainekoetxea, qui fait partie des plus anciens hébergements du GR 65. Chaque soir, le père Beñat y entonne, à la grande joie des hôtes, de magnifiques chants basques.

À partir de là, il reste simplement une étape avant Saint-Jean-Pied-de-Port, mais elle sera magnifique. Apprêtez-vous à vivre un grand moment de votre Chemin.

S'il fait beau, les montagnes basques brilleront dans toute leur splendeur. Largement déboisées, ourlées de bosquets de hêtres, elles sont pâturées par des moutons, qui se battent aussi contre les fougères. Ces dernières, fort envahissantes, sont depuis toujours utilisées comme litière pour les animaux quand ils sont à l'étable en hiver.

❶ 🏠 Gîte d'étape Maison Ospitalia
Mr Etcheparreborde, Maison Aneteia, 64120 Ostabat (05-59-37-83-17 (heures repas) & 06-10-04-65-75) 10 pl en 3 ch, 🛏 15€, 🚿 , ouv avr à oct

❷ 🏠 Gîte Aïre-ona
Françoise Irigoin, Le Bourg, 64120 Ostabat-Asme ✉ gite.aire-ona@live.fr 06-33-65-77-15) 12 pl en 4 ch, 🍴 15-20€, 🛏 5€, draps 4€, LL 5€, SL 5€, ouv 15 avr au 15 oct, fermé dim jul-aou, sur résa BS

❸ 🏠 Chambre d'hôtes-Auberge Ametzanea
Marie-Hélène et Daniel Arbeletche, Auberge Ametzanea, 64120 Ostabat (05-59-37-85-03 & 05-59-37-81-56) ✉ danielantxo@wanadoo.fr) 3 ch, DP 38€, 🍴 (produits locaux) 14€, draps 2€, ouv 15 avr au 30 oct, auberge fermé dim

❹ Bar Jango-Multiservices-Epicerie-Boulangerie
(05-59-37-80-69) Restauration rapide le midi; restaurant le soir, 🍴 12.50€, 🍺 5.50€ à partir de 7h, ouv 7/7 // Boulangerie fermé dim

❺ Gîte d'étape-Chambre d'hôtes, Lucie et Beñat Eyharts, Ferme Gainekoetxea, 64120 Ostabat (05-59-37-81-10 & 06-72-73-78-56 ✉ lucie.eyharts@wanadoo.fr) 4 ch, DP 48-56€ // Gîte d'étape Izarrak, 19 pl en 6 ch et 14 pl en 2 dortoirs, DP ch 60-70€, DP 96€, ch 132€, DP dortoir 38-39€ // 18€ (produits du terroir), 6.50€, LL & SL avec part, spa-jacuzzi avec part, ouv avr à oct, 15h, résa souhaitée, chants basques au repas

❻ Chambre d'hôtes à la Ferme Arlania
Laurencia Etchelet & Tote Curutchet, RD 933, 64120 Juxue (05-59-37-80-47 ✉ laurencia.etchelet@wanadoo.fr) 5 ch, DP 40€, LL & SL, Ostabat, ouv tte l'année (1 km avant Ostabat, (repère A), au panneau indiquant notre ferme, prendre la route à gauche sur 1.3 km et traverser la D 933)

❼ Chambre d'hôtes à la Ferme Karricondoa
Véronique et Jean Etchegoyhen, Karricondoa, 64120 Arhansus (05-59-37-85-65 & 06-21-87-72-46 ✉ etchegoyhen.veronique@gmail.com) 3 ch, 52€, 62-72€, 72€, supp 10€, 20€, sandwich offert, LL, SL, sur le GR, ouv tte l'année, 14h (à Harambeltz (Plan 93) prendre à gauche petite route sur 1.2 km jusqu'à la D 933. Prendre à droite sur 100 m puis à gauche la D 702 vers Arhansus sur 700 m)

❽ Hôtel-Restaurant Espellet**
64120 Larceveau (05-59-37-81-91 ✉ hergaray@wanadoo.fr) 20 ch, 42-70€, 14-32€, DP 56€, 98€, 6€, LL avec part, ouv 7/7, fermé jan 8€,

❾ Boulangerie Ithurralde, ouv matin mar à dim

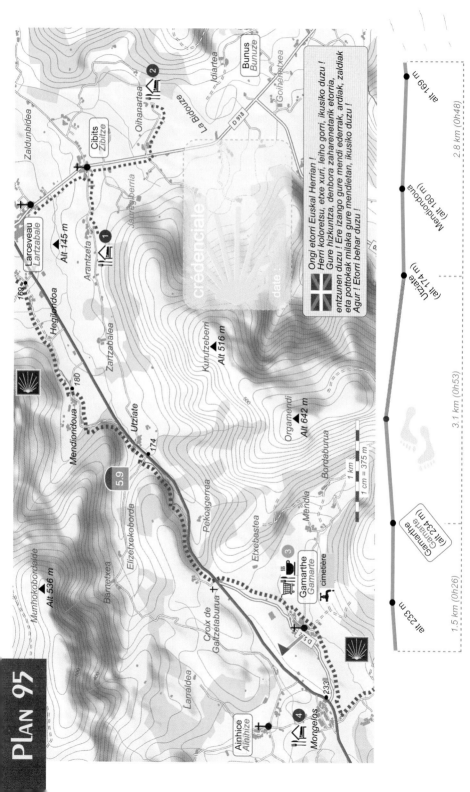

PLAN 95

Ongi etorri Euskal Herian !
Herri koloretsu, etxe xuri, leiho gorri, ikusiko duzu !
Gure hizkuntza, denbora zaharenetarik etorria,
entzunen duzu ! Ere izango gure mendi ederrak, ardiak, zaldiak
eta pottokak milaka gure mendietan, ikusiko duzu !
Agur ! Etorri behar duzu !

crédenciale
date :

1 cm = 375 m
1 km

Larceveau
Lartzabale

Cibits
Zibitze

Bunus
Bunuze

Alt 145 m

Kurutzeberri
Alt 516 m

Orgamendi
Alt 642 m

Munhokobordalde
Alt 536 m

Croix de Galzetaburua

Ainhice
Ainhize

Gamarthe
Gamarte

cimetière

Mongelos

169

180

174

233

5.9

alt 233 m

1.5 km (0h26)

Gamarthe
Gamarte
(alt 234 m)

3.1 km (0h53)

Utziate
(alt 174 m)

Mendiondoua
(alt 180 m)

2.8 km (0h48)

alt 169 m

1 Chambre d'hôtes Arantzeta
Michèle Ampo, quartier Cibits, 64120 Larceveau (05-59-37-37-26 & 06-81-17-92-54, ampochristophe@aol.com) 3 ch, 55€, 65€, 20€, (micro-ondes), LL 3€, SL 3€, Larceveau, ouv mai à sep *(quitter le GR à gauche à Larceveau par la D 918 sur 1 km. A Cibits prendre la petite route à droite après l'église sur 500 m. La maison est en haut à gauche)*

2 Chambre d'hôtes Maison Oyhanartia
Chantal et Christian Isaac, 64120 Larceveau (contact@oyhanartia.com 05-59-37-37-88-16 & 06-80-85-61-73) 5 ch, 73€, 78€ (supp 25€), 120€, 30€, LL & SL avec part, sur le chemin max 2 km, ouv mars à nov *(quitter le GR à gauche à Larceveau par la D 918 sur 1.8 km, puis tourner à gauche vers Oyhanartia sur 600 m)*

3 Pause café à la ferme, Famille Berhocoirigoin, Uhartekoborda, pause-café-thé-lait-yaourt, restauration avec produits bio de la ferme, ouv 7/7 mai à oct, 8h30 à 14h *(500 m après la croix de Galtzetaburua)*

4 Chambre d'hôtes Domaine de Schiltenea, Albanne Sandras, chemin de l'Eglise, 64200 Aïnhice-Mongelos (albanne.t.sandras@gmail.com 05-59-37-22-56) 2 ch, 40€, 70€ // 8€ // 20€ (selon dispo), 8€, LL 3€, ouv tte l'année sur résa *(depuis la place de Mongelos, aller en direction de l'église (suivre panneau) seulement sur 100 m, puis prendre à droite (marquage coquille))*

L'entité basque est extrêmement forte, et l'appartenance à cette communauté et à sa langue engendre des liens puissants avec la terre basque. On entend plusieurs termes pour la désigner, que nous allons expliciter :

Euskadi est un mot assez récent qui désigne la patrie basque. C'est le nom qu'a choisi la Communauté autonome basque, côté espagnol.

Euskal Herria signifie Pays basque, mais le concept est plus profond puisque mot-à-mot, il désigne le Pays de la langue basque.

Zazpiak Bat signifie "Les Sept Provinces" qui composent la communauté basque historique : côté nord des Pyrénées le Labourd (Lapurdi), Soule (Xiberoa), Basse-Navarre (Nafarroa-Beherea), et côté sud des Pyrénées Navarre, Guipuzcoa, Alava, Biscaye.

Euskara désigne la langue basque, mais celui qui a le privilège de la parler est considéré comme un pur Basque, même s'il est Sénégalais...

Au moment de la grande réforme administrative de la Révolution, toutes les entités provinciales ont été dissoutes dans les départements, et les trois provinces basques du nord des Pyrénées se sont trouvées intégrées au département des Basses-Pyrénées. Certains demandent aujourd'hui l'éclatement du département en deux parties, la partie sud regroupant évidemment les provinces basques historiques. Mais il est bien difficile pour la République de reconnaître qu'elle n'est pas composée que de Français...

L'agriculture basque est une exception en France : contrairement au reste du pays, elle est en plein essor et occupe 6% de la population active, avec une grande proportion de jeunes. La plupart des fermes de montagne se consacrent au mouton et 10% affichent le label Bio. La plupart des exploitations, seules ou en groupements, assurent la chaîne complète du producteur au consommateur, ce qui procure un revenu suffisant pour bien vivre de son métier. Certaines productions, comme le piment d'Espelette, le fromage d'Ossau-Iraty, la liqueur Izarra ou le vin d'Irouléguy ont acquis une réputation par-delà les frontières.

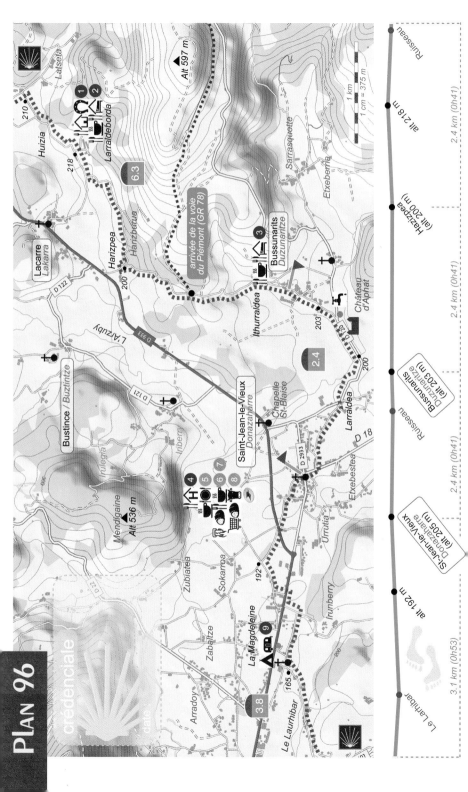

Plan 96

crédenciale

date

Lacarre / Lakarra

Bustince / Buztintze

Saint-Jean-le-Vieux / Donazaharre

Bussunarits / Duzunaritze

Larraldeboborda

6.3

arrivée de la voie du Piémont (GR 78)

Château d'Aphat

Chapelle St-Blaise

La Magdeleine

Alt 597 m

Alt 536 m

Mendigaine

Latseta

Huizia

Harizpea

Hanzbetua

Ithurraldea

Larraldea

Etxeberria

Sarrasquette

Zubiatea

Sokarroa

Arradoy

Zabaltze

Irulegia

Uniberry

Etxebestea

Urrutia

Irunberry

Le Laurhibar

L'Aïzuby

210

218

200

200

203

200

192

165

D 122

D 933

D 121

D 18

D 2933

1 cm = 375 m
1 km

2.4

3.8

Ruisseau	alt 218 m	Hazizpea (alt 200 m)	Bussunarits Duzunaritze (alt 203 m)	St-Jean-le-Vieux Donazaharre (alt 205 m)	alt 192 m	Le Larhibar
	2.4 km (0h41)	2.4 km (0h41)	2.4 km (0h41)	2.4 km (0h41)	3.1 km (0h53)	

PLAN 70

1 🇬🇧🇪🇸 Gîte-Ferme équestre Xokoan
Jean-Claude Sempé, Maison Caracotchia, 64220 Lacarre (✉ xokoan@wanadoo.fr 06-80-15-71-25) 7 pl en dortoir 15€ // caravane 15€, 30€, 45€ // 6€, ▮▮
15€, draps 5€, LL 5€, SL 5€, 5€, ouv tte l'année

2 🇬🇧 Chambre d'hôtes Ituria-Pause pèlerins
Valérie Peeters, 4 domaine Larraldeborda, 64220 Gamarthe (07-66-39-24-02 ✉ valessential@gmail.com) tente tipi 3-5 pl 45€, 70€, 90€, 102€, 114€, 22€, LL+SL 3€, soins thérapeutique sur RDV, gare St-Jean-PdP 5€, ouv mars à déc 15h // Pause pèlerins, café, poss pique-niquer 9h à 14h

3 🇬🇧🇪🇸 Chambre d'hôtes Etxekonia
Mayie Elicagaray, Ferme Etxekonia, 64220 Bussunarits (05-59-37-00-40) 4 ch, 50€, 65-80€, 90€, DP 68.50€, 102-117€, 145.50€, 18.50€ (produits de la ferme) // 15€, poss casse-croûte midi et soir 15€, pause thé-café, ouv tte l'année, 14h30 (dans le village, sur le GR)

4 🇬🇧 Hôtel-Restaurant Mendy**
route d'Iraty, 64220 Saint-Jean-le-Vieux (✉ contact@hotel-mendy.com 05-59-37-11-81) 15 ch, 65-85€, DP 70-90€, 125€, 162-171€, 7€, 15-27€, ouv 1er avr au 1er nov

5 🇬🇧 Café-Restaurant Choko-Ona (05-59-37-13-67) 18.50€ (résa conseillée), fermé le soir les lun-mar-mer-jeu, dim BS, fermé mer soir et jeu de Pâques à sep, ouv 7/7 en aou, fermé 2 dernières sem jun

6 🇬🇧 Bar Sotua place du Fronton (05-59-37-30-79) pique-nique accepté, sandwiches chauds et froids, snack, ouv 7/7 HS, fermé mar BS

7 🇬🇧 Café Bera (05-59-37-10-01) sandwiches, dépôt de pain à partir de midi, pique-nique accepté, ouv 7/7 6h30 à 21h // Point Vert CA

8 Ravitaillement :
- Boucherie-charcuterie Mayté (05-59-37-10-02) fermé dim et jours fériés
- Boulangerie Sarçabal (05-59-37-11-89) ouv 6h30 à 13h, dépôt de pain au Café Bera, fermé jeu
- Epicerie Vival, fermé lun

9 Camping Au Naturel-Aire naturelle de camping**
Mr Jasse, La Magdeleine, 64220 Saint-Jean-le-Vieux (05-59-37-02-63 & 06-98-16-66-16) 11€, 3 mobil-homes, 17€, LL 2.50€, ouv 15 avr à fin sep (sur la D 933 entre Saint-Jean-le-Vieux et Saint-Jean-Pied-de-Port)

Saint-Jean-le-Vieux (Donazaharre en langue basque) : vous voilà à une portée de bourdon de Saint-Jean-Pied-de-Port (Donibane Garazi), la cité au pied du port de Cize, enchâssée dans un écrin de douces montagnes, qui mène vers le royaume d'Espagne. Le mot "port" est à prendre ici dans le sens de "col"...

La place de Saint-Jean a été fortifiée au cours des siècles, notamment par Vauban, afin de résister aux envahisseurs venus du sud qui voulaient en partager les richesses.

Dans la ville close, qui a conservé ses murailles de pierre rouge, s'élèvent encore, tout au long de la rue de la Citadelle, de magnifiques maisons basques dont le linteau indique l'âge vénérable, certaines remontant aux années 1500. Petit aparte politico-historique : ces maisons ont été bâties à une époque où n'existaient ni permis de construire ni bureaux d'architectes, et pourtant elles sont le plus beau chef d'œuvre que nous ont légué nos ancêtres. Comme quoi...

Vous entrerez dans la noble cité par la Porte Saint Jacques (inscrite au Patrimoine mondial de l'Unesco), vous descendrez la rude pente de la rue de la Citadelle, et tout en bas, juste avant le pont sur la Nive, vous trouverez l'église Notre-Dame du Bout du Pont, de style roman et gothique. Au-delà du pont s'étire la rue d'Espagne la bien nommée, qui va nous faire grimper 1.200 m plus haut...

Beaucoup de pèlerins font une halte d'un ou deux jours à Saint-Jean, quand ils arrivent du Puy-en-Velay, avant d'attaquer la traversée de l'Espagne, tant la cité possède de beaux atours à montrer. Y passer seulement serait un crime de lèse-majesté.

Petit clin d'œil de l'Histoire : pendant le Grand Schisme d'occident, dans les années 1400, qui vit un pape à Rome et un autre à Avignon, Saint-Jean-Pied-de-Port était le siège de l'évêché qui relevait d'Avignon, tandis que Bayonne hébergeait celui qui obéissait à Rome... Autre clin d'œil qui montre qui les choses ne sont pas toujours si simples que dans les livres d'Histoire : en 1789, les Etats de Navarre (le parlement de la province) refusèrent d'envoyer des députés aux Etats Généraux réunis à Paris, au prétexte que les Navarrais ne sont pas des Français... 150 ans après le rattachement forcé par Louis XIII, l'appartenance au royaume de France n'allait pas encore de soi...

Saint-Jean-le-Vieux
Donazaharre

D 933

D 118

Gaineko
Borda

3.8

après la porte
St Jacques

Gare

Aincille / Aintzila

Harineta

Bordaxuria

2.5

Astabidea

194

D 40

12

Saint-Jean-Pied-de-Port
Donibane Garazi

D 701

181

La Nive

Bide Zaharra, variante par
Çaro et Saint-Michel jusqu'à
la Vierge de Biakorri

Çaro / Zaro

Alt 305 m

1.7

24

Saint-Michel
Eiheralarre

au fronton

à 500 m de la Porte
d'Espagne sur la
route Napoléon

25 26
27

Etxeberrigaraia

Altzua

Alt 344 m

Raccordement
par St-Michel

Uhart-Cize
Uharte Garazi

Puntisenea

D 381

Route
Napoléon   D 428

Zihea

Othatzenea

Jauregiberria

291

312

Etxebestea

5.2

16 17 18
19
20 21
22
23
SNCF

D 403

Lasse
Lasa

Etxebestea

Elizetxea

Jauregizaharrea

Alt 349 m

1   2   3 > 10   11   13   14 15

Tous services,
tous commerces

Errekartea

Etxebenea

Etxebestea

D 933

GR 65 bis par Améguy de
Saint-Jean-Pied-de-Port
à Roncevaux (hiver et
mauvais temps)

1 cm = 375 m

1 km

0.7 km (0h12)

St-Jean-PdP
Donibane Garazi
(alt 190 m)

alt 194 m

alt 181 m

2.9 km (0h50)

Exeberrigaraia
(alt 291 m)

Etxebestea
(alt 312 m)

Saint-Michel
(alt 200 m)

Saint Jean-Pied-de-Port

Église paroissiale : messe lun à jeu 19h (18h l'hiver)

Permanence par un prêtre du Carême à Toussaint sam 15h30 à 17h

1 ((@ Accueil Pèlerin, Association des Amis du Chemin de St-Jacques des Pyré-nées-Atlantiques, 39 rue de la Citadelle (05-59-37-05-09 ✉ caminopa@hotmail.com) contribution crédenciale 2€, infos sur le Camino Francés, le Camino del Norte et la liaison Saint-Jean-PDP à Hendaye, ouv tte l'année // infos sur www.aucoeurduchemin.org

2 ((@ Accueil paroissial Kaserna, 43 rue d'Espagne, 64220 Saint-Jean-PdP (05-59-37-65-17) 14 pl, nuit+ 🛏+ 🍴 avec part aux frais 20€, ouv à 5 avr au 31 oct, 🕐 15h à 20h, résa la veille uniquement, réservé pèlerins avec crédenciale, à pied et portant leur sac (sauf problème de santé). Délivrance crédenciale pour les pèlerins hébergés au gite

3 ((@ Refuge municipal, Association Terres de Navarre, 55 rue de la Citadelle, 64220 Saint-Jean-PdP (06-17-10-31-89) 32 pl en 3 dortoirs, 🛏 10€, 1 ch 🛏🛏 30€ (🛏 inclus), 🍳 réchauffer, pas de résa, ouv toute l'année, 🕐 14h

4 ((@ Gite Beilari, Joseph et Jacqueline, 40 rue de la Citadelle, 64220 Saint-Jean-PdP (05-59-37-24-68 ✉ info@beilari.info) 14 pl en ch 3-4 pers, DP 🛏🛏 40€, 🥪 sandwiches 5€, ouv 16 mars au 25 oct, 🕐 14h30

5 🇬🇧 ((@ Gite d'étape Ultreia, Argitxu, 8 rue de la Citadelle, 64220 Saint-Jean-PdP (06-80-88-46-22 (résa via site Internet)) 15 pl, 🛏 23€, en ch 56-69€ (🛏 inclus), 🛏 , LL 4€, SL 4€, ouv 15 mars au 31 oct, 🕐 14h30

6 🇬🇧 ((@ Gite Azkorria, Alain Bigot, 50 rue de la Citadelle, 64220 Saint-Jean-PdP (✉ sarl.azkorria@orange.fr 05-59-37-00-53 & 06-76-02-05-36) 14 pl en ch et dortoir, 🛏 28€ (🛏 inclus), 3 ch 🛏🛏 80-90€ (linge+ 🛏 inclus), LL & SL avec part, ouv 1er mars au 27 oct, 🕐 15h à 22h30, fermé mer

7 🇬🇧 ((@ Gite Izaxulo, Joseph, 2 avenue Renaud, 64220 Saint-Jean-PdP (06-84-33-12-05 ✉ josefernandez58@sfr.fr) 16 pl en ch et dortoir, en dortoir 🛏 20€, en ch 🛏🛏 75€, 🛏 5€, 🛏 , LL 3€, SL 3€, ouv fin mars à fin oct, 🕐 15h

8 🇬🇧 ((@ Gite Le Lièvre et la Tortue, Cat et Manu (pèlerin), 30 rue de la Citadelle, 64220 Saint-Jean-PdP (✉ gite.lelievreetlatortue@gmail.com 06-63-62-92-35 & 06-59-13-52-25) 12 pl en 2 dortoirs et 1 ch, en dortoir 🍴🛏 20€, en ch 🛏🛏 55€, 🛏🛏🛏 75€ (draps inclus), 🛏 5€, 🍴 14€, 🛏 6€, LL 3€, SL 3€, ouv avr à oct

9 🇬🇧 ((@ Gite Makila, Pantxo Eyherabide, 35 rue de la Citadelle, 64220 Saint-Jean-PdP (06-63-10-13-46 ✉ pantxoe@gmail.com) 8 pl en 2 dortoirs, 🛏 25-28€ // 2 ch 🛏🛏 60-70€ // (🛏+draps inclus), LL 5€, SL 3€, ouv 1er mars au 25 oct, 🕐 15h

10 🇬🇧 ((@ Gite Esteban Etxea
Fernando et Marie, 29 rue de la Citadelle, 64220 Saint-Jean-PdP (06-38-22-80-05 & 06-62-18-53-87 ✉ esteban_etxea@yahoo.com) 12 pl en 1 dortoir et 2 ch 2-3 pers, en dortoir 17€, en ch 🛏🛏 49€ 🛏🛏🛏 59€ (draps inclus), 🛏 5€, 🍴 13€, 🍳 réchauffer, 🛏 7€, draps 1.50€, LL 3€, SL 2€, ouv mars à nov, 🕐 15h

11 🇬🇧 ((@ Gite-Bar-Brasserie Zuharpeta
Sabine Gueraçague, 5 bis rue Zuharpeta, 64220 Saint-Jean-PdP (05-59-37-35-88 & 06 21-30-03-05 ✉ gitezuharpeta@laposte.net) 15 pl en 1 dortoir et 4 ch, en dortoir 🛏 18€, en ch 🛏🛏 48€ 🍴 6€, 🛏 5€, ouv mars à oct, 🕐 15h

12 🇬🇧 ((@ Chambre d'hôtes Maison Gure Lana
Geneviève Delteil, 8 route de Caro, 64220 Saint-Jean-PdP (05-24-34-14-97 & 07-77-76-71-39 ✉ genevievedelteil@aol.com) 4 ch, 🛏🛏 85-105€, 🛏🛏🛏🛏 160€, 🍴 40€ (6 pers min), 🛏 , LL, SL, ouv mars à oct, 🕐 15h *(en entrant à St-Jean (point coté 194) prendre à gauche la D 401 vers Çaro sur 200 m)*

13 ((@ Chambre d'hôtes Maison Ziberoa, Marie-Josée Lagord, 3 route d'Arnéguy, 64220 Saint-Jean-PdP (06-61-23-93-44 ✉ maisonziberoa@ziberoa.com) 4 ch, 🛏 67€, 🛏🛏 82€, 🛏🛏🛏 115€, 🛏🛏🛏🛏 135€, 🛏 25€, LL 3€, SL 3€, ouv mars à fin vacances Toussaint, 🕐 16h30

14 🇬🇧 ((@ Chambre d'hôtes, Gracianne Paris, 35 avenue Renaud, 64220 Saint-Jean-PdP (✉ chambresgarazi@gmail.com 05-59-37-01-47 & 06-89-40-00-74) 3 ch, 🛏 43€, 🛏🛏 50€, ouv avr à oct *(près de la gare)*

15 🇬🇧 ((@ Chambre d'hôtes Errecaldia
Tim Proctor, 5 chemin de la Porte Saint Jacques, 64220 Saint-Jean-PdP (06-47-80-87-32 ✉ tim@errecaldia.com) 2 ch, 🛏 60€, 🛏🛏 80€, 🛏🛏🛏 110€, ouv avr à oct

16 🇬🇧 ((@ Hôtel-Restaurant Itzalpea**, Evelyne Uhart, 5 place du Trinquet, 64220 Saint-Jean-PdP (05-59-37-03-66 ✉ itzalpea@wanadoo.fr) 7 ch, 🛏🛏 89€, DP 🛏 89€, 🛏 10€ à 7h30, 🍴 à partir de 20€, ouv 1er mars au 1er nov, 🕐 16h à 20h30

17 🇬🇧 ((@ Hôtel-Restaurant Central*** 1 place De Gaulle, 64220 Saint-Jean-PdP (05-59-37-00-22 ✉ central.centralhotel6@orange.fr) 14 ch, 🛏 90-120€, 🛏🛏 98-140€, 🛏 12€, 🍴 25-49€, BS fermé ven sauf vacances scolaires, fermé déc à mars

18 🇬🇧 ((@ Hôtel-Restaurant des Pyrénées****
19 place De Gaulle, 64220 Saint-Jean-PdP (✉ hotel.pyrenees@wanadoo.fr 05-59-37-01-01) 18 ch, 🛏🛏 105-260€, 🛏 18€, DP 🛏 190-240€, 🛏🛏🛏 300-430€, ouv 7/7 HS, fermé mar 20 sep au 30 jun et lun-mar nov à mars, fermé 11-30 nov et 6 jan-8 fév

19 🇬🇧 ((@ Camping municipal Plaza Berri**, avenue du Fronton, 64220 Saint-Jean-PdP (05-59-37-11-19 & 05-59-37-00-92) 🛏🛏 11€, ouv Pâques à Toussaint

20 @ Boutique du Pèlerin, Pierre (pèlerin), 32 rue de la Citadelle (05-59-37-98-52 ✉ directioncompostelle@orange.fr www.boutique-du-pelerin.com) matériel et équipement de randonnée, guides, conseils techniques, librairie, souvenirs du chemin, ouv 7/7 6h30 à 20h30 20 fév au 25 oct

21 Maya Sport, 18 avenue du Jaï Alaï (05-59-37-15-98 ✉ contact@mayasport.fr www.mayasport.fr) remise de 10% sur matériel rando sur présentation crédenciale ou Miam Miam Dodo, magasin de sport, matériel et équipement de randonnée, guides, ouv lun à sam 9h-12h et 14h-19h

22 🛰 Office de tourisme 14 place De Gaulle (05-59-37-03-57 www.enpaysbasque.com ✉ saintjeanpieddeport@otpaysbasque.com) borne info tourisme 24/24, disponibilités et résa hébergements

23 Bus : ligne reliant Pampelune à Saint-Jean-PdP chaque jour mars à oct, voir office de tourisme pour infos ou Compagnie Alsa (00-34-902-422-242 www.alsa.es)

24 ♦Jogis 🏴󠁧󠁢 ⬛⬛ ⬛⬛ ⟲ 🚲 🚌 ⬛ 🛰 @ 🛏 ∩
Hôtel-Restaurant Xoko-Goxoa, Betty Armantier, 64220 Saint-Michel (05-59-37-06-34 ✉ contact@hotel-xoko-goxoa.com) 12 ch, DP ⫶ 55-65€, ouv tte l'année sur résa, 🕐 16h à 19h

Sur la route Napoléon en sortie de ville, 500 m après la porte d'Espagne :

25 ♿ 🏴󠁧󠁢 ⬛⬛ ⬛⬛ ⟲ ⟲ 🛰 ∩ 🏠 Gîte d'étape Zazpiak-Bat
13 bis route maréchal Harispe, 64220 Saint-Jean-PdP (✉ gitezazpiak@gmail.com 06-75-78-36-23) 20 pl en 7 ch 2-3-4 pers, ⫶ 20€, draps 6€, ⬛ 5€, DP ⫶ 38€, LL 4€, SL 3€, ouv avr à oct, 🕐 15h30

26 ⬛⬛ 🏴󠁧󠁢 ⬛⬛ ⟲ ∩ 🏠 Gîte Antton
Eliceche Arantxa, route Napoléon, 64220 Saint-Jean-PdP (06-65-19-50-73 & 09-82-55-13-20 ✉ compostelle@gite-antton.fr) 14 pl en 3 ch, DP ⫶ 38-43€, LL 3€, SL 2€, 🛏 sandwiches 4-5€, ouv 1er av au 20 oct, 🕐 16h30

27 🏠 ⬛⬛⬛⬛ ⟲ ∩ @ 🏠 Chambre d'hôtes, Mme Juantorena, Iruleya, route Napoléon, 64220 Saint-Jean-PdP (✉ iruleya@orange.fr 05-59-37-02-84 & 06-13-66-11-03) 2 ch, ⫶ 45€, ⫶ 55€, ⫶⫶⫶ 65€, 🛌 , 🛏 , LL & SL, ouv tte l'année

---

Le tracé "officiel" du chemin de Saint Jacques, labellisé GR 65, emprunte la route goudronnée D 428 appelée aussi route Napoléon. Mais ça n'a pas toujours été le cas. Dans les années 1990, on montait vers Honto en grande partie par un chemin de terre. On ne sait quelle autorité, sous quelles pressions, a pris la décision un jour de remplacer le beau chemin en sous-bois par du goudron... Publicité quelque peu mensongère car tous les documents officiels évoquent sans ambiguïté le « CHEMIN de Saint Jacques »...

En quête d'une alternative plus bucolique, l'association des Amis du Chemin de Saint Jacques des Pyrénées-Atlantiques a remis à l'honneur et balisé un très ancien itinéraire jacquaire, appelé Bide Zaharra (le vieux chemin) qui passe par Çaro (Zaro en basque) et Saint-Michel (Eiheralarre en basque) avant d'attaquer la montagne par une pente presque constante jusqu'à rejoindre la route Napoléon à la Vierge de Biakorri (ou Vierge d'Orisson). Gros avantage : on profite de l'architecture traditionnelle des beaux villages de Çaro et Saint-Michel. De plus, à partir de Saint-Michel, on marche presque exclusivement sur de la terre, à l'abri du vent et en terroir ombragé. Petit inconvénient : cet itinéraire fait 5 km de plus (1h20) que la route Napoléon.

Le balisage est effectué avec des coquilles jaunes et bleues.

A Saint-Michel on peut encore rejoindre par une bretelle la route Napoléon.

Il y a 11.4 km de Saint-Jean-Ped-de-Port à la Vierge de Biakorri par le GR 65 et la route Napoléon, contre 16.5 km par le Bide Zaharra.

Une chance pour ceux qui prendraient le chemin le premier mercredi de septembre : vous pourrez vous joindre au pèlerinage de nuit entre Saint-Jean-Pied-de-Port (départ 2h30 du matin) et Roncevaux, ou vous parviendrez à 10h pour la cérémonie et les chants en langue basque. Il s'agit du pèlerinage de Notre-Dame-de-Roncevaux (Orrïako Belia). Rendez-vous à 2h30 du matin, dans la nuit de mardi à mercredi, devant l'école Sainte-Marie (Garaztarren Etxea) pour ceux qui dorment (...) à Saint-Jean-Pied-de-Port ou à 7h du matin devant la Croix de Jatsaune ou Croix-Thibaud (Plan 100, sur la route Napoléon) pour ceux qui dorment à Hounto ou Orisson.

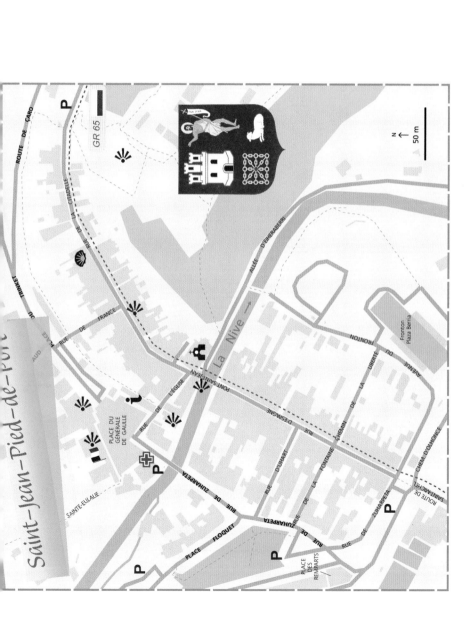

Saint–Jean–Pied–de–Port

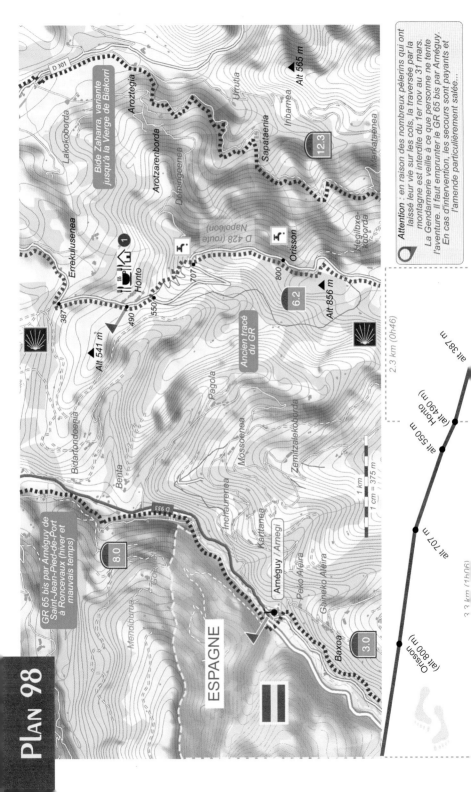

PLAN 98

ESPAGNE

D 933

D 301

Bide Zaharra, variante jusqu'à la Vierge de Biakori

GR 65 bis par Arnéguy de Saint-Jean-Pied-de-Port à Roncevaux (hiver et mauvais temps)

Ancien tracé du GR

Lakokoborda

Aroztegia

Arotzarenborda

Domingoenea

Urrutia

Iribarnea

▲ Alt 565 m

12.3

Sapataenea

Merkattanenea

Errekulusenea

1

Honto

387

490

550

707

D 428 (route Napoléon)

Orisson

800

Hegitoxe koborda

6.2

▲ Alt 856 m

▲ Alt 541 m

Bidarraondoenia

Benta

Pagola

Mossoenea

Zemitzalekoborda

Inehaunenea

Kattanea

Peko Aleira

Ganeko Aleira

Baxoa

Arneguy / Arnegi

8.0

3.0

Mendibürüa

Attention : en raison des nombreux pèlerins qui ont laissé leur vie sur les cols, la traversée par la montagne est interdite du 1er nov au 31 mars. La Gendarmerie veille à ce que personne ne tente l'aventure. Il faut emprunter le GR 65 bis par Arnéguy. En cas d'intervention, les secours sont payants et l'amende particulièrement salée...

1 km

1 cm = 375 m

2.3 km (0h46)

alt 387

Honto
(alt 490 m)

550 m

alt 707 m

Orisson
(alt 800 m)

3.3 km (1h04)

1 ⛰ 🛏 ♿ 🚿 🔌 ✖️ 🇬🇧 📷 ▢ ▢ 🎧

Gite d'étape-Chambres Ourtiague, Jeanne Ourtiague, ferme Ithurburia, 64220 Saint-Michel (05-59-37-11-17 & 06-80-53-00-46 ✉️ jeanne.ourtiague@orange.fr) Gite 17 pl en ch de 2-3-4-5 pers, 🛏 18€, DP 🛏 39€, ⬛ 6€ // Gite 13 pl en ch de 2-3-5 pers, 🛏 20€, DP 🛏 45€, ⬛ 6€ // Chambres, 4 ch, 🛏 65€, 🛏🛏 85€, 🛏🛏🛏 95€, 🛏🛏🛏🛏 105€, 🛏🛏🛏🛏🛏 120€ (⬛ inclus), DP 🛏 45€ // 🍽️ 18€, 🍴 1€, ⬛ 6€, LL+SL 5€, ⛪ Saint-Jean-PdP, ouv 1er mars au 11 nov (environ 1h30 après Saint-Jean-Pied-de-Port)

Ça va grimper dur, amis pèlerins ! Pour ceux qui marchent depuis le Puy-en-Velay, ça ne posera aucun problème, ils avaleront le dénivelé avec des ailes à leurs chaussures. Pour ceux qui font l'erreur de commencer leur voyage à Saint-Jean-Pied-de-Port, ça va ahaner fort. Pour ceux qui en plus fument quotidiennement, on est à la frontière du masochisme. Mais il en est ainsi depuis la nuit des temps, toute belle chose se mérite. Une bonne idée, pour que la traversée des Pyrénées reste un bon souvenir, est de partager l'étape en deux et de faire halte dans un des héberge-ments de la montée. La ferme Ithurburia fait partie des gîtes historiques qui accueillent les pèlerins depuis une trentaine d'années. La table est si bonne qu'on a de la misère à continuer.

Au temps de l'Empire Romain, la voie romaine qui reliait Bordeaux (Burdigala) à Astorga (Asturica Augusta) montait directement vers le col pour replonger ensuite vers Roncevaux. Zétaient comme ça les Romains, pas de virage inutile… On espère au moins que leurs charrettes avaient de bon freins…

Si le temps est au beau, la route est magnifique et les paysages somptueux. Vous aurez peut-être la chance d'y apercevoir des troupeaux de pottoks, ces chevaux basques qui vivent en liberté dans la montagne. Vous déposerez une pierre aux deux oratoires qui protègent le passage : la Vierge de Biakori et la Croix-Thibaud, là où le chemin quitte le goudron de la route Napoléon pour devenir sente de montagne. Les pèlerins ont pris l'habitude d'y accrocher un tas de colifichets et de gri-gris : écharpes, chapelets, paquets de cigarettes, photos d'êtres chers…

Attention : ne vous aventurez surtout pas vers le port de Cize par mauvais temps et brouillard, car chaque année un pèlerin présomptueux y laisse sa peau, saisi par le froid, aveuglé par la neige et désorienté par l'absence de repère et la raideur des pentes… Avant tout départ, prenez conseil auprès de l'Accueil de l'association jacquaire des Pyrénées-Atlantiques au 39 rue de la Citadelle. Sachez en outre que depuis 2016 la traversée par la montagne est interdite du 1er novembre au 31 mars. La Gendarmerie veille à ce que personne ne tente l'aventure. Il ne vous reste alors plus qu'à emprunter la variante historique qui passe par Arneguy et Valcarlos. Elle est certes bien goudronnée (c'est une route nationale) mais nombre de portions ont été déviées par des chemins voisins : suivez attentivement le balisage. On trouve des hébergements pèlerins à Arneguy et Valcarlos.

Valcarlos (Luzaide en basque), c'est-à-dire vallée de Charles, en l'occurrence Charlemagne. C'est là que notre empereur Charlemagne aurait établi son campement lorsqu'il entendit sonner le cor de son neveu Roland, annonce de la défaite de son arrière-garde et du massacre de ses pairs, piégés par les Sarrasins d'après la Chanson médiévale, plutôt par les Vascons d'après les historiens. Il faut dire que Charlemagne avait incendié Pampelune, leur capitale, et que ça les avait énervés...

Un hospital dépendant de celui de Roncevaux y est mentionné à partir du XIIe siècle. L'église paroissiale est dédiée à saint Jacques l'Apôtre. C'est un joli village disposant de nombreux services, moins impressionnant, mais plus accueillant que Roncevaux.

1  Albergue municipal Turístico
Ayuntamiento, 31660 Valcarlos (✉ luzaide-valcarlos@wanadoo.es 948-790-117 & Ana Mari 696-231-809) 24 pl en 2 dortoirs, 10€ (draps inclus), , draps 3€, LL, poss résa, si fermé demander à la Benta Ardandegia ou Azkena (pavé 5), ouv tte l'année *(Données 2020)*

2 Casa rural Erlanio***
María Isabel Iturriria, calle Elizaldea 58, 31660 Valcarlos (948-790-218 & 669-651-266 ✉ erlanisa@hotmail.es www.casaruralerlanio.com) 3 ch, 40-45€, 45-50€, , LL, ouv mars à Toussaint, 15h // poss taxi 8 pl *(Données 2020)*

3 Casa rural Etxezuria**
Rosa Arrosagarai, calle Elizaldea, 31660 Valcarlos (✉ casaetxezuria@yahoo.es 948-790-011 & 609-436-190 et de France : 07-83-79-21-20 www.etxezuria.com) 10 ch, 50€, 5€, sandwiches chauds sur résa, ouv tte l'année *(Données 2020)*

4 Appartements Mendiola
Lucrecia Sánchez, calle Elizaldea 113, 31660 Valcarlos (www.turismomendiola.com 609-755-105 ✉ turismomendiola@hotmail.com) 8 ch en 3 appartements, 40€, 60€, , LL, poss transport bagages et taxi, ouv tte l'année *(Données 2020)*

5 Restauration & ravitaillement :
- Bar-Restaurant-Tienda Benta Ardandegia, calle Elizaldea sn (948-796-002)
12.50€, ouv 7/7 8h à 20h, ouv festivos *(Données 2020)*
- Tienda Bazar Vasco & Bar-Restaurant Benta Azkena, calle Elizaldea sn (948-790-206) 12.50-14.50€, dépôt de pain, ouv 8h-20h, fermé lun, fermé 1 sem en nov *(Données 2020)*

6 Office de Tourisme, calle Elizaldea sn (948-790-199 & mairie 948-790-117) ouv 15 avr au 15 oct *(Données 2020)*

7 Taxi, Andoni Urolategi (948-790-218 & 636-191-423) 8 pl, poss transport vélo *(Données 2020)*

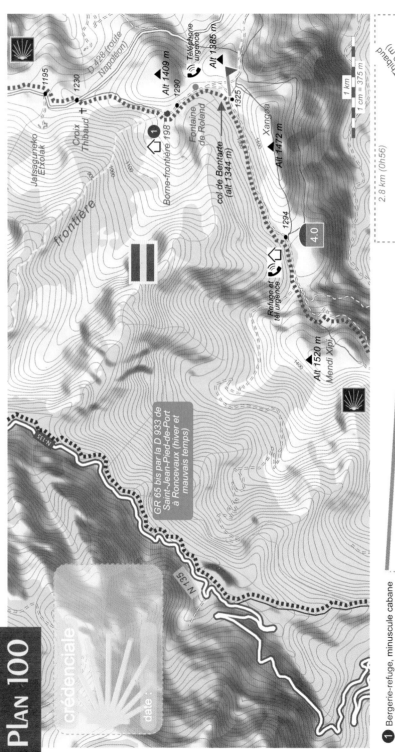

PLAN 100

crédenciale

date :

GR 65 bis par la D 933 de
Saint-Jean-Pied-de-Port
à Roncevaux (hiver et
mauvais temps)

Jatsaguneko Etxolak

Croix Thibaud +

frontière

D 428 (route Napoléon)

1195   1230   1290

Croix Thibaud

Borne-frontière 198

Alt 1409 m

Fontaine
de Roland

1325

Téléphone
urgence

Alt 1865 m

col de Bentarte
(alt 1344 m)

Xangoa
Alt 1472 m

1294

Refuge et
tél urgence

Alt 1520 m
Mendi Xipi

4.0

N 135

N 135

1 cm = 375 m

1 km

alt 1325 m

Ça tire sur les mollets, n'est-ce pas ?

Fontaine de
Roland
(alt 1315 m)

Borne 198
(alt 1290 m)

Croix Thibaud (alt 1230 m)

2.8 km (0h56)

3.6 km (1h12)

❶ Bergerie-refuge, minuscule cabane
25 m à droite de la borne-frontière, peut
servir d'abri en cas d'orage

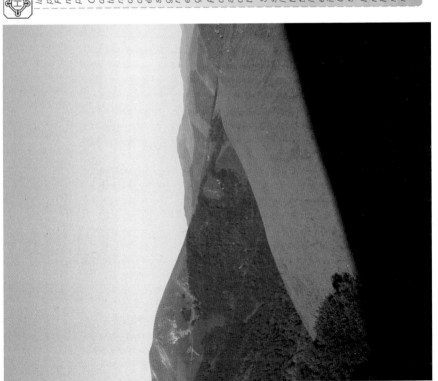

Si vous êtes sur les crêtes de la montagne basque, vous allez bientôt arriver à la frontière, matérialisée par des bornes de pierre portant un numéro. Le chemin va passer juste à côté de celle qui porte le numéro 198, tout près d'une source appelée Fontaine de Roland. Curieusement, vous noterez que le versant français de la montagne est très pâturé, alors que le versant espagnol est couvert de forêts. Autres pays, autres droits de propriété, autres traditions de culture et d'élevage...

Ce qui nous paraît une frontière était autrefois pour les Basques un simple col entre deux vallées et deux peuples parlant la même langue. Les populations se rencontraient lors des foires, échangeaient, se mariaient entre eux, tant et si bien que la notion d'appartenance nationale était très floue. Quand les règlements fiscaux ou douaniers devenaient trop complexes ou contraignants, les Basques s'assoyaient dessus et pratiquaient à grande échelle la contrebande, entretenant toute une économie parallèle dans une guerre permanente entre gabelous et paysans. Il suffisait de quelques pourcentages de différence entre deux taxes françaises et espagnoles pour rentabiliser un convoi de mulets de nuit par-delà les crêtes. Il n'y avait rien de mal, on commerçait avec des cousins... Jusqu'à l'ouverture des frontières européennes, la chasse aux alcools espagnols était un sport national pour les Français en vacances près de la frontière.

Pendant l'occupation allemande, de 1940 à 1944, les cols pyrénéens furent témoins d'un incessant passage pour les réfugiés fuyant le nazisme ou pour les pilotes anglais dont l'avion avait été abattu en France. Les contrebandiers changèrent alors de marchandises et d'ennemi, puisqu'ils devaient échapper, eux et leurs clients, aux troupes alpines de la Wehrmacht et aux carabiniers espagnols.

Si vous avez la chance de passer par la montagne et le port de Cize, puis d'utiliser sur le Plan suivant la voie romaine qui descend en zig-zags dans la forêt de hêtres, l'arrivée sur l'antique abbaye sera un grand moment de votre voyage. Attention toutefois : vous étiez habitués en douce France à naviguer dans une tranquille solitude, et à gîter dans des hébergements de taille modeste. A Roncevaux commence le camino francés, et ce sont des hordes de pèlerins, en majorité espagnols, qui vont envahir ce que vous croyiez être VOTRE chemin. Vous serez surpris par le nombre impressionnant de pèlerins ibériques qui utilisent des bicyclettes pour aller vers la Galice. Quant au coucher, vous aurez souvent des dortoirs aux dimensions impressionnantes, à l'imitation de l'hostellerie de Roncevaux.

N'oubliez pas d'aller vous présenter à l'accueil des chanoines pour faire valider ou renouveler votre crédenciale, car sans ce sésame vous ne dormirez nulle part à l'abri en terre d'Espagne. Un pèlerin, même grillé par le soleil d'Aubrac et poussiéreux à souhait car marchant depuis 1.000 km, n'est pas un pèlerin, administrativement parlant, s'il ne porte pas sa précieuse crédenciale dans sa besace.

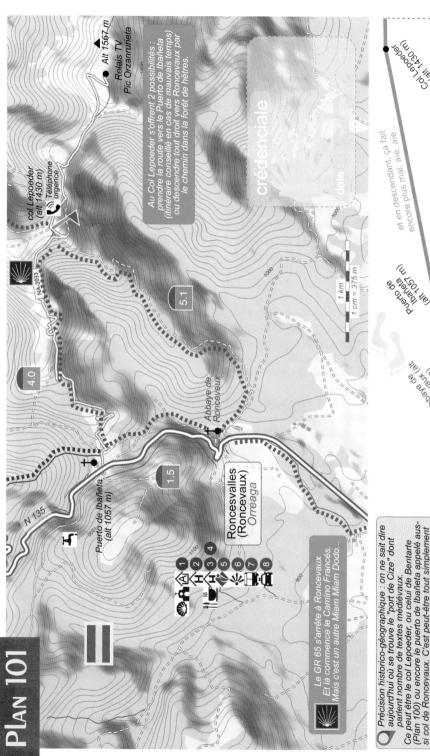

PLAN 101

Relais TV
Pic Orzanzurieta
• Alt 1567 m

col Lepoeder
(alt 1430 m)
Téléphone
urgence

Au Col Lepoeder s'offrent 2 possibilités :
prendre la route vers le Puerto de Ibañeta
(itinéraire conseillé en cas de mauvais temps)
ou descendre tout droit vers Roncevaux par
le chemin dans la forêt de hêtres.

NA-2033

5.1

4.0

N 135

Puerto de Ibañeta
(alt 1057 m)

1.5

Abbaye de
Roncevaux

crédenciale

date

1 km
1 cm = 375 m

Roncesvalles
(Roncevaux)
Orreaga

1 2 3 4 5 6 7 8

Le GR 65 s'arrête à Roncevaux.
Et là commence le Camino Francés.
Mais c'est un autre Miam Miam Dodo...

Précision historico-géographique : on ne sait dire
aujourd'hui où se trouve le "port de Cize" dont
parlent nombre de textes médiévaux.
Ce peut être le col Lepoeder, ou celui de Bentarte
(Plan 100) ou encore le puerto de Ibañeta appelé aussi col de Roncevaux. C'est peut-être tout simplement
une indication générale pour indiquer le point de passage entre la France et l'Espagne à cet endroit...

Col Lepoeder
(alt 1430 m)

et en descendant, ça fait
encore plus mal, aïe, aïe...

4.4 km (1h15)

Puerto de
Ibañeta
(alt 1057 m)

Abbaye de
Roncevaux (alt
952 m)

PLAN 101

❶
Albergue de la Colegiata Real- Oficina del Peregrino, accueil religieux, calle Francia sn, 31650 Roncesvalles (✉ info@alberguederoncesvalles.com 948-760-000 & 948-760-029) priorité pèlerins à pied, 183 pl en 3 dortoirs (34 pl BS, 345 en été si affluence), ✚ 12€, 🛏 –, loc draps, pas de couvertures, LL & SL, 🕐 ouv 14h à 22h, poss résa *(Données 2020)*

- accueil pèlerins, information et délivrance crédenciale
- Messe et bénédiction du pèlerin 20h, sam, dim et fêtes 18h

❷ 📶 @ – Hotel*** Café Roncesvalles
Casa de Beneficiados** & ✉ hotel@roncesvalles.es www.hotelroncesvalles.com) apparts 2-6 pers dans anciennes demeures des chanoines, ✚ 57-80€, ✚✚ 67-90€, ✚✚✚ 95-115€, ✚✚✚✚ 120-135€, ✚✚✚✚✚ 140-150€, LL & SL // Hôtel, 16 ch, mêmes tarifs // 🚶 10€, 🚐 poss taxi & transfert à Saint-Jean-Pied-de-Port, consigne bagages et 🚲, ouv mars à déc // Café ouv 15h à 20h *(Données 2020)*

❸ 🇫🇷🇬🇧 📶 📶 Hostal**rural-Restaurante-Bar Casa Sabina
calle Francia sn, 31650 Roncesvalles (948-790-322 ✉ casasabina@roncesvalles.es casasabina@roncesvalles.es) 4 ch, ✚ 47€, ✚✚ 58€, ✚ 3.50€, ✚ 11€ avant ou après la messe (résa dès votre arrivée), 🚐 poss taxi, fermé nov, et Noël et Nouvel An, 🕐 14h à 22h *(Données 2020)*

❹ 🇫🇷🇬🇧 📶 📶 Hostal-Restaurante-Bar Posada de Roncesvalles
Josu Eseverri, calle Francia sn, 31650 Roncesvalles (✉ laposada@roncesvalles.es http://laposada.roncesvalles.es, 948-790-322) 20 ch, ✚ 58-68€, ✚✚ 68-78€, ✚✚✚ 80-90€, ✚✚✚✚ 100 -115€, 🍽 15-20€, ouv mi-mars à mi-déc, 🕐 14h à 22h *(Données 2020)*

❺ 🇫🇷🇬🇧 📶 Office de Tourisme, Antiguo Molino, calle Francia (948-760-301 ✉ oit.roncesvalles@navarra.es www.turismo.navarra.es) ouv mars à nov tte la journée, BS l'après-midi, ouv festivos sauf 8 sept, Noël, Nouvel An, Epiphanie, fermé Epiphanie à début fév *(Données 2020)*

❻ 🇫🇷🇬🇧 Ensemble monumental & Musée de Roncesvalles
calle Francia sn (948-790-480 & 670-289-997 ✉ auriaorreaga@gmail.com www.roncesvalles.es) visite avec guide 2.50-5.20€, 10h-14h et 15h30-19h HS, 15h-18h BS, en hiver matin seulement, BS horaires variables, ouv festivos sauf 8 sept, Noël, Nouvel An, Epiphanie, fermé Epiphanie à début fév et mer BS
- *susceptible de fermer pour travaux, nouveau musée en projet (Données 2020)*

❼ Bus :
- ligne de Pamplona à Roncesvalles tous les jours, sauf dim & fêtes, départ 15h lun à jeu, 18h ven, 16h sam, pas de bus dim, renseignements Office de tourisme et Compagnie Artieda (www.autocaresartieda.com) 5€, poss transport vélos 6€ *(horaires jul & aou 2020 à vérifier à partir de jun 2020)* vente des billets sur place au guichet le jour-même, pas de résa à l'avance

- ligne de Pamplona et San Sebastian à Saint-Jean-Pied-de-Port, 22€, 1 à 4 bus par jour avr à nov, horaires sur alsa.es et www.conda.es (✉ alsa@alsa.es es conda.es 902-422-242), résa nécessaire

❽ Taxis associados (✉ info@taxi-estella.com www.taxi-estella.com 948-542-106 & 617-463-865) transport personnes et bagages Roncevaux à Logroño, poss parking (à Estella) durant votre marche et transfert taxi à l'arrivée jusqu'à votre véhicule (en Navarre), transferts gares et aéroports

---

Roncevaux est un lieu mythique et stratégique du Chemin de Compostelle où résonne encore le son du cor de Roland (Roldán en castillan), et où le légendaire de l'épopée chevaleresque se mêle à l'imaginaire pèlerin, entretenu à la fois par le célèbre Chanson du héros précédemment cité, mais aussi par le manuscrit dit "Pseudo-Turpin", beaucoup plus connu et diffusé au Moyen-âge.

Le guide du pèlerin du Codex Calixtinus fait de Roncevaux un des deux passages privilégiés d'un côté à l'autre des Pyrénées, avec le col du Somport, plus élevé (1.600 m), et donc souvent moins accessible du fait de l'enneigement.

Un texte médiéval du XIIIe siècle connu sous le titre de La Preciosa ou Le poème de Roncevaux, affirme : « La porte est ouverte pour tous, malades et bien-portants, chrétiens et paiens, aux juifs, aux hérétiques, aux oisifs, aux vaniteux, en bref, aux bons et aux impies »

Il y a eut d'abord une chapelle au col d'Ibañeta lui-même, dès le XIIe siècle, puis c'est à Roncevaux que se développe un monastère important de chanoines de saint Augustin chargé de l'accueil des pèlerins et des voyageurs au sortir de la montagne. On appelle Collégiale une telle église où officie un collège de chanoines.

GLOSSAIRE EN 6 LANGUES

🇫🇷	🇪🇸	🇬🇧
abbaye	abadia	abbey
accueil	acogida	reception
accueil chevaux	acogida caballos	horse Stables
août	agosto	August
appartement	piso	flat
après-midi	tarde	afternoon
auberge	restaurante	pub
avec participation	donativo	with contribution
avril	abril	April
boissons	bebidas	drinks
boucherie	carnicería	butcher's
boulangerie	panadería	bakery
centre d'accueil	albergue	pilgrim refuge
chambre	habitacion	bedroom
chambre chez l'habitant	casa rural	Bed & Breakfast
chambre d'hôtes	casa rural	Bed & Breakfast
chapelle	capilla	chapel
charcuterie	carnicería	pork butcher's
chemin (de randonnée)	camino	footpath
clés	llaves	keys
cuisine	cocina	kitchen
décembre	diciembre	December
déjeuner (repas du midi)	comida	lunch
demi-pension	media pensión	half board
dépannage-ravitaillement	pequeña tienda	small grocer's
dépôt de pain	despacho de pan	bread available
dimanche	domingo	Sunday
dîner (repas du soir)	cena	dinner
dortoir	dormitorio	dormitory
drap	sábana	sheet
église	iglesia	church
en saison	durante latemporada	in season
épicerie	tienda	grocer's
fermé	cerrado	closed
février	febrero	February
gîte d'étape	albergue	pilgrim refuge
gîte de groupe	albergue	pilgrim refuge (groups)
gîte rural	casa rural (semana)	country guest house (B&B)
hors saison	fuera de temporada	off season
hôtel	hotel	hotel
janvier	enero	January
jeudi	jueves	Thursday
juillet	julio	July
juin	junio	June
lave-linge	lavadora	washing machine
lit	cama	bed
lundi	lunes	Monday

Abtei	abdij	abbazia
Empfang	receptie	ricezione
Reiterempfang	opvang voor paarden	ricezione di cavalli
August	augustus	agosto
Wohnung	flat	appartamento
Nachmittag	namiddag	pomeriggio
Gastätte	herberg	ostello
mit Spende	met bijdrage	con la partecipazione
April	april	aprile
Getränke	dranken	bevande
Metzgerei	slagerij	macelleria
Bäckerei	bakkerij	panetteria
Herberge	herberg	albergo
Zimmer	kamer	camera
Zimmer mit Frühstück	intern gastenverblijf	pensione
Zimmer mit Frühstück	gastenverblijf	pensione
Kapelle	kapel	cappella
Metzgerei	vleeswaren	macelleria
Wanderweg	voetpad	sentiero
Schlüssel	sleutels	chiave
Küche	keuken	cucina
Dezember	december	dicembre
Mittagessen	middageten	colazione
Halbpension	halfpension	mezza-pensione
kleine Auswahl Essen	beperkt aanbod van etenswaren	approvvigionamento
Brotlager	brood voorradig	deposito di pane
Sonntag	zondag	domenica
Abendessen	avondeten	cena
Schlafsaal	slaapzaal	dormitorio
Bettwäsche	lakens	lenzuolo
Kirche	kerk	chiesa
Hauptsaison	hoofdseizoen	alta stagione
Lebensmittelgeschäft	winkel	drogheria
geschlossen	gesloten	chiuso
Februar	februari	febbraio
Herberge	herberg	pensione
Herberge	herberg	pensione
Gasthaus (Woche)	herberg (per week)	agri-turist
ausserhalb Saison	buiten het seizoen	fuori stagione
Hotel	hotel	albergo
Januar	januari	gennaio
Donnerstag	donderdag	giovedì
Juli	juli	luglio
Juni	juni	giugno
Waschmaschine	wasmachine	lavatrice
Bett	bed	letto
Montag	maandag	lunedì

🇫🇷	🇪🇸	🇬🇧
mai	mayo	May
Mairie	Ayuntamiento	Town hall
mardi	martes	Tuesday
mars	marzo	March
menu	menú	meal
menu du pèlerin	menú del peregrino	pilgrim's meal
mercredi	miércoles	Wednesday
monastère	monasterio	monastery
novembre	noviembre	November
nuit, nuitée	noche	overnight
octobre	octubre	October
ouvert	abierto	open
pain	pan	bread
panier pique-nique	picnic	packed lunch/picnic
Pâques	Pascua	Easter
participation libre	donativo	vol. contribution
pas de réservation	no reservación	no booking
pèlerin	peregrino	pilgrim
personnes (pers)	personas	people
petit déjeuner (pdj)	desayuno	breakfast
pharmacie	farmacia	chemist
piscine	piscina	swimming-pool
places	plazas	places
possibilité de cuisiner	uso de cocina	cooking facilities
Poste	Correos	Post-office
prix	precio	price
prix pèlerin	precio especial peregrino	pilgrim price
produits fermiers	productos caseros	farm produce
repas	comida	meal
repas-dépannage	posible cena	packed meal
réservation souhaitée	reservation aconsejada	resevations preferred
réserver	reservar	to book
restaurant	restaurante	restaurant
restauration rapide	comida rapida	fast food
route	carretera	road
samedi	sábado	Saturday
sandwich	bocadillo	sandwich
sèche-linge	secadora	drying machine
semaine	semana	week
septembre	septiembre	September
supérette, supermarché	supermercado	supermarket
table d'hôtes	con cenas	daily menu
Toussaint	Todos los Santos	All Saints' Day
toute l'année	todo el año	all the year round
transport de bagages	depósito de mochilas	luggage carriage
vendredi	viernes	Friday
village	pueblo	village

Mai	mei	maggio
Rathaus	raadhuis	municipio
Dienstag	dinsdag	martedi
März	maart	marzo
Menü	menu	menu
Pilgermenü	menu voor pelgrims	menu del pellegrino
Mittwoch	woensdag	mercoledi
Kloster	klooster	monastero
November	november	novembre
Nacht	nacht	notte
Oktober	oktober	ottobre
Geöffnet	open	aperto
Brot	brood	pane
Picknickessen	picknick	picnic
Ostern	pasen	Pasqua
mit freiw. Spende	met vrijwillige bijdrage	partecipazione libera
keine Reservierungsmöglichkeit	geen reserveringsmogelijkheid	senza prenotazione
Pilger	pelgrim	pellegrino
Personen	personen	persone
Frühstück	ontbijt	colazione
Apotheke	apotheek	farmacia
Schwimmbad	zwembad	piscina
Plätze	plaatsen	piazze
Küchenbenutzung	gebruik van keuken	con uso di cucina
Postamt	postkantoor	Posta
Preis	prijs	prezzo
Pilgerpreis	speciale prijs voor pelgrims	prezzo speciale pellegrino
Bauernhof produkte	boerderijprodukten	prodotti della fattoria
Mahlzeit	maaltijd	pranzo
kleine Auswahl Essen	lunchpakket	pranzo di fortuna
Reservierung durch Empfelung	reservering gewenst	prenotazione consigliata
Reservierung gewünscht	boeken	prenotare
Restaurant, Gastätte	restaurant	ristorante
Imbiß	cafetaria	ristorante rapido
Straße	straat	strada
Samstag	zaterdag	sabato
Brötchen	broodje	panino
Wäschetrockner	wasdroger	asciuga-biancheria-elettrico
Woche	week	settimana
September	september	settembre
Supermarkt	supermarkt	supermercato
gemeinsamer Eßtisch	gezamenlijke eettafel	osteria
Allerheiligen	Allerheiligen	Festa di Ognissanti
das ganze Jahr	het gehele jaar	tutto l'anno
Gepäcktransport	bagagevervoer	trasporto di bagagli
Freitag	vrijdag	venerdi
Dorf	dorp	villaggio

INDEX ALPHABÉTIQUE DES LIEUX